El Conde Lucanor

Materia tradicional y originalidad creadora

POR

REINALDO AYERBE-CHAUX

EDICIONES
José Porrúa Turanzas, S. A.
MADRID

Dep. legal M. 9.958 - 1975

I. S. B. N. 84-7317-050-4

PRINTED IN SPAIN
IMPRESO EN ESPAÑA

Ediciones José Porrúa Turanzas, S. A.
Cea Bermúdez, 10.-Madrid-3

TALLERES GRAFICOS PORRUA
JOSE, 10.-MADRID

A la memoria de mi padre,
Julio Manuel Ayerbe
y a mi madre, Adelaida Chaux

INDICE DE MATERIAS

Págs.

INTRODUCCION

Más de una vez los estudios sobre diferentes puntos de la literatura española medieval se han basado en algo que apuntara María Rosa Lida de Malkiel. La erudita argentina, cuya vida fue tronchada cuando aún hubiera podido hacer tanto, sugiere muchas veces en sus páginas con clarividencia extraordinaria la existencia de campos y ricas vetas a explorar. El presente trabajo lo ha inspirado, sobre todo, la primera de sus «Tres notas sobre don Juan Manuel» (1). Ella apuntó la íntima relación del noble escritor con la orden de los dominicos y dio la lista de ejemplarios de los frailes predicadores a los cuales habría que ir a investigar una parte de las fuentes de inspiración del escritor. Esa exploración crucial e importante estaba, al menos en parte, por hacer. Los sermonarios y ejemplarios son libros raros y difíciles no sólo de conseguir, sino de penetrar, pues sus índices son deficientes. Era necesario recorrer el camino casi página por página.

En la universidad de Cornell, del estado de Nueva York, encontré los tesoros de la biblioteca personal del Profesor Thomas Frederick Crane. En el siglo pasado fue él una de las autoridades mundiales sobre los ejemplarios de los predicadores y su edición de Jacobo de Vitry no ha sido superada. Me

(1) María Rosa Lida de Malkiel, *Estudios de Literatura Española y Comparada* (Buenos Aires: Eudeba, 1966), pp. 92-133.

atreví a entrar en ese mundo maravilloso en busca de los temas del *Libro de Patronio*, más que de las fuentes inmediatas, a veces difíciles de determinar. Cuando ya estaba casi acabado el trabajo de investigación salió a luz el importante y valioso trabajo de Daniel Devoto (2), quien menciona los ejemplarios, aunque algunas veces sin dar la referencia. Creo que siendo textos difíciles de obtener es importante editarlos y así lo hago en la segunda parte del presente estudio.

Señalar tan sólo los temas y textos hubiera sido labor puramente «arqueológica», no trabajo de crítica literaria. Por eso he tratado de comparar buscando el alma creadora del artista y las trazas del milagro de la creación literaria. Los críticos y principalmente los historiadores de la literatura española no han escatimado merecidos elogios a la obra de don Juan Manuel y, sobre todo, para su colección de cuentos de *El Conde Lucanor.* Pero ha faltado una demostración sistemática de lo que tienen ellos de creación.

La obra literaria de la Edad Media es esencialmente una obra de compilación de materiales ya existentes que se organizan en formas diversas y se pasan a la posteridad. De allí que el estudio de las fuentes literarias sea tan importante. Respecto a don Juan Manuel se ha hecho notar que no menciona sus fuentes sino es muy pocos casos, al contrario de otros escritores de esa época (3). Yo me atrevería a sugerir

---

(2) DANIEL DEVOTO, *Introducción al estudio de don Juan Manuel y en particular El Conde Lucanor. Una bibliografía* (Madrid: Castalia, 1972).

(3) MARIO RUFFINI, «Les sources de Don Juan Manuel», *Les Lettres Romanes,* VI (1953), p. 28, dice: «S'il est facile de déterminer l'influence que son oeuvre exerça sur les penseurs espagnols postérieurs, il est moin d'en découvrir les sources. Car Juan Manuel utilisa le savoir de son temps d'une façon originale, avec une vue si personnelle des choses et en l'adaptant si bien à sa propre façon de penser qu'il faut plus que disséquer les entrailles de son oeuvre pour en découvrir les origines.» MARÍA ROSA LIDA *(op. cit.,* pp. 111 y 117) subraya esta actitud de don Juan Manuel de no querer indicar sus fuentes, tan contraria a la de los otros escritores medieva-

que el autor tiene una gran conciencia de la obra que lleva a cabo, de su creación y de los cambios esenciales a que va sometiendo el material laborable; y así, sabiendo que difiere sustancialmente, no tiene para qué mencionar las fuentes de su inspiración.

Al hablar de las fuentes de los ejemplos de *El Conde Lucanor* hay que entender el término en una acepción muy lata. Daniel Devoto prefiere llamarlas «relatos paralelos» (p. 353). Sólo en muy contados casos se puede determinar con alguna probabilidad que el escritor tuviese en cuenta una determinada versión con preferencia a otras. Además, la mayoría de los ejemplos medievales o cuentos existían no sólo en versiones escritas, sino también orales y el autor pudo muy bien seguir en su narración alguna de estas últimas (4). Dichos relatos paralelos, de una riqueza extraordinaria, fueron puntualizados en parte, por primera vez, por el hispanista alemán Hermann Knust, quien aduce no sólo aquellos que son anteriores o contemporáneos de don Juan Manuel, sino sus manifestaciones en siglos posteriores (5). Daniel Devoto ha incorporado en su libro y completado en muchos casos esta mina riquísima de la edición alemana. Pero, ¿de qué vale todo ese material si no se demuestra la manera como don Juan Manuel lo usa artísticamente? Menéndez y Pelayo ha escrito a este respecto:

---

les. También lo hace notar JOSÉ MARÍA CASTRO Y CALVO en *El arte de gobernar en las obras de don Juan Manuel* (Barcelona: 1945), p. 54. TRACY STURCKEN, *Don Juan Manuel* (New York: Twayne Publishers Inc., 1974), p. 69.

(4) JOSEPH BÉDIER, *Les Fabliaux. Etudes de littérature populaire et d'histoire littéraire du moyen âge* (París: 1893), p. 54. DOROTHY BETHURUM, ed. *Critical Approaches to Medieval Literature* (New York: 1960), pp. 103-104 y 83-109.

(5) HERMANN KNUST, *Juan Manuel. El libro de los enxiemplos del Conde Lucanor et de Patronio.* Text und Anmerkungen aus dem nachlasse von Hermann Knust herausgegeben von Adolf Birch-Hirschfeld (Leipzig: 1900). MENÉNDEZ PIDAL en *Poesía árabe y poesía europea* (Madrid: Austral, 1963), p. 163, advierte que la obra de KNUST fue escrita en un tiempo en que sólo comenzaban los estudios de las fuentes y no se sabía bien lo que querían ser.

«Tan fácil es alargar indefinidamente, como lo han hecho Knust respecto del *Conde Lucanor,* y Landau respecto del *Decamerón,* la lista de los paralelos y semejanzas con los cuentos de todo país y de todo tiempo, como difícil o imposible marcar la fuente inmediata y directa de cada uno de los capítulos de ambas obras. Ni D. Juan Manuel ni Boccacio tienen un solo cuento original; este género de invención se queda para las medianías; pero el cuento más vulgar parece en ellos una creación nueva» (6).

Esa creación nueva es lo que intento buscar a través del método comparativo. Si don Juan Manuel siguió otra fuente desconocida y a ella se deben los cambios, prefiriéndola a las versiones aducidas que seguramente conocía, pues ello ya indica su discernimiento y sus preferencias literarias. Sin embargo, es absurda la sistemática falta de fe en el poder creador de los autores medievales y el aseverar a cada paso que pudo haber existido alguna versión más cercana a la forma que el escritor nos brinda, tratando así de descartar la existencia del genio creador. Si se examinan los cuentos de don Juan Manuel a la luz de las versiones existentes de los mismos, bien anteriores, bien contemporáneas, se descubren constantes en la elaboración de los personajes, en la escenificación y encuadre de los acontecimientos y en todo aquello que nos revela la creación artística del primer cuentista de lengua castellana.

El Conde Lucanor es un libro esencialmente didáctico. Sus ejemplos, anécdotas y fábulas son medios e instrumentos para presentar un tratado de moral práctica. No obstante, su autor ha compuesto ese tratado con tal maestría y belleza que la obra ha pasado a ocupar un puesto prominente en la lista

---

(6) MARCELINO MENÉNDEZ Y PELAYO, *Orígenes de la novela* (Madrid: 1925), vol. I, p. LXXXVII.

de las producciones artísticas de la Edad Media. Si mi trabajo pone el énfasis en la creación literaria no quiere en modo alguno negar su carácter didáctico, sino demostrar cómo don Juan Manuel, al elaborar y cincelar sus ejemplos, manifiesta una gran sensibilidad literaria que preludia nuevas formas de arte. Santo Tomás, a pesar de la grandeza de su doctrina, no ha podido entrar en las filas de la literatura.

Debo advertir también que al estudiar esta rica mina de los cincuenta y un ejemplos de *El Patronio,* ha tenido que haber cierta selección. No los he estudiado todos; y si subrayo en los que trato algún aspecto especial agrupándolos en capítulos, no quiere esto decir que intente eliminar sus otras ricas facetas y sus múltiples valores.

Entre los amigos que leyeron estas páginas tengo que destacar el nombre de Aníbal Biglieri, incansable trabajador de *Ofines* en el Instituto de Cultura Hispánica de Madrid. Amigo sincero, erudito y sapiente, a él debo numerosas correcciones y valiosas sugerencias. Mi esposa y mi hijo de diez años han visto la iniciación y progreso del presente estudio con una inmensa simpatía, comprensión y paciencia. Finalmente, don José Porrúa Venero, aun antes de estar terminado el manuscrito, le abrió a mi libro las puertas de su prestigiosa casa editorial. Para todos ellos, mi imperecedera gratitud.

Syracuse, New York, agosto de 1974.

PRIMERA PARTE

Estudio comparativo

Capítulo Primero

Recreación del personaje central

Los personajes de los ejemplarios son esencialmente esquemáticos, muñecos que se mueven automáticamente en lo simplemente anecdótico del instante. La reacción anímica es siempre elemental, esporádica y obvia. Ese mundo complejo del alma, con sus reacciones, sus cálculos y sus intereses parece en ellos desconocido. Aunque el ejemplo registre una manera de vida, un acaecer humano, una experiencia, el personaje que la sufre aparece impenetrable, sin pasado ni futuro, sino en un presente instantáneo. Por eso los ejemplarios que quieren presentar la inmensa variedad de las manifestaciones del alma humana, tienen que recurrir a la variedad anecdótica de las situaciones, formando así un mosaico del hombre, pero de un hombre que es más concepto moral que realidad concebida a nuestro modo. Ahora bien, en don Juan Manuel ya se realiza la transformación de los personajes hacia seres vivientes, calculadores, complejos, en una palabra, vivos. Sabe adentrarse en el campo oscuro de las reacciones síquicas. Para demostrarlo examino cinco ejemplos. Los he escogido no porque en ellos se encuentren los personajes más salientes de la creación manuelina, sino porque a la luz, ya de la fuente, ya de otros relatos paralelos, resalta en ellos la manera como el escritor trabaja su material con una conciencia nueva del arte anecdótico. No son un espejo inmóvil de algo paradigmático, sino que viven la experiencia de hacerse lo que son y realizarse como seres humanos.

Ejemplo primero.—*Un rey con su privado.*

El libro de *Barlaam y Josafat,* cuya última fuente es sánscrita, fue muy conocido en España durante la Edad Media. Traducido al griego y cristianizado por un monje del siglo VII, se popularizó en Europa por medio de una versión latina en el siglo XII. Que don Juan Manuel lo conociera no queda la menor duda, ya que suministra el núcleo argumental de su *Libro de los estados* (1). Creo que es la fuente indudable del primer ejemplo de *El Conde Lucanor.* El cuento del rey y su privado se encuentra también en el *Libro de los enxemplos* (2) en dos versiones, la más interesante de las cuales es la primera, que resume la parte narrativa del texto del *Barlaam.*

Un noble eminente de la corte se convierte en secreto al cristianismo y, por eso, sus enemigos quieren mancillarle la reputación ante el rey. En una cacería se encuentra con un mendigo, cuya pierna ha sido mordida por una bestia salvaje y él le da amparo, pues el hombre le dice que es médico de las palabras. Los enemigos le aconsejan al rey que se finja converso y que le manifieste el deseo de vestir el hábito de los monjes y ermitaños a quienes tanto ha perseguido. Cuando el rey le revela su propósito al ministro éste responde con gran alegría al saber la conversión de su señor,

---

(1) Cf. DANIEL DEVOTO, *op. cit.,* pp. 270-273. He manejado el siguiente texto: St. John Damascene, *Barlaam and Ioasaph,* with English translation by Rev. G. R. Woodward and H. Mattingly (Harvard University Press: 1967), pp. 38-45.

(2) *Libro de los enxemplos,* ed. de GAYANGOS, BAE, vol. LI (Madrid: 1952), núm. 4, p. 448 y núm. 215, p. 499.

SÁNCHEZ DE VERCIAL, *Libro de los exemplos,* por a.b.c., ed. crítica de JOHN ESTEN KELLER, clásicos hispánicos (Madrid: Consejo Sup. de Inv. Científicas, 1961), núm. 75, p. 77 y núm. 283, p. 219.

subrayando lo pasajero de la vida y el valor de lo eterno. Sin embargo se da cuenta de que el rey ha recibido mal sus palabras. Por la noche, lleno de angustia, hace llamar al mendigo, quien le aconseja que se levante, se corte el pelo, se quite los ricos vestidos y se ponga una camisa burda y se presente ante el rey para acompañarlo en el santo propósito.

Si la versión del *Libro de los enxemplos* en el número 75 [4] resume la parte narrativa del Barlaam, traduce, en cambio, a la letra lo que el rey dice a su privado, aquello que éste le contesta y la forma en que el filósofo mendigo lo aconseja. También son las mismas las palabras finales del privado al rey. La traducción o copia de la fuente es obvia si se tiene en cuenta principalmente el final de ese ejemplo número 75 [4]: «e de allí adelante fízole mucha más onrra, e confió mucho más dél. E ovo saña de los monjes deziendo que ellos davan estas dotrinas por tirar a los ombres de los deleytes deste mundo». Estas palabras, traducción literal, demuestran claramente el desgarramiento del ejemplo del contexto que tiene en el Barlaam. Además, las diferencias de los parlamentos son tan mínimas con el texto griego que he manejado para este cotejo que me parecen salidas tan sólo de las variantes textuales de los manuscritos (griego o latino) de que se sirvió el autor. Una versión más antigua es la de la *Legenda aurea* de Jacobo de Vorágine del siglo XIII, forma típicamente esquemática y reducida a los puntos salientes: un privado «christianissimus sed occultus», unos acusadores «invidi et malitiosi» que dicen al rey lo que debe hacer. Los dos párrafos de lo que dice el rey y contesta el privado se resumen así: «Quod cum rex omnia, ut illi suasserant fecisset, ille doli ignarus perfusus lacrymis propositum regis laudavit et vanitatem mundi rememorans quantocius hoc adimplendum consuluit» (3). El encuentro con el médico de las pala-

(3) Jacobo de Vorágine, *Legenda aurea vulgo historia lombar-*

bras en la cacería conserva el diálogo del original que omite el ejemplo 75 [4]. Es esta versión de Jacobo de Vorágine la que traduce textualmente el *Libro de los enxemplos* en el número 283 [215] y me parece importante porque da una idea de la forma esquemática de los ejemplarios. Don Juan Manuel toma su cuento del Barlaam directamente. No necesita mencionar la conversión al cristianismo ni la santidad del privado. Se trata de una simple intriga palaciega: «porque no puede seer que los omnes que alguna buena andança an, que algunos otros non ayan envidia dellos» (4). Esta intriga palaciega tiene en don Juan Manuel la frescura de un toque personal, pues él estuvo sumido en todos los vaivenes de la corte y más de una vez lo acusarían de querer usurpar la corona. Más adelante, cuando el privado trate de disuadir al rey, mencionará los apuros en que quedarán la reina y el joven príncipe, apuros de que él mismo fue testigo durante su regencia con la reina madre doña María de Molina en la minoría de Alfonso XI.

Si el rey del Barlaam no duda de la bondad de su ministro y acepta la prueba con el solo objeto de demostrar la falsedad de la acusación, don Juan Manuel, más consciente de la sicología de sus personajes, dice que la acusación siembra el recelo en el alma del monarca. Sabe luego crear el suspenso porque no dice inmediatamente cuál fue el consejo de los enemigos para probar a su ministro: «Et aquellos otros que buscavan mal a aquel su privado dixiéronle

---

dica dicta. Ad optimorum librorum fidem recensuit Dr. Johann Georg Graesse (Leipzig, 1850), cap. 180, p. 812. «Como hiciese el rey todo lo que le aconsejaran, él ignorando el engaño alabó el propósito del rey derramando lágrimas y le aconsejó llevarlo a cabo cuanto antes recordándole la vanidad del mundo.»

(4) Don Juan Manuel. *El conde Lucanor o Libro de los enxiemplos del Conde Lucanor et de Patronio,* edición, introducción y notas de José Manuel Blecua (Madrid, Castalia, 1959), 2.ª edición 1971, p. 55. De ahora en adelante será éste el texto que cito. Las referencias irán en paréntesis incluidas en el texto.

una manera muy engañosa en cómmo podría provar que era verdat aquello que ellos dizían, et enformaron bien al rey en una manera engañosa, segund adelante oydredes, cómmo fablase con aquel su privado. Et el rey puso en su coraçón de lo fazer et fízolo» (p. 56).

La forma en que el rey prepara la trampa a su consejero no es la directa y rápida usada por el original, que se limita al instante de una entrevista. Don Juan Manuel, escritor de mucho más dominio de los elementos narrativos, la extiende en crescendo en un período de tiempo: «Començol un poco a dar a enteder... Et entonce non le dixo más... A cabo de algunos días... Tornole a dezir que cada día se pagava menos de la vida deste mundo... Et esta razón le dixo tantos días et tantas vegadas... E desque el rey entendió que aquel su privado era vien caydo en aquella entención...» Para el arte de don Juan Manuel no hay prisa, sino que parece regodearse en el mundo mental y emocional de los seres que crea. La reacción entusiasta y simplista del converso del original que insiste en la brevedad de lo terreno, queda substituida por la actitud del caballero cortesano que muy a la manera de don Juan Manuel ha sabido solucionar el dilema de la salvación del alma y de su posición de honor y de gloria en el mundo. El honor y la gloria terrenales se subliman al servicio de Dios y del reino (5). La idea del rey llena a su ministro de extrañeza y para disuadirlo apunta, sobre todo, los males que se seguirán a la nación, especialmente al hijo y a la esposa, que se verán envueltos en intrigas y tensiones; intrigas y tensiones que, como ya dije, son eco de la experiencia personal. Las objeciones del ministro quedan respondidas al comunicarle el rey la decisión de nombrarlo regente. Las mismas objeciones han abierto la puerta para que

(5) Cf. el trabajo de IAN MACPHERSON, «Dios y el mundo —the Didacticism of El Conde Lucanor», *Romance Philology*, XXIV (1970), pp. 26-38. En especial la p. 37.

le tiendan la trampa. Se añade así una dimensión sicológica y humana completamente nueva a los personajes de la fuente.

El escritor revela también su penetración sicológica cuando anota que el ministro no dijo nada a la propuesta final de su señor y que, no obstante, «plógol mucho en su corazón, entendiendo que pues todo fincava en su poder que podría obrar en ello como quisiese» (p. 58). Este privado no es un santo, sino en realidad tan ambicioso como cualquier otro noble. En el Barlaam el rey se encoleriza y el privado se da cuenta de ello; detalle que prepara el desenlace en una forma narrativa bien elemental. En el Patronio, en cambio, el protagonista se marcha a casa «con muy grant plazer et muy grand alegría» a comunicar su buena ventura al sabio cautivo que tenía entre su servidumbre. Y he aquí otro acierto narrativo del autor. Si el Barlaam ha tenido que incrustar una cacería y un mendigo con la pierna destrozada por una bestia salvaje para introducir al consejero, la seguridad narrativa de don Juan Manuel lo presenta aquí simplemente sin preámbulos, sin excusas ni justificación, dándonos un doble del Patronio que narra el ejemplo. Desdoblamiento interesantísimo de personajes que revela un arte consumado. La dimensión que este consejero tiene, la saca de su doble y no de lo simplemente anecdótico (6). Finalmente, el atuendo de penitente que en la fuente queda reducido a tonsurarse y a ponerse la camisa de crin de caballo que servía de saco de penitencia a los cenobitas, don Juan Manuel lo transforma en el traje de peregrino típico de la época, añadiendo a la barba y a la cabeza peladas «una vestidura muy mala et toda apedaçada... et un vordón et unos çapatos rotos et bien ferrados» (p. 59). El detalle de las doblas cosidas en aquellos chirapos que lo cubren es de una

(6) Véanse los inteligentes comentarios de DANIEL DEVOTO (*op. cit.*, p. 358) acerca de los múltiples dobleces de los personajes y moralejas de este primer ejemplo.

sutileza grande, pues van a probarle al rey la falta de ambición de su ministro. No hay duda de que los personajes primitivos, apenas delineados en el Barlaam y en la *Legenda aurea*, han cobrado una dimensión sicológica y artística innegable bajo la pluma de don Juan Manuel. Hay aquí una reelaboración total y original del ejemplo primitivo, obtenida al crear un ministro y un rey que actúan, reaccionan y viven; y por un sutil desdoblamiento no sólo de Patronio, sino del Conde y de la moraleja.

Ejemplo 45.—*El hombre venido a menos y don Martín.*

Lo que se pudiera llamar «complejo de Fausto» constituye uno de los temas más ricos en los ejemplos medievales. Es posible citar unas cuarenta versiones del tema que reviste numerosas variantes. En medio de tanta riqueza lo admirable es que el personaje de don Juan Manuel conserva una originalidad y una fuerza extraordinarias por la manera como el narrador desarrolla su cuento.

El personaje más popular es Teófilo, que Berceo trae en sus *Milagros* (núm. 24) y Alfonso el Sabio en sus *Cantigas* (núm. 3). El milagro de Teófilo es la forma que aparece con más frecuencia en los ejemplarios, con variantes que sería menester investigar en un estudio especial (7). De esta riquísima veta se desprende quizás el ejemplo del Papa Silvestre. Como Teófilo adquiere su dignidad eclesiástica perdida, y en algunas versiones el episcopado, en este grupo de ejemplos el personaje llega a Papa con la ayuda del diablo y sabe de antemano que va a morir en Jerusalén. No se

(7) Entre otros se pueden citar: GAUTIER DE COINCY (muerto hacia 1236), *Les Miracles de la Sainte Vierge* (París, 1857), p. 27 y ss.; VICENTE DE BEAUVAIS, *Speculum Historiale,* lib. 21, cap. 69 y 70; JACOBO DE VORÁGINE, *op. cit.*, p. 131, núm. 9; *Liber Exemplorum,* ed. A. G. LITTLE (1908), núm. 47, p. 29; *The Alphabet of Tales,* número 367; *Scala coeli,* núm. 58; KLAPPER, núm. 107; LEGRAND D'AUSSY,

trataba de la ciudad, sino de una iglesia en la cual finalmente entra el pontífice a celebrar la misa y al sentirse morir se arrepiente y se salva (8). Otras veces el personaje es un soldado desposeído que al pactar con el demonio rehusa aceptar como tercera condición del contrato el renegar de la Virgen. El pacto queda frustrado (9). Ya en este grupo se encuentra el detalle de la pobreza en el cual don Juan Manuel va a basar la crisis de su personaje; pero el desarrollo es tan distinto que no hay con el cuento de *El Conde Lucanor* ninguna relación.

Klapper (núm. 194) trae una forma bastante elaborada del ejemplo desde el punto de vista anecdótico, en el cual se trata de una reina que pierde su corona y paga la ayuda del demonio para recuperarla con una serie de crímenes anuales, hasta que es salvada por su hijo. En los motivos que mueven a los diversos personajes entran la ambición de honores y la codicia de las riquezas y no podía faltar la carnalidad: así, en la *Legenda aurea* (cap. 26, p. 122) un joven da su alma al demonio firmando una carta para poderse casar con una joven a quien ama; la esposa lo salva con la ayuda de San Basilio. Esta forma se encuentra también en el *Scala coeli* (núm. 77).

Lo que antecede da una idea breve de la vasta complejidad del tema. Las variantes son muchas dentro de los grupos que

---

Fabliaux ou Contes (París, 1829), II, p. 180; *Castigos e Documentos del Rey don Sancho*, BAE, vol. LI, cap. 82, p. 215; *Libro de los enxemplos*, ed. de GAYAGOS, núm. 192, p. 493; *Recull de Eximplis*, núm. 408; etc., etc. Cf. TUBACH, *Index Exemplorum*, núm. 3.572 y, sobre todo, RUTEBEUF, *Le Miracle de Théophile*, ed. Grace Frank (París: Les classiques francais du Moyen Age, 1970).

(8) *Alphabet of Tales*, núm. 50; *Scala coeli*, núm. 56; *Recull de eximplis*, núm. 43; *Jacob's Well*, cap. IV, p. 31.

(9) Alfonso X, *Cantigas*, núm. 281; JACOBO DE VITRY, núm. 296; VICENTE DE BEAUVAIS, *Spec. Histor.* Lib. 8, cap. 105; CESARIO DE HEISTERBACH, *Dialogus Miraculorum*, dist. II, cap. 12; *Scala coeli*, núm. 655; KLAPPER, núm. 63; HEROLT, sermo 164 (lo toma de Cesario); *Recull de eximplis*, núm. 487.

he enunciado. Si el acosamiento de la miseria que mueve al personaje de don Juan Manuel aparece, como ya lo indiqué, en varios ejemplos, los desarrollos subsiguientes no tienen la menor relación con el cuento de Patronio. Quizás la forma más cercana en esta situación a don Juan Manuel es la de Etienne de Bourbon (núm. 182, p. 159), quien dice: «cum quidam, homo, qui dives fuerat, ad subitam et maximam devenisset inopiam et desperans vagaretur, occurrit ei dyabolus in forma humana, dicens quod, si vellet ei servire, et si ei homagium faceret, eum divitem faceret» (10). Sin embargo, la continuación del ejemplo nada tiene que ver con don Juan Manuel, pues este «homo qui dives fuerat», al darle la mano al diablo para sellar el pacto, se le vuelve negra como un carbón y al arrepentirse y confesarse recobra su color natural.

En ninguno de los casos anteriores el personaje se hace ladrón. Solamente en el *Speculum laicorum* (11) aparece un ladrón arrepentido que está al punto de «pereçer de mengua e pobredad»; el diablo le asegura que tendrá ocasión de arrepentirse y después de poco tiempo de haber vuelto a sus latrocinios lo condenan a muerte. Falta la soga para ahorcarlo y el anillo que le ha dado el demonio para sobornar a los que lo llevaban se convierte en un garabato («retorvava lignea»=«un madero retuerto») con el cual lo cuel-

---

(10) «Como cierto hombre que era rico cayese de improviso en gran pobreza y vagara desesperado, se le apareció el diablo en figura humana diciéndole que si quería servirlo y prestarle homenaje, lo haría rico.» El hombre rico que pacta con el diablo después de venir a menos se halla también en JACOBO DE VITRY, núm. 296, p. 124; ALFONSO X, *Cantigas*, núm. 216; *Castigos e documentos del rey don Sancho*, cap. 82, p. 216; *Scala coeli*, núm. 655; y *Recull de eximplis*, núm. 487, que lo toma de CESARIO DE HEISTERBACH. Debo insistir en que el desarrollo anecdótico varía casi en cada caso y los cito juntos por ser el personaje un rico venido a menos.

(11) *Speculum Laicorum* (traducción castellana). (Madrid: Consejo Sup. de Invest. Científ., 1956), núm. 185, p. 126. Para la versión latina cfr. KNUST, *op. cit.*, p. 404.

gan. Las analogías con el Arcipreste de Hita (*Libro de buen amor,* coplas 1.453-1.484) son más obvias que con el cuento de Patronio. En los dos autores españoles la ayuda del demonio es repetida. Knust trae también una versión de Abstemius (Nevelet, *Mythologia aesopica,* p. 558, núm. 58) en la cual un hombre que comete muchos crímenes se libra siempre con la ayuda del demonio y al final éste se presenta con un paquete enorme de zapatos rotos a decirle que los ha gastado en sus andanzas para librarlo y ya no tiene más dinero para comprar otros. En este caso la analogía es mayor con los versos del Arcipreste (1.471 cd y 1.472 ab) y ya Félix Lecoy la hizo notar (12).

En toda esta gran cantidad de material que he citado y tratado de catalogar admira sobre manera que no se en-

---

(12) FELIX LECOY, *Recherches sur le Libro de buen amor de Juan Ruiz, Archipretre de Hita* (París, 1938), p. 154. Lecoy desafortunadamente pasó por alto el indicar que Juan Ruiz, con un sentido innegable del humor, combina estas dos fuentes con otro tema medieval muy famoso, el del milagro del ladrón que antes de ir a robar siempre le reza a la Virgen y cuando finalmente lo cuelgan en la horca, la madre santísima lo sostiene haciéndole descansar los pies sobre sus hombros, hasta que, convencidos del milagro, lo libertan y en adelante el bandido cambia de vida. Está en ALFONSO X, *Cantigas,* núm. 13; GAUTIER DE COINCY, núm. 23; VICENTE DE BEAUVAIS, *Spec. Hist.* lib. 8, cap. 116; ETIENNE DE BOURBON, número 119; THOMAS WRIGHT, núm. 109; *Liber Exemplorum,* núm. 42, p. 24; *Legenda aurea,* núm. 5; KLAPPER, núm. 169; MEON, *Nouveau Recueil,* II, p. 443. Otras veces es San Nicolás quien libra al ladrón (CESARIO, *Dialogus miraculorum,* dist. 8.ª, cap. 73). El personaje cambia de ladrón a peregrino de Santiago y es éste quien lo salva de la horca en ALFONSO EL SABIO, *Cantiga,* núm. 175; CESARIO, dist. 8.ª, Cap. 58. A veces se trata de un caballero que se salva así hasta poder recibir la eucaristía en CESARIO, dist. 8.ª, cap. 49; *Recull de eximplis,* núm. 602; HEROLT, sermo 80. También aparece una muchacha inocente asociada por error con un ladrón; es condenada a la horca por un juez venal y es sostenida allí por un ángel: *Scala coeli,* núm. 83. En todos estos testimonios se trata siempre de un milagro y en ningún caso, que yo conozca, aparece el demonio sosteniendo al ajusticiado. Se requería el humor gozoso del Arcipreste de Hita para hacer el cambio y elaborar en una forma graciosa y apta para la recitación de los juglares su maravilloso cuento que presenta así una admirable originalidad.

cuentre nada que se halle en verdad cercano al cuento de don Juan Manuel. Queda siempre la hipótesis de la existencia de una fuente oral, pero cuando se posee un número como éste de testimonios escritos es mucho más plausible admitir la creación original por parte del autor, quien consciente o inconscientemente ha utilizado elementos de aquí y de allá. Mi punto de vista se confirma al analizar el desarrollo del cuento resaltando la fuerza del personaje en esta maravillosa versión que está muy distante por su valor literario de las formas que he citado, con excepción del Arcipreste de Hita y del milagro de Teófilo, el cual, en todo caso, forma un grupo distinto.

Ya vimos que el «hombre venido a menos» que pacta con el demonio se encuentra en varias versiones. Sin embargo, en don Juan Manuel es obvia la preocupación por darle verosimilitud sicológica al hecho y de poner en claro que la penuria en una persona que ha vivido en holganza es un sufrimiento tal que el espíritu desesperado se puede entregar al demonio. Por eso, al iniciar el cuento deja por sentado que «non a en el mundo tan grand desventura commo seer muy mal andante el que suele seer bien andante» (p. 223). A pesar de ello, el personaje del *Patronio* se asusta cuando el diablo le revela su identidad y el escritor vuelve a su comentario para establecer la verosimilitud de lo que sucede; comentario que a primera vista podría parecer simple didactismo medieval, pero que en realidad se debe a la conciencia del escritor en su creación. «Et bien cred que el Diablo siempre cata tiempo para engañar a los omnes; quando vee que están en alguna quexa, o de mengua, o de miedo, o de querer complir su talante, entonces libra él con ellos todo lo que quiere, et assí cató manera para engañar aquel omne en l' tiempo que estava en aquella coyta.» A pesar del pacto la actuación del hombre va a ser la de aquel que ensaya paso a paso su nueva situación, con cierta timidez.

Su maldad, más que maldad es debilidad, curiosidad. Esta situación anímica está presentada magistralmente cuando se detalla el primer robo y luego, de manera rápida, se dice que se estableció el hábito: «et el omne endereçó a casa de un mercadero, de noche oscura; ca los que mal quieren fazer siempre aborrecen la lumbre. Et luego que legó a la puerta, el diablo avriógela et esso mismo fizo a las arcas en guisa que luego ovo ende muy grant aver. Otro día fizo otro furto muy grande, et después otro, fasta que fue tan rico que se non acordava de la pobreza que avía passado. Et el mal andante, non se teniendo por pagado de cómmo era fuera de lazeria, començó a furtar aún más».

La conciencia del escritor en su creación se revela finalmente en la gradación que establece en las veces que lo capturan, usando la cita directa, que en sus cuentos sólo aparece en los instantes anímicos cruciales. Después de la segunda vez que cae en manos de la justicia, cuando don Martín «non vino tan ayna commo él quisiera» le dice: «A, don Martín, ¡qué grand miedo me pusiestes! ¿Por qué tanto tardávades?» Lo mismo, después de robar tres veces más, estando al pie de la horca le dice: «A, don Martín, sabet que esto non era juego, que vien vos digo que grand miedo he passado!» La concisión y colocación de estas dos citas directas revela un arte sutil que pone de relieve el fondo de un alma. Parece como si hasta el final estuviese ensayando, como si a pesar de robar y robar hubiera gritos de desconfianza o llamadas de su conciencia. Esta manera de descubrir los pensamientos íntimos por medio de la cita directa la repite el escritor al citar graciosamente las palabras del juez. Paso a paso don Juan Manuel ha estructurado su ejemplo más que en la anécdota en la situación interna de su «omne», siendo éste su creación. Lo toma de los ejemplarios, pero lo trabaja, lo ahonda o lo ensancha hasta que vive como ser imaginario real; y esto sólo lo hacen los grandes cuentistas.

Hay un elemento más que aparece como de paso en algunas de las versiones existentes, pero hacia el cual don Juan Manuel enfoca la moraleja: la condenación de la superchería es el marco didáctico del ejemplo. En los ejemplarios hay a veces un intermediario entre el demonio y la víctima, una suerte de hechicero, como el judío en el milagro de Teófilo en Berceo, quien con sus artes convoca al príncipe de las tinieblas. No aparece en don Juan Manuel. No necesita una tercera persona que más bien que ayudar esfumaría la fuerza de su creación central y el contrapunto que establece entre don Martín y su víctima. Sin embargo, el ejemplo del Patronio es el único que enfoca la moraleja a la condenación de los adivinos. Es como si identificara a éstos con el mismo demonio. El diablo para probar que es capaz de ayudarlo, ofrece adivinarle los pensamientos que lo traen acongojado. Cuando ha dejado estupefacta a su víctima con la revelación, entonces le dice que es el demonio. En esta forma ha sabido evitar felizmente la presencia de un tercero que exigía el enfoque del cuento y ha concentrado el acento en el demonio que se va personalizando hasta que revela su nombre en la fórmula mágica: «Acorredme don Martín.»

Ejemplo 42.—*La falsa beguina.*

De este cuento he podido cotejar ocho versiones. Tres son anteriores a don Juan Manuel: *El libro de las delicias,* de Ibn Sabarra (13) del siglo XI, Etienne de Bourbon (núm. 245, p. 207) y el *Speculum laicorum* (núm. 463, p. 362 de la traducción castellana). Otras tres son más o menos contemporáneas: *Poema de Adolfo,* poco más o menos de 1315 (14), la versión

---

(13) JOSEP BEN MEIR IBN SABARRA, *Llibre d'ensenyaments delectables. Sèfer Xaaixuim.* Traducció amb Introducció i notes d'Ignasi González-Llubera (Barcelona, Alpha, 1931). pp. 174-179.

(14) POLYCARPI LEYSERI, *Historia Poetarum et Poematum medii*

que edita Thomas Wright (núm. 100, p. 85) y el *Scala coeli* (núm. 610). Finalmente las versiones posteriores de Herolt (Sermo 96 F, p. 796) y del *Libro de los enxemplos* (núm. 370, p. 536). En el cuento se pueden distinguir cuatro escenas: 1.ª La vieja y el diablo. 2.ª La vieja y los esposos. 3.ª La tragedia. 4.ª La vieja recibe su merecido. Analizando cada una de estas partes por separado se puede poner de relieve también en este caso la manera como don Juan Manuel crea su beguina enteramente consciente de aquellos detalles que convierten lo anecdótico en desarrollo vital de su ser de ficción.

1.º *La vieja y el diablo.*—El simple hecho de que el diablo le prometa a la vieja una recompensa es presentado con detalles de anécdota en cinco de las versiones. Muestran al demonio en forma humana, como un joven que se sienta casualmente a la orilla del río o que espera entristecido a la vieja lavandera al pie de un árbol a la vera del camino. Solamente el *Speculum laicorum* y Herolt sintetizan completamente la situación y el diálogo muy a la manera de los ejemplarios: «Onde commo un diablo trabajase mucho tiempo en poner discordia entre un marido y su muger e non lo pudiese fazer, fuese a una vieja e prometiole un par de çapatas porque pusiese discordia entre aquellos dos casados.» En estas dos versiones la recompensa no es dinero como en las demás. El diálogo es sencillo: quién es y por qué está triste. Sólo se destacan la versión de Thomas Wright y la del judío barcelonés. En aquella el demonio no revela su identidad y se le insinúa a la vieja diciéndole que se trata

---

aevi decem post Annum a nato Christo CCCC, seculorum MDCCXXI, pp. 2024-2028. En la p. 2007 dice el editor: «Quis ille Adolphus fuerit explorare non vacat. Scripsit... sermone ligato fabulas A. MCCCXV ut ex operis fine patet. Quod cum huc usque editum esse non putem ex MSto Bibliothecae Guelpherbytanae descriptum exhibeo quamvis enim non elegans adeo sit, lectu tamen non adeo fore iniucundum credo.» THOMAS WRIGHT también publica el poema en la p. 184 de sus *Latin Stories*.

de un secreto y que desearía poder sembrar un poquitín de odio entre esos casados tan perfectos con cuyas virtudes ha empezado el relato: «Nunquid aliquem noveris in mundo tam sapientem et prudentem, qui odio inter eos seminato unanimitatem eorum posset aliquantisper segregare?» («¿Conoces acaso en el mundo a alguien tan sabio y prudente, que sembrando entre ellos el odio pueda destruir siquiera un poquito su unión?»). En el diálogo de Ibn Sabarra resalta la burla de la vieja: «¡Por vida mía que de ahora en adelante miraré a los demonios con menosprecio: parecéis poderosos y tosudos y, en verdad, sois más débiles que mujeres!»

Don Juan Manuel pone ya en esta parte toques admirables que recrean el cuento muy a su manera. La vieja lavandera, como lo nota Blecua, queda transformada en una beata que pertenece a una corporación religiosa no ortodoxa. El autor no necesita introducir al diablo en una forma exagerada de narración de principiante, sentado bajo un árbol a la vera del camino. Sin más, el diablo que va y la beata hereje que se encamina a la población donde vive la pareja se conocen o se reconocen: «topó con una veguina. Et desque se conoscieron, preguntol que por qué vinía triste» (p. 208). La familiaridad de los dos queda subrayada con el hecho de que la vieja se maraville (casi tomando al diablo del pelo) de que éste, que sabe tanto, no pueda sembrar la discordia. Se ofrece a ayudarlo. Hay una relación de viejos amigos. Así, más que la bolsa de dinero o el par de zapatos de las otras versiones, le importa al escritor resaltar el pacto de ayuda que ambos hacen: «mas que si fiziesse lo que ella queríe... El diablo le dixo que faría lo que ella quisiesse... Et de que el diablo et aquella beguina fueron a esto avenidos...» Don Juan Manuel ha quitado detalles marginales y totalmente accidentales (árbol, dinero, zapatos, lavandera), para centrarse en lo intrínseco del personaje: beata hereje, amiga del diablo.

2.º *La vieja y los esposos.*—La forma más elemental de sembrar la discordia es ir la vieja y decirle a la esposa que el marido tiene amores con una barragana y que la manera de conservar su amor es cortarle unos pelos de la barba mientras duerme, para quemarlos y con ellos preparar una poción que fijará por siempre su corazón del lado de la esposa. Luego alerta al marido y le informa el peligro de muerte que corre a manos de su mujer. Esta es la forma que presentan el *Libro de las delicias,* el *Speculum laicorum,* la *Fabula Adolphi* y la versión de Thomas Wright. Van directamente a preparar el choque de los esposos sin ninguna ambientación sicológica de los mismos que por otra parte han vivido en perfecta armonía durante tantos años. De esta situación anómala se salva quizás la versión más antigua en la cual se trata de sembrar la discordia entre los habitantes del pueblo no en una pareja determinada. Además todo sucede rápidamente en el curso de un día. Etienne de Bourbon, el *Scala coeli* y las dos versiones del siglo xv, como si intentaran corregir esta falta de dimensión sicológica, introducen en ambos el elemento de los celos. La vieja le dice a la esposa que su marido ha cometido adulterio con una manceba y al marido que su esposa tiene citas con un sacerdote. Ella los ha oído conversar estando en la iglesia en oración detrás de una columna. La incredulidad de los esposos queda vencida cuando la vieja se arregla para que se encuentren con sus pretendidos cómplices y con el recurso de que la muchacha vaya a recoger una saya a la tienda del marido (15). Sólo

---

(15) El detalle del paño o saya quizá pertenezca a otra tradición. Se halla en el *Libro de los engaños* ed. de JOHN KELLER (Madrid, Castalia, 1959), p. 35. Es el ejemplo de «la muger o del alcaueta, del omne o del mercador, e de la muger que vendio el paño». Un mancebo que desea la bella esposa de un mercader, de acuerdo con la alcahueta, le compra a éste un paño que queman en tres lugares y la vieja lo deja en un cojín de la casa de la hermosa. Cuando el mercader lo descubre y lo reconoce golpea a su mujer. Ella se refugia en casa de sus parientes. Aconsejada por la vieja

entonces se introduce el elemento más primitivo de las otras versiones sobre la amenaza de muerte y los pelos de la barba que con toque cabalístico se especifican en el número tres. Herolt cambia esto último y la esposa ha de poner un cuchillo debajo de la almohada de su consorte, un cuchillo que de antemano ha debido sumergir en agua bendita.

Don Juan Manuel da una gran importancia al elemento tiempo para que la beguina pueda verosímilmente ejecutar su labor. La vieja de las otras versiones va hablando sin más a los dos casados sin tener en cuenta la dificultad sicológica de que un extraño se insinúe y entre en el ámbito confidencial del matrimonio. Esas versiones narran en una forma elemental una sucesión de acciones sin relacionarlas con la verdadera reacción anímica del ser humano. En cambio, don Juan Manuel subraya primero que «et tanto fizo de día en día, fasta que se fizo conosçer» y al decirle a la esposa que ha sido criada de la madre y que la quiere servir, se hace recibir como sirvienta y hay un período de tiempo en que le encomiendan el cuidado de la casa. Sólo cuando la beata ha ganado ya la confianza de sus víctimas («Et desque ella ovo morado muy grand tiempo en su casa et era privada de entramos...») empieza a sembrar la cizaña. La sutileza de la vieja queda así mismo puesta de relieve en el hecho de que en las otras versiones es ella misma quien sugiere a la esposa el recurso de los cabellos de la barba, quemados y dados en una bebida. La beguina, que crearía

---

la pobre esposa va a consultar al mancebo que se dice gran sabedor de hechizos de amor y en la consulta sucumbe a sus requiebros. El amante se hace encontradizo con el mercader, quien le presenta el paño. Todo termina en la reconciliación de los esposos al explicarle el mancebo que habiéndosele quemado el paño se lo dio a una vieja para hacerlo remendar. Esta, que pasa por allí en esos momentos, dice que lo dejó olvidado donde lo había hallado el esposo celoso. Cf. ANGEL GONZÁLEZ PALENCIA, *Versiones castellanas de Sendebar* (Madrid, CSIC, 1946), p. 37.

sospechas si manifestara saber de hechizos, dice que va a buscar a algún hombre que sepa de aquellos achaques para consultarlo.

Don Juan Manuel hace que su diabólica beata siembre la discordia con mucha más sutileza. Las otras versiones usan el recurso fácil y común de los celos mutuos, pero él sólo forja toda la crisis sobre la infidelidad del hombre. Al sentirse falsamente acusado se entristece; y su tristeza afianza la sospecha en el alma de su mujer. Es un estado de espíritu que sin decir palabra ambos manifiestan y del cual fatalmente no se atreven a hablar. El autor no tiene para qué recurrir a la moza y la saya o al clérigo enamorado. Así encaja mucho mejor la desesperada búsqueda de la esposa de una manera de volver a ganar el afecto del esposo. Sin embargo, esta situación tan artísticamente creada en la cual lo natural sería prevenir al marido que su mujer quiere matarlo por celos de la otra amante o por desesperación, se corta absurdamente cuando la vieja dice que la mujer «le quería matar et yrse con su amigo», un amigo que no se ha mencionado y que no cabe en la situación creada por don Juan Manuel. Mas este error narrativo me parece en extremo valioso, pues hace ver que el escritor, sin duda alguna, está elaborando el tema tradicional tal como lo presentan las otras versiones, en las cuales ambos esposos son acusados de infidelidad; y que la admirable sutileza sicológica con que planteara la discordia es de su feliz invención artística, aunque luego le falle.

3.º *La tragedia de los esposos.*—Sólo en Ibn Sabarra, Thomas Wright y Herolt el marido mata a la mujer. En el *Speculum laicorum* le da azotes, le causa heridas y la deja por muerta. En las otras versiones se revela finalmente la verdad «y el varón y su mujer volvieron a su primer amor». El Patronio, siguiendo a Ibn Sabarra, termina en una tragedia total, con la muerte de muchas personas, ya que le interesa resaltar cuál es el peor ser humano: «el que se muestra por buen christiano, et por omne bueno et leal, et la su entención es falsa, et anda asacando falsedades et mentiras por meter mal entre llas gentes» (p. 211). Esto lo logra con la macabra tragedia final. Para él las fuerzas del mal parecen desencadenarse potentes. Sin embargo, en el párrafo siguiente subraya el papel tradicional de la Providencia: «Pero porque Dios nunca quiere que el que mal fecho faze que finque sin pena...»

González Llubera, editor de Ibn Sabarra, dice en una nota (p. 179): «No creo que Joan Manuel conegués el conte, segons la versió del present text de Sabara; sería arbitrari, en tot cas, sostenir-ho basant-se en coincidències entre ambdues versions: la *beguina* de *l'exemplo* castellá indica més aviat procedència europea; i el nostre text deu basar-se en una versió semblant.» Sin embargo, hay tres correspondencias cruciales entre don Juan Manuel y el judío barcelonés, ausentes en las otras versiones europeas: 1. La vieja se burla de la impotencia del diablo. 2. Se menciona a un joven amante de la esposa muy distinto al clérigo de las otras versiones y que concuerda con el cabo suelto ya subrayado en el *Patronio.* 3. Finalmente la muerte de hermanos y parientes y de «la mayor parte de quantos eran en aquella villa». Estas correspondencias son tan significativas que muy probablemente el escritor castellano conocía la del barcelonés, y como se verá muchas veces a lo largo de este estudio, elabora y combina versiones con una gran libertad literaria para brindar algo que es muy suyo, muy rico y muy logrado.

4.° *La vieja recibe su merecido.*—El cuento termina para don Juan Manuel con la ejecución de la vieja: «fizieron della muchas malas iusticias, et diéronle muy mala muerte et muy cruel». En cambio, las otras versiones con excepción del *Libro de las delicias* y el *Libro de los en-*

xemplos, traen la escena de la vieja con el diablo, de quien recibe la recompensa prometida, pero el diablo rehusa acercársele, quedándose al otro lado del río y tirándole la bolsa o pasándole los zapatos en la punta de una vara. En la versión del *Scala coeli* el diablo se la lleva. De todas maneras se subraya el hecho de que la vieja ha sido capaz de hacer lo que satanás no logró ejecutar en treinta o cuarenta o más años: «Femina demonibus tribus est mala pejor.» («La mujer es mucho peor que tres demonios»). Don Juan Manuel omite estos cuadros finales, bien porque sigue la versión de Ibn Sabarra, bien porque nublan con su forma puramente anecdótica el cuadro sicológico central que con tanto éxito ha sabido crear. La fuerza de su ejemplo no está en lo anecdótico, sino en la sutileza sicológica con que ha sabido trazar y poner en acción a esa beguina, el ser humano más maligno.

Ejemplo 20.—*El alquimista y el rey.*

La versión más antigua en Europa es la de Raimundo Lulio (16) y como más antigua, más primitiva y esquemática. Los elementos de la anécdota son: un engañador, tres *bustias* o recipientes en las cuales ha derretido el oro en cantidad y lo ha mezclado con cocciones de yerbas; y un rey que al ver multiplicar sus doblones da una gran cantidad de oro con la cual se escapa el falso alquimista. La influencia de Raimundo Lulio en don Juan Manuel, sobre todo en el *Libro del Caballero et del escudero,* ha sido discutida, probada y precisada (17). Esta versión del santo barcelonés es muy probablemente la fuente de inspiración no sólo para

(16) Ramón Llull, *Obras Literarias* (Madrid: Biblioteca de Autores Cristianos, 1948). Se halla en el «Félix o Maravillas del mundo», cap. 36, p. 716.
(17) Cf. Daniel Devoto, *op. cit.,* pp. 243-246.

don Juan Manuel, sino también para el *Libro del Caballero Zifar,* obra anterior a *El Conde Lucanor* en unos treinta años (18). Al hacer un paralelo de estas dos creaciones castellanas del tema es interesantísimo ver los dos enfoques distintos, ambos ricos en imaginación creadora, que han dado al personaje primitivo los dos prosistas.

La situación que motiva el cuento en el Cifar es anecdótica: ha llegado a la corte un físico que tiene tres yerbas (para bebidas, para ungüentos y para baños), que lo curan todo. Trae cartas que le dan el título de licenciado. Pero esas yerbas preciosas sólo se hallan en un lugar cerca del mar en el occidente y pide treinta o cincuenta camellos para su transporte. Además, necesita víveres para los dos años que durará el supuesto viaje. Todo llegará a la suma de mil marcos. Esto motiva la consulta del rey al infante Roboán, quien le narra el ejemplo para disuadirlo de aceptar la propuesta. Este preámbulo narrativo queda sintetizado en las palabras introductorias del conde Lucanor: «Patronio, un omne vino a mí et dixo que me faría cobrar muy grand pro et grand onra, et para esto que avia mester que catasse alguna cosa de lo mío con que se començasse aquel fecho; ca, desque fuesse acabado, por un dinero avría diez» (p. 122).

El protagonista del Cifar es un caballero forzado a la picardía. Es el hijo de un barbero, honrado y rico, que quiere vivir la caballería sin verla enturbiada por el fantasma de su origen humilde. Por eso, desea irse a servir a otro rey en cuya corte espera comenzar una nueva vida borrando su pasado. Por desgracia la carta introductoria que lleva pregona aquello que tan ansiosamente quería ocultar: «E dezia en la carta que este cavallero que era fijo de un alfajeme, e quel em-

(18) *Libro del Caballero Zifar,* ed. de MARTÍN DE RIQUER (Barcelona, Selecciones Bibliófilas, 1951), Capítulo CCIII. Hay un ejemplo de ETIENNE DE BOURBON (núm. 359, p. 316) en el que se trata de un engañador que dice hacer milagros.

biava a él para que lo sirviese, e aquel feziese merced, ca ome era quel sabría muy bien servir en lo que mandase. E el rey le preguntó qué mester avía. E el cavallero, quando lo oyó, fue mucho espantado, ca entendió que en la carta dezía de commo era fijo de alfajeme» (p. 237). En su confusión la respuesta que da acerca de su oficio es que hace oro. Ha sido como empujado fatalmente a la mentira y esa primera noche no puede dormir buscando la manera de salir del paso.

Don Juan Manuel, en cambio, dice en la primera línea que su personaje «era muy grand golfin». Es un estafador de profesión que desea remediarse instantáneamente haciendo una gran ganancia. No es un ser forzado a la picardía por la fatalidad. La forma como llega al rey no tiene nada de sino ni de casualidad. Se viste de nobles paños («et vistiósse de paños muy assessegados») y vive por algún tiempo en la villa y va diciendo, como en secreto, que sabe hacer alquimia, hasta que la noticia llega al rey. Cuando está ante el monarca no tiene la salida abrupta del caballero frustrado, «mi mester es fazer oro», sino los pasos bien calculados de un estafador profesional:

> *Et estas nueva llegaron al rey, et envió por él et preguntol si sabía fazer alquimia. Et el golfín, commo quier quel fizo muestra que se quería enconbrir et que lo non sabía, al cabo diol a entender que lo sabía, pero dixo al rey quel conseiava que deste fecho non fiasse (de omne) del mundo nin aventurasse mucho de su aver, pero si quisiesse, que provaría antél un poco et quel amostraría lo que ende sabía* (p. 124).

Con qué sutileza está dando su sabio consejo al rey; le está descubriendo el peligro verdadero a que se expone y se cura en salud por lo que pueda pasar.

Hay también un contraste entre los dos personajes si

se considera la forma en que venden el polvo de las doblas. Cada uno actúa en esto conforme a su situación anímica personal. El del cuento del infante Roboán arriesga una cantidad mínima: son veinte doblas las que pulveriza; el especiero sólo ha de cobrar diez al vender el polvo, de las cuales tocarán cinco al caballero. El no mezcla el polvo con ninguna otra sustancia para formar su *alexandrique* y con todo este negocio se pone en peligro de ser descubierto. No es un estafador de profesión. En cambio, el pícaro de don Juan Manuel mezcla el polvo con otras sustancias y como su ganancia va a ser en grande no teme pulverizar cien doblas que vende regaladas al especiero, por sólo dos o tres doblas. Hace esto cuando aun ni siquiera ha sido llamado por el rey. Todo lo cual revela la audacia de su carácter y una actitud de verdadero estafador despreocupado que si pierde, pierde, y si gana, gana. El nombre mismo que dan a la sustancia revela el ingenio de los dos individuos: *alexandrique,* versus *tabardíe,* siendo este segundo más exótico, menos definible, más arábigo, más misterioso.

El pícaro de profesión saca el oro una sola vez, en pequeña cantidad y deja que el mismo rey de allí adelante vaya poco a poco doblando ambiciosamente la receta, acrecentando su entusiasmo. Don Juan Manuel, ya lo hemos visto, da amplia cabida al elemento tiempo. Es un proceso de días en los cuales el rey va sacando el oro. El pícaro, bien seguro de sí mismo, se queda tan tranquilo en la ciudad y cuando el rey le comunica el primer fracaso se lo explica sin más por la falta del *tabardíe.* El autor juega así con las reacciones sicológicas de sus personajes. Además, las ganancias que hace el rey en el Patronio son mayores: de dos o tres dineros de elementos saca una dobla de oro.

El toque final de la picardía en el personaje de don Juan Manuel, toque que falta naturalmente en el caballero frustrado del Cifar, se halla en el hecho de que mientras pasa el tiempo y el bandido no regresa con el *tabardíe,* el rey hace examinar la casa, en donde sólo hallan un arca sellada y dentro la nota: «Bien creed que non a en l'mundo tabardíe.» Nota ésta de burla muy de acuerdo a la naturaleza del personaje.

El final del cuento proviene seguramente de otra fuente anecdótica y es semejante en ambos. Trata del rey y de los comentarios de sus súbditos. Sin embargo, el rey de don Juan Manuel no sale por la noche a la villa a prender delincuentes, ni se llena de cólera al oír los comentarios de los mancebos, ni rompe las puertas del lugar donde murmuran, sino que las habladurías le llegan al palacio. Manda traer a los que lo llamaban «omne de mal recabdo» y les asegura que no les hará ningún mal. Es, en suma, un rey refinado, trazado de acuerdo con el concepto que de la nobleza y la realeza tenía el hijo de un infante de Castilla (19). El hecho de que esta segunda parte del cuento, que no se halla en el *Félix* de Raimundo Lulio, sea común al Cifar y al Patronio, plantea la posibilidad de que don Juan Manuel conociera el cuento del infante Roboán.

Este paralelo de las dos versiones del famoso cuento no quiere minimizar en nada el valor innegable del personaje trágico del *Caballero Zifar:* un hombre humilde que desea borrar su pasado y ese pasado lo sigue y lo acosa de manera fatal. Don Juan Manuel, aristócrata de nacimiento, quizás no puede concebir a un caballero sin nobleza de cuna, pero más que nada, a un caballero que hace picardías de patán. Su personaje tiene que ser distinto y construye la anécdota alrededor del pícaro de profesión, haciéndolo con un arte consumado, agregando todos aquellos detalles que van a darle vida y a ponerlo a actuar. La actitud del rey

(19) KNUST, *op. cit.*, p. 351, trae dos versiones posteriores de esta anécdota.

de don Juan Manuel me parece también importante en este sentido y muy de acuerdo a los cambios que el escritor le ha dado al tema central. Es un rey que a pesar de haber cometido un error, actúa con dignidad de soberano.

Ejemplo 7.º—*Doña Truhana.*

No podía cerrarse este desfile de personajes sin doña Truhana. La extensión de los cuentos anteriores daba pie al escritor para delinear y desarrollar sus personalidades. En la concisión del ejemplo 7.º, en pocas frases, va a presentar otro personaje que se destaca vigorosamente en la línea de la tradición por las características únicas de que el autor sabe revestirlo. El cuento, en su viaje por países y épocas, es rico en variantes y detalles y, sin embargo, la versión manuelina, a la cual no se puede adjudicar fuente inmediata precisa, constituye una creación literaria feliz por el vigor y originalidad de doña Truhana, que nada tiene que envidiar a la famosa Perrette de La Fontaine (*Fables,* Livre VII, fable 10).

El material para el estudio comparativo del cuento ha sido allegado ya por la crítica (20). Sintetizando un poco el vasto campo, se pueden señalar tres grupos o momentos en el peregrinar del cuento: 1.º La forma más primitiva y original en el *Panchatantra* y en el *Hitopadesa* de la literatura sánscrita. 2.º Las traducciones medievales de esas colecciones de cuentos indios, la más antigua de las cuales es del siglo VIII, hecha en árabe por Abdallah ibn Almokaffa y titulada *Calila e Digna.* Del árabe proceden las demás versiones. Tal la griega, *Stefanites kai Ichnelates* hecha en 1080 por el judío Simeón; la latina de Juan de Capua, *Di-*

---

(20) Cf. DANIEL DEVOTO, *op. cit.*, pp. 376-378. En especial el trabajo de Max Müller, «On the Migration of Fables», *The Contemporary Review,* XIV (1870), pp. 572-596.

rectorium Humanae Vitae hecha hacia 1270 y basada en un texto hebreo que a su vez procedía del árabe; la versión española del *Calila e Digna* hecha por orden de Alfonso el Sabio (21). 3.º El cuento ya desgajado de la colección a que antes pertenecía e incluido en los ejemplarios de los predicadores: Jacobo de Vitry (núm. 51, p. 20); Etienne de Bourbon (núm. 271, p. 226); y el *Dialogus creaturarum* (núm. C, página 223). Hay, pues, un tronco sánscrito (*Panchatantra* e *Hitopadesa*) y cuatro ramas principales (árabe, griega, latina y castellana) de donde proceden lo que pudiera llamarse las ramitas desgajadas de los ejemplarios.

El personaje original es un brahmán pobre, cuyo nombre quiere decir «miserable de nacimiento», quien ya pidiendo limosna, ya en la fiesta del equinoccio, ha recibido una porción de arroz. Las traducciones medievales usan la palabra «religioso» con excepción de la griega, en la cual es un mendigo. El arroz se cambia en una jarra de miel y manteca, que, lo mismo que el brahmán del *Panchatantra,* cuelga de un garfio sobre la cabecera de la cama (22). Cuando el cuento se incluye en los sermonarios tiene que cambiarse necesariamente ese religioso que en el mundo cristiano no podía pensar en tener ni mujer ni hijos. En Jacobo de Vitry es una vieja que lleva su jarra de leche y en Etienne de Bourbon y el *Dialogus creaturarum* una criada a quien el ama ha dado una jarra de leche para venderla. Lo admirable es que don Juan Manuel, que conocía tanto la traducción castellana del *Calila e Digna* como los ejemplarios de los predicadores, combina los dos conservando de aquélla la jarra de miel y de éstos el personaje femenino que lleva la jarra

---

(21) Cf. Daniel Devoto, *op. cit.*, pp. 191-193.

(22) En el *Hitopadesa,* el brahmán se llama Devasarmán y tiene un plato de arroz; a la hora de la siesta va a protegerse del calor en la tienda de un alfarero entre cuyos cacharros coloca su plato. Al final de la versión griega, en vez de miel y manteca, se habla de miel y de leche.

en la cabeza. Identifica a la mujer con un nombre propio raro, relacionado quizás (según Corominas) con el irlandés antiguo *trog*=«desgraciado» o con el británico *tru*=«débil, calamitoso» y que recuerda así el nombre del personaje original del tronco sánscrito. Además, la vetula o la criada, personaje completamente indefinido, que don Juan Manuel ha concretizado con el nombre propio, queda delineado sobria, pero felizmente, con las palabras «et era asaz más pobre que rica». Una mujer que parece llevar sobre sí, con la jarra de miel, todo el peso y responsabilidad de la familia; una familia que ella piensa sacar adelante. Esta transformación inicial del personaje ya es admirable.

Los ejemplarios cambian la escena del pensar solitario del brahmán o religioso recostado en su cama, al camino del mercado, siendo seguidos también en esto por don Juan Manuel; y el soñar despierto se produce así naturalmente del gozo de ir a vender. El brahmán soñoliento tiene que partir de la hipótesis de la carestía y el religioso de las traducciones tiene que reconocerla como un hecho. El proceso de sus pensamientos es típico de una persona que no tiene el menor contacto con la realidad: del dinero salta a las cabras, a las vacas y a las tierras de gran señor. La mujer de los ejemplarios, en cambio, no se arranca tanto de la realidad, pues el dinero sólo es bastante para una gallina y de ésta pasa a los cerdos y ovejas. Unicamente la vieja de Jacobo de Vitry imagina comprar un caballo. Sin embargo, el soñar de doña Truhana es aún más lógico y modesto: huevos, gallinas, ovejas.

El cuento en sus originales sánscritos elabora anecdóticamente lo que piensa el brahmán y subraya como culmen de la riqueza la constitución de una familia de gran renombre; esto es importante, pues es precisamente el elemento que explota don Juan Manuel y que falta en los ejemplarios. En el *Panchatantra* el niño del brahmán viene a su padre en el establo con peligro de ser lastimado por el caballo; el padre llama urgentemente a la esposa, que no acude, y al castigarla con un puntapié bota el arroz. Hay, pues, cuatro elementos: el hijo, el caballo, la esposa y el puntapié, de los cuales sólo la esposa aparece en el *Hitopadesa,* pues el brahmán rico que tiene cuatro concubinas, cuando pelean por celos de la más joven, al pensar que las castiga con la vara rompe los cacharros del alfarero y derrama el arroz. Conserva sólo dos elementos: las esposas y la vara. Lo curioso es que en las versiones árabe, griega, latina y castellana es el niño quien será castigado con una vara si no es obediente. El niño viene del *Panchatantra* y la vara del *Hitopadesa.* Más curioso aún es ver aparecer en los ejemplarios el caballo y el puntapié o movimiento de los pies (dos elementos del *Panchatantra)* que habían desaparecido en las traducciones. La vieja de Jacobo de Vitry compra en su sueño un caballo para montar y al llevarlo al potrero lo talonea diciendo *ei, io, io;* al mover los pies y palmotear se le cae el cántaro de leche. La criada de las otras dos versiones no compra un caballo, pero piensa en un matrimonio ventajoso al cual será llevada a caballo; al talonear el animal se resbala y cae en el vallado a cuya orilla caminaba. Todos estos elementos que misteriosamente parecen perderse del original y volver a aparecer en los ejemplarios indican claramente la existencia de tradiciones orales que los mantuvieron y transformaron en su peregrinar por pueblos y siglos.

Don Juan Manuel es un caso único. En él lo anecdótico del sueño desaparece para obtener una forma puramente síquica y emocional que revela mucha más sutileza artística. Al presentar a doña Truhana había anotado que era una mujer «asaz más pobre que rica» y sus planes no son locos, sino enteramente posibles: huevos, gallinas, ovejas. Su reacción es la dicha del pobre que contempla la posibilidad de ver cambiada su miseria no tanto en riqueza cuanto en *honor:*

el de una familia numerosa a la cual ha sabido sacar adelante: «asmó *cómmo* casaría sus fijos et sus fijas, et *cómmo* yría aguardada por la calle con yernos y con nueras et *cómmo* dizían por ella *cómmo* fuera de buena ventura en llegar a tan gran riqueza, seyendo tan pobre como solía seer» (p. 84). Nótese la anáfora de la palabra *cómmo* que en su mismo sonido va traduciendo el entusiasmo y estupor creciente de la pobre señora. Además, don Juan Manuel es el único que describe la reacción anímica final del personaje y contrasta el reír gozoso con la tristeza de ver que no tendrá lo que esperaba. En este ejemplo, conociendo la versión castellana del *Calila e Digna* y la de los ejemplarios, ha sabido recrear su personaje combinando las dos y dándole una proyección sicológica mayor a pesar del limitado espacio de la anécdota.

CAPÍTULO II

Juegos artísticos con la circunstancia anecdótica

El capítulo anterior muestra un esfuerzo consciente y logrado de parte del escritor por armonizar el personaje y la circunstancia en la cual ocurre el hecho narrado. Parece haberse impuesto la obligación de dar verosimilitud a las acciones que describe y que adjudica a sus entes de ficción. Se ha sometido voluntariamente a aquello que Auerbach ha llamado *realismo mimético* (1). Realismo mimético en la descripción de sus personajes, en la mayoría de los detalles de sus acciones y en la mayoría de los motivos que los impulsan a actuar como actúan. Esta misma conciencia creadora es la que va a patentizarse al examinar no tanto el personaje como la circunstancia; una circunstancia que don Juan Manuel sabe ampliar, reducir o recrear con una habilidad y arte que inician nuevas formas estéticas. Es una circunstancia que se vuelve a veces juego estilístico, a veces conflicto interior humano, a veces crisis social o individual, pero que en todo caso queda trazada con rasgos patentes que demuestran su dominio creador, total y consciente del arte narrativo.

---

(1) ERICH AUERBACH, *Mimesis. The Representation of Reality in Western Literature* (Princeton University Press, 1971).

Ejemplo 4.º—*El genovés y su alma.*

El ejemplo 4.º no es bien conocido. Su carácter eclesiástico, su mismo título: «De lo que dixo un genovés a su alma» parece alejarlo de nuestra sensibilidad moderna. Sin embargo, es una joya literaria que revela claramente el hondo discernimiento estético de don Juan Manuel. Adolphe de Puibusque, en su traducción francesa de *El Conde Lucanor,* creyó que este ejemplo era enteramente original de don Juan Manuel, pues el hispanista francés ignoró sistemáticamente toda fuente que no fuera árabe para explicar la procedencia de sus cuentos.

Knust, en cambio, cita una versión breve de Etienne de Bourbon (quien en realidad trae el ejemplo dos veces) y la de Bromyard en su *Summa Praedicantium* (2). Sin embargo, la versión europea más antigua del ejemplo es la de Jacobo de Vitry, quien precede a Etienne de Bourbon y así el ejemplo se proyecta en la Europa cristiana hasta el siglo XV.

Comparando las diversas versiones se pueden distinguir tres formas del cuento. La primera, la de Jacobo de Vitry (núm. 170) que repiten *The Alphabet of Tales* (núm. 1.291) y la colección catalana *Recull de Eximplis* (núm. 1.198) en la cual el ejemplo está esquematizado así: 1.º Las palabras de ruego de un prestamista a su alma para que se quede y 2.º la maldición «ya que eres tan fatua y miserable que no quieres descansar en buen albergue, sepárate de mí, yo te encomiendo a todos los demonios que están en el infierno».

---

(2) ADOLPHE DE PUIBUSQUE, *Le Comte Lucanor. Apologues et fabliaux du XIVe siècle* (París, 1854), p. 193: «D'où vient cet apologue? Aucune source que je sache ne l'indique: je dois donc, jusqu'a meilleur informé, laisser a Don Juan Manuel tout le mérite de l'invention et de la mise en oeuvre; il y a dans le tour du récit une originalité qui semble le trahir.» KNUST, *op. cit.,* pp. 307-309. El estudio mío de este ejemplo apareció en *Romance Notes,* (XV, § 3) bajo el título: «El ejemplo IV de *El Conde Lucanor:* su originalidad artística.»

La segunda forma de Etienne de Bourbon (números 59 y 411) y de Bromyard (Avaritia A XXVII, art. XII, XLIX) incluye entre el ruego y la maldición original el acto dramático de hacerse traer las joyas y vasos de oro y plata. Finalmente, en el siglo xv, Herolt, después de mencionar las palabras de un rey de Francia, quien dice que a pesar de su riqueza y poder no puede librar de la muerte ni un sólo día más de vida, aduce el ejemplo en forma esquemática reduciéndolo a los dos últimos tiempos de la versión de Bromyard (Sermo 118, D). También el *Scala coeli* (núm. 456) lo tiene en el siguiente orden: Hace traer las riquezas; se las promete al alma y la maldice llevándosela el diablo con todas sus riquezas. Conocidas las versiones medievales existentes se puede examinar con mayor validez la versión manuelina para ver de qué manera el gran escritor español ha trabajado su material tradicional. Así se puede comprobar que el ejemplo 4.º constituye una recreación artística total del cuento que en la forma primitiva de los ejemplarios es típicamente esquemático, desnudo de color descriptivo y carente, en una palabra, de vida. Don Juan Manuel transforma la circunstancia en un cuadro pictórico en el cual las mismas palabras del personaje añaden fuerza descriptiva.

El prestamista o el avaro, términos demasiado abstractos, se transforman en *El Conde Lucanor* en un genovés «muy rico e muy bien andante, segund sus vezinos» (p. 75). Así se coloca mejor la narración en el momento histórico, pues en ese famoso *Trecento* italiano el mundo antiguo se encauza por los rumbos de la economía comercial, fuente de gran riqueza. Don Juan Manuel crea, además, un escenario que no aparece en ninguna de las otras versiones y en el cual coloca a su personaje: un palacio rodeado de huertas y jardines, con vista al mar, en el cual se divisan las galeras del comercio. Ante él están la mujer, los hijos, los parientes y amigos. Con una concisión maravillosa el escritor ha creado enérgicamente toda una escena en la cual van a resonar mejor las palabras del moribundo. Son palabras patéticas, pues dice el escritor que el genovés habla «en manera de trebejo», en burla. Con esa simple anotación revela el sarcasmo que encierra la nulidad de la vida; la burla que oculta una infinita tristeza. Así añade el escritor verdadera dimensión sicológica al cuento y ello con una gran concisión de innegable mérito literario.

Los bienes que ofrece al alma para invitarla a quedarse constituyen una enumeración simétrica que gradualmente va de lo más querido (la mujer y los hijos) a lo más baladí (la buena posada). Los menciona en seis grupos comenzando cada uno anafóricamente con las palabras «et si quieres» y dispuestos en simetría perfecta así:

2: mujer e hijos	2: amigos y parientes	6: oro, plata, piedras preciosas, joyas, paños, mercancías.
2: naves y galeras	2: heredades y huertas	6: caballos, mulas, aves, canes, juglares, buena posada.

Los seis últimos elementos incluyen un verdadero *ritardando* musical que pone fin a la enumeración: «et si quieres cavallos et mulas, et aves et canes para caçar et tomar plazer, et joglares para te fazer alegría et solaz, et muy buena posada, mucho apostada de camas e de estrados et de todas las otras cosas que son y mester» (p. 76). Todo lo anterior revela una técnica perfectamente consciente de la composición literaria dando un balance y una armonía especial a esa enumeración que de otra manera aturdiría con sus veinte elementos.

Así mismo hay un verdadero acierto literario en el hecho

de que a medida que habla burlonamente el moribundo y a medida que se desdobla en perfecto balance la serie de bienes, el autor no deja perder de vista la escena que creó para enmarcar las palabras del ejemplo tradicional. Hace que el lector siga viendo las naves que están allí en el mar y se divisan desde el palacio, las huertas hermosas y deleitosas, cuyo verdor se entra por las ventanas; que oiga el bullicio de la caza y el reír de los juglares: «et si tú quieres naves et galeas que te ganen et te trayan muy grant aver et muy grant onra, veeslas aquí, o están en la mar que paresçe deste mi palacio; et si quieres muchas heredades et huertas, et muy fermosas et muy delectosas, véeslas ó paresçen destas finiestras».

Finalmente, la maldición tradicional que envía el alma a todos los diablos, ya que el ejemplo quiere probar la segura condenación de los avaros y usureros, queda temperada aquí con las dos líneas finales: «ve con la ira de Dios, et será muy nescio qui de ti se doliere por mal que te venga». La misma moraleja de los ejemplarios, que recalca la futilidad de los bienes temporales, se esfuma ante el nuevo enfoque enteramente laico que del ejemplo exige el contexto: Patronio se lo narra al Conde para aconsejarle que no se aventure en una nueva empresa, que no cometa el error del alma que teniéndolo todo se quiso partir, pues como dicen las viejas en Castilla «Quien bien se siede non se lieve». (Cfr. Daniel Devoto, *op. cit.*, p. 369). Don Juan Manuel ha recreado y elaborado enteramente, de acuerdo con su propia sensibilidad artística, un material que por lo mismo que pertenecía al mundo de la ficción se prestaba a variaciones y retoques. Indudablemente el relato reviste tal originalidad que parece que él tuviera todo el mérito de su invención y montaje.

Ejemplo 2.º.—*El hombre bueno con su hijo.*

Cuando Gödeke estudió la fábula en 1862 dijo: «Las

versiones más antiguas de nuestra fábula al presente datan del siglo XIV. Quiero dejar sin determinar si la versión española de don Juan Manuel, o la alemana de Ulrich Boner o la latina del predicador inglés Juan de Bromyard debe ser juzgada como primera» (3). Sin embargo, ya en la *Tabula exemplorum* (núm. 265, p. 69), compuesta por un franciscano entre los años 1270 y 1275, se halla el ejemplo en forma esquemática. Esta colección francesa influyó en el *Scala coeli,* ejemplario contemporáneo de don Juan Manuel, y de las versiones existentes son éstas las dos únicas que se asemejan al ejemplo de Patronio. Aún más, tengo las siguientes razones para creer que la *Tabula exemplorum* es posiblemente la fuente de inspiración de nuestro ejemplo. En primer lugar, se inicia diciendo: «nota el ejemplo del hijo que le pidió a su padre que le enseñara algo sabio». Ahora bien, don Juan Manuel encuadra el ejemplo precisamente en el hecho de que el labrador tiene que dar una lección a su hijo. No es la crítica de la gente lo que pretende condenar, sino mostrar al joven la falacia y limitación de sus propios juicios. Aunque no sea ésta la moraleja del ejemplo latino, no obstante ya la enunciación del principio abría la puerta para la nueva perspectiva bajo la cual el escritor va a desarrollar su cuento. Don Juan Manuel, verdadero creador, lo enmarca en ese conflicto entre padre e hijo y la necesidad de darle a éste una lección; cambia así la circunstancia y hace que el cuento gane en dimensión humana. Se trata de un joven, quien a pesar de su juventud es muy inteligente y como más inteligente, más expuesto a cometer grandes errores. Sus

---

(3) K. GÖDEKE, «Asinus vulgi», *Orient und Occident* (Göttingen: 1862), vol. I, p. 532 «Die älteste bisher bekannte Darstellung unsrer Fabel fält in das XIV Jn. Ich will unentschieden lassen, ob die Spanische des Don Juan Manuel, die deutsche des Ulrich Bonerius oder die lateinische des englischen Predigermönches Johannes de Bromyard die Priorität beanspruchen kann.»

fuertes opiniones lo llevan a contradecir todo lo que su padre hace, dañando así el progreso de la hacienda. La vida pasa y el labrador se decide a darle una lección. Existe la sugerencia de la fuente, pero bajo la pluma de don Manuel el cuento ha cambiado totalmente de enfoque. Cuán importante sea el conflicto o circunstancia creada por el autor se pone de relieve en que, pasado el caso y resumiendo lo acontecido, remacha el padre insistentemente la intervención errada de su hijo: «et tu dizias que te semejava que era bien (...) et tu dixiste que era bien (...) et tu dixiste que era aquello lo mejor (...) et tu dixiste que era mejor (...) et tu tienes que dizen verdat» (p. 65). Nótese el presente de los dos últimos verbos que indican o suponen que el joven no se ha desengañado todavía. Como es una lección buscada por el prudente labrador no es algo que simplemente ocurre, sino que la sabiduría del viejo así lo esperaba. Lo expresa en una cita de estilo directo, una de las más largas del libro. Además, le canta la lección dos veces haciendo en la segunda un resumen del precedente sumario de lo que ha pasado. Es obvio el deseo de forzarla a entrar en la cabeza del hijo rebelde. Así transforma don Juan Manuel la lección que sugiere el ejemplario con sus palabras iniciales.

En segundo lugar se lee en el latín lo siguiente: «Y entonces los transeúntes se burlaban, porque hacía ir por el barro al tierno joven y él se había montado en el asno». «Et tunc alii transeuntes deridebant, quia *tenerem juvenem* faciebat ire per lutum et ipse asinum ascenderat.» He subrayado ese «tenerem juvenem», pues don Juan Manuel por descuido o a propósito, váyase a saber, tiene esta línea anacrónica: «ca mejor podía sofrir él el trabajo que era ya duro et usado a las lacerias que non el fijo que era pequeño et tierno» (texto de Gayangos, p. 372), «que fazía muy desaguisado dexar al moço, que era tierno et non podría sofrir lazeria» (texto de Blecua). El hijo del cuento de Patronio es un joven que ha vivido largos años con su padre, no el niño que aparece aquí (sobre todo en el texto de Gayangos), revelando felizmente, en mi opinión, la existencia de la fuente que ha sabido elaborar con tanta penetración humana, pues la transforma y la amplía en el conflicto de los personajes. Ya lo anecdótico pasa a segundo plano y la escena establecida por el escritor es la crisis familiar entre padre e hijo, quedando así el cuento proyectado más allá de su esquematismo inicial y enmarcado en una circunstancia completamente nueva.

Debo añadir que las versiones existentes de los siglos XIV y XV se pueden agrupar en tres ramas o variantes: 1.º La de la *Tabula exemplorum* (siglo XIII) de la cual como hemos visto se deriva probablemente (es tan sólo una hipótesis) la de don Juan Manuel, tanto más cuanto que es la única con la cual concuerda en el orden de las acciones: monta el joven, monta el viejo, montan ambos. La versión del *Scala coeli* (núm. 745), ejemplario contemporáneo de don Juan Manuel, que tiene como puntos de contacto con *El Patronio* el que diga que los personajes van al mercado y que el asno va inicialmente vacío (detalles que faltan en la *Tabula),* pero se diferencia en que es el padre quien monta primero. Dice que lo toma de Jacobo de Vitry, pero yo no lo he hallado en la edición de Crane. 2.º En la segunda rama están la versión de Ulrich Boner, monje alemán, escrita entre los años 1324 y 1349; la de John Bromyard en Inglaterra, que publica Thomas Wright en sus *Latin Stories* (núm. 144); y finalmente, el *Alphabet of Tales* (núm. 1.265). El detalle común e importante a estas tres versiones es que la solución final es amarrar el asno por las patas y llevarlo colgado en una vara. Boner es el único que dice que van al mercado y el orden de las acciones varía del siguiente modo:

Boner =viejo — hijo — ambos — libre
Bromyard =viejo — hijo — libre — ambos
Alphabet =viejo — ambos — libre — hijo

Lo cual demuestra que las combinaciones posibles son numerosas. 3.° En la tercera rama se puede poner la versión de *Los cuarenta visires* que tiene un humor especial y que representa la veta oriental. Se singulariza especialmente por la malicia que la permea. Se trata de un viejo jardinero que camina en su jardín mientras monta su hijo y lo llaman *chistoso*. Cuando lo ven montar a él lo llaman *injusto*. Monta luego a su hijo a las ancas del burro y lo llaman maliciosamente *enamorado* (marica). Al pasar a su hijo enfrente de él lo llaman *corrompido*.

De todas las variantes es la de don Juan Manuel la que como se ha visto presenta una elaboración más rica. Debo señalar un detalle más y es el hecho de que aquellos que comentan y critican no son gente que simplemente pasa (como en todas las demás versiones), sino personas conocidas con quienes se paran a conversar y al separarse critican por la espalda. No se puede negar lo acertado del detalle: como el hijo critica al padre, así los amigos y conocidos son los que ahora critican su conducta. Irónicamente, el joven que siempre contradice a su progenitor es quien ahora sigue ciegamente las sugerencias del vulgo.

Ejemplos 22 y 19.

Se ha visto que el marco y escena tanto física como sicológica del cuento tradicional queda ampliada en la creación manuelina. En los ejemplos 19 y 22, ambos procedentes del *Panchatantra* por medio de *Calila e Digna* (4) la transformación es de un gran interés. Las formas y enfoques que

(4) The *Panchatantra*, Translated from the Sanscrit by Franklin Edgerton (London: George Allen and Unwin, Ltd. 1965), *El libro de Calila e Digna* ed. crítica de JOHN E. KELLER y ROBERT WHITE LINKER (Madrid, Consejo Sup. de Invest. Científicas, 1967), Cap. III, p. 41.

adopta el autor revelan la riqueza de sus recursos creadores.

La historia del león y el toro es la que se extiende a lo largo del libro primero, el más extenso, para intercalar los otros cuentos de esa parte del *Panchatantra:* «A great and growing love between a lion (Pingalaka) and a bull (Samjivaka) in the forest was detroyed by an overgreedy and malicious jackal (Damanaka).» *Calila e Digna* lo didactiza llamándolo «el enxemplo de los dos que se aman, e los departe el mentyroso, falso, mesturero, que deve ser aborrecido en los cielos, e en la tierra, e en los ynfyernos, e en los ayres e los trae a tal estado a perder sus cuerpos e sus animas».

En el bosque donde la caravana de mercaderes ha abandonado al quebrantado toro, reina el león. Cuando el toro se repone lanza sus mugidos y el rey del bosque lleno de temor no se acerca a beber en las aguas del Yumma. El chacal que se da cuenta del miedo de su soberano le habla y astutamente le hace confesar su temor. Va a hablarle al toro; lo trae a ver al león y comienza una verdadera amistad entre los dos animales que pasan los días juntos. El toro, que venía de fuera del bosque y estaba versado en las ciencias, inicia en la sabiduría a su amigo el león, poderoso, pero ignorante. Se comunican todos los asuntos secretos y los demás animales son excluidos de este círculo de intimidad. El león, que parlamenta largas horas, no sale a cazar y el hambre aqueja a los chacales, que se beneficiaban antes de los ricos despojos. Es esto lo que en el original mueve a Damanaka a sembrar la discordia. En el *Calila e Digna* (Keller, p. 61; BAE, p. 23), siguiendo en ello la versión latina de Raimundo de Biterra, lo que mueve al chacal es la envidia de no ser ya el confidente del rey.

Este conflicto privado, individual del original y de las

Calila e Dimna ed. de PASCUAL DE GAYANGOS (Madrid, 1952), BAE, vol. LI, Cap. III, p. 19.

traducciones, lo transforma don Juan Manuel en una crisis colectiva, una crisis de dimensión social: se trata de una opresión de tiranos. La alianza del toro y del león los hace más fuertes y las depredaciones en la fauna se multiplican inmisericordes: «et porque ellos son animalias muy fuertes e muy recias, apoderávanse et enseñorgavan todas las otras animalias: ca el león con la ayuda del toro apremiava todas las animalias que comen carne; et el toro, con el ayuda del león apremiava todas las animalias que pacen yerva» (p. 132). Curiosamente esta diferenciación entre carnívoros y herbívoros que en el *Panchatantra* y el *Calila e Digna* se usa para sembrar la discordia, es tomada por don Juan Manuel para convertirla en alianza de poderosos y medio de opresión.

En la versión sánscrita es sólo el chacal quien siembra la discordia. Le dice al león que el toro le ha comunicado que desea usurpar la corona. Aquél se turba, pues ve que su amigo es un súbdito sin igual en quien es imposible una traición. Además, siendo su amigo, a pesar de todos los defectos que tenga, lo seguirá amando: «Though he commit crimes, one who is beloved is beloved still.» Además, el toro es herbívoro y él carnívoro. El chacal le responde que lo hace indirectamente, ya que el rey recibe heridas de los elefantes, bueyes, búfalos, jabalíes, tigres y leopardos y la boñiga y orines del toro producen gusanos que entrarán en las heridas del rey y lo matarán. Este razonamiento queda transformado en las versiones latina y española en la acusación de que el toro conspira contra el monarca: «Et si non te temes de Senceba, témete de tus vasallos que ha fecho atrevidos contra tí, et te ha homiciado con ellos» (p. 27). La ponzoña queda inoculada también en el corazón del toro cuando el chacal le insiste en que los monarcas cambian fácilmente y su amistad se transforma muchas veces en hostilidad sin razón ninguna. El latín y el español agregan que el león es por naturaleza voraz: «Intellexi in curia leonis quod ipse dixerat quod erat contentus de pinguedine tua, et quod non eras utilis nisi ad comedendum» (5).

Si en don Juan Manuel la crisis que se ha planteado es una crisis colectiva, las intrigas se llevan a cabo no por un solo individuo, sino desdoblándose en el raposo y el carnero. La conspiración empieza en lo más bajo y los animales oprimidos eligen a dos maleantes que no hablan directamente, sino que toman como intermediarios al oso para que lleve el chisme al león y al caballo para que siembre la desconfianza en el toro. Es un asalto de grupos (carnívoro y herbívoro) y dentro de cada uno hay una estratificación jerárquica. El círculo reducido del original se ha expandido. Además, la discordia que se siembra sucesivamente en el original hablando primero al león y luego al toro (tiempo narrativo más elemental) en el Patronio se hace de manera simultánea, en dos grupos: carnero, caballo al toro; raposo, oso al león (tiempo narrativo más complejo). Los razonamientos del original los convierte el escritor en sentimientos vagos de desconfianza que se inician con el oso y el caballo y terminan afianzados por su fuente; el raposo y el carnero. La vulpeja del ejemplo 5.º va a dirigirse a la inteligencia del cuervo; en cambio en esta intriga los maleantes trabajan con los sentimientos de sus víctimas. El narrador hace finalmente entrar en la conspiración a los demás animales de los dos partidos, herbívoro y carnívoro, que una vez que entienden que ya existe el recelo en el corazón de los poderosos lo fomentan abiertamente: «et desque las animalias entendieron que el león et el toro tomaron sospecha el uno del otro, començáronles a dar a entender más descubiertamente que cada uno dellos se recelava del otro, et que esto non podría ser sinon por las malas vo-

---

(5) LEOPOLD HERVIEUX, *Les Fabulistes Latins* (New York, 1970), vol. IV, p. 476: «Oí en la corte del león que él mismo había dicho que estaba muy complacido de tu gordura y que sólo servías para ser comido.»

luntades que tenían escondidas en los coraçones» (p. 133). Esta habladuría general se confirma en privado por los falsos consejos del raposo y del carnero. Así la crisis ha tomado una dimensión social. La pelea termina en la derrota del toro, que pierde su poder y su honra, y en que el león, que carece ya de la ayuda de su amigo, no tiene la fuerza y el dominio de que antes gozaba con su ayuda. La moraleja no la centra Patronio en el peligro de los falsos consejeros como en las versiones anteriores, sino en la importancia de conservar los lazos de la amistad cuando el amigo es provechoso. Una amistad de tipo utilitario muy propia del gran noble castellano.

En el ejemplo 22 ha cambiado el original del individuo hacia la sociedad, de la crisis privada a la crisis y acción colectiva. Ahora bien, en el ejemplo 19, y es muy significativo que lo tome también del *Panchatantra* por medio del *Calila e Digna* (6), don Juan Manuel, enteramente consciente de su autonomía como creador literario, hace precisamente lo opuesto: reduce el ámbito de los grupos de consejeros a un individuo, el cuervo quintacolumnista. Las fuentes empiezan con un acto de guerra para dar despliegue a los dos grupos de consejeros que en la versión sánscrita tienen sus nombres (7) y van cada uno dando sus consejos. Don Juan Manuel parte de una situación de repetidos ataques de los búhos a los cuervos en la cual emerge como único el cuervo espía cuyo consejo no queda ni discutido ni contrastado con los consejos

---

(6) *Panchatantra*, libro 3.º, «La paz y la guerra». *Calila e Digna*, Cap. VI, KELLER, p. 197, BAE, p. 47. Como el ejemplo anterior sirve éste también de núcleo narrativo en el cual se encajan otros ejemplos. La versión latina está en el tomo IV de HERVIEUX, pp. 568 y ss.

(7) Los nombres de los cuervos son: rey, «Color de nube». Consejeros: «Vuelo alto», «Vuelo simultáneo», «Vuelo atrás», «Vuelo adelante» y el sabio consejero, anciano padre del rey, «Larga vida». Los nombres de los búhos son: rey, «Aplastador de enemigos». Consejeros: «Ojo rojo», «Ojo cruel», «Ojo de llama», «Pico torcido» y «Oído de tapia». El sabio aquí es «ojo rojo», quien se escapa porque ve venir la ruina de su casta.

de los diferentes ministros del original: paz, sumisión a costa de parias, lucha, huida. Este personaje tiene su contraparte en el búho que «era muy bieio et avía passado por muchas cosas» (p. 121). *Calila e Digna* omite el hecho de que el búho sabio que ve venir la catástrofe se escapa con algunos que lo siguen. Don Juan Manuel tiene este toque del original sánscrito o de otra versión más cercana al mismo, porque le interesa, más que todo, subrayar la moraleja contenida en el consejo del búho «bieio». Este es el único detalle y así es legítimo especular que siguiendo el *Calila e Digna*, por instinto lógico y artístico, lo restauró quizás aquí de su cosecha. La mentira que dice el cuervo que ya puede volar y quiere ir a ver lo que hacen los de su especie subraya en el cuento de Patronio la ceguedad de los búhos (8). No hay duda de que el apólogo original ganando en concisión bajo la pluma de don Juan Manuel se ha hecho más fuerte, menos difuso en los interminables parlamentos de los consejeros y ha adquirido todo su impacto ejemplarizante (9). El escritor, enteramente seguro de su creación, expande o concretiza las situaciones que le ofrecen sus fuentes.

---

(8) GALLAND ET CARDONNE, *Contes et fables indiennes,* traduites d'Ali Tchelabi-ben-Saleh, auteur turc (París, 1778), vol. II, p. 389: «L'etouffement général appliqué aux hiboux dans l'apologue indien est loin d'ètre aussi simple que l'extermination à coups de bec de l'apologue espagnol; l'astucieux Carchenas tient le discours suivant au roi son maitre: 'Dans la montagne il y a une caverne où tous les hiboux s'assemblent chaque jour; elle est environnée de bois, votre majesté n'a qu'à commander a toute son armée de porter une grande quantité de ce bois à la porte de la caverne. Pour moi, je me tiendrai auprès et avec de feu que j'aurai pris aux cabanes des bergers voisins, j'allumerai le bois; alors tous les corbeaux battront des ailes à l'entour, afin de l'allumer davantage; ainsi, les hiboux qui sortiront seront brulés des flammes et la fumée étouffera ceux qui demeureront'. Ce conseil plut au roi des corbeaux. Il ordonna à tout son monde de partir; enfin on fit ce qu'avait dit Carchenas et tous les hiboux périrent.»

(9) La contienda con un «home muy poderoso» a que se refiere el conde en su consulta a Patronio es posible que se refiera a la que tuvo el autor con el conde Alvar Núñez tal como lo narra la

Ejemplos 14, 34, 38 y 40.

A veces la reelaboración del cuento queda lograda al combinar dos o más temas, con lo cual obtiene el escritor un cambio de situación o circunstancia. Un caso muy claro es el ejemplo 14, sobre Santo Domingo y el Lombardo. Lo central aquí es el desapego a las riquezas que el noble no debe atesorar como avaro, sino en cuanto son necesarias para cumplir sus deberes señoriales. El ejemplo, que se refiere directamente a la moraleja, se halla en Etienne de Bourbon (§ 413) y en la colección germana de Klapper (§ 159, p. 353). Un rico muere en tierra extranjera y al despojar su cuerpo de las entrañas para trasladar el cadáver a la patria hallan que no tiene corazón. Lo descubren ensangrentado en el arca en donde avariciosamente amontonaba el dinero: «Donde está tu tesoro allí está tu corazón» (10). Don Juan Manuel elabora la situación a base de otro ejemplo, también de Etienne de Bourbon (§ 421), quien dice haberlo leído en un libro de otro fraile de la orden. Santo Domingo va a ver en Lombardía a un legista, gran abogado y usurero, quien exhortado a la restitución se niega a hacerla por no dejar a sus hijos e hijas en la pobreza. Para que no se le prive de sepultura

---

crónica de Alfonso XI (BAE, vol. 66, p. 212). Así lo cree KNUST, quien cita el pasaje de la crónica (*op. cit.*, pp. 347-349). Respecto al ejemplo 19 dice DANIEL DEVOTO: «Pocos ejemplos permiten apreciar tan exactamente las características del arte narrativo de Don Juan Manuel como éste, cuya fuente literaria inmediata (y probablemente única) es el capítulo VI del *Calila e Digna.*» Cf. *op. cit.*, página 403.

(10) Mat. VI, 21 y Lucas XII, 34. Existen otras variantes de este tema, la más antigua de las cuales es quizás la de San Gregorio de Tour en su *Libro de los milagros*, lib. I, cap. 106), en el cual se habla de una devota que pide limosna para socorrer a los pobres y la esconde, llena de avaricia, en el piso de su celda. Al morir, descubren el lugar del tesoro y el obispo hace que ese dinero no sea distribuido a los pobres, sino enterrado con el cadáver. Siguen noches de sobresalto. Las gentes oyen quejidos y lamentos y abren con el cura el sepulcro y contemplan «aurum quasi in fornace

cristiana finge obedecer, pero al recibir el viático en este estado de alma siente que la boca y todo el cuerpo le arden como un infierno y muere.

Combinados los dos temas, el caso milagroso del corazón del usurero, al ser adjudicado a Santo Domingo, gana en credibilidad para los lectores de la época. El detalle de los hijos que dejaría en la pobreza lo cambia inteligentemente diciendo que son éstos los que no quieren que se arrepienta su progenitor, pues perderían la herencia. En los últimos momentos los moribundos ni pensarán en lo que tienen; son los parientes a quienes preocupa este pensamiento y dicen al fraile «que suava su padre». Hay algo que me confirma más y más en la hipótesis de que sean los ejemplos de Etienne de Bourbon la fuente de don Juan Manuel y es que en su ejemplo 14 Santo Domingo se niega a ir en persona y manda a uno de los frailes. Ahora bien, el texto de Etienne de Bourbon dice que el santo «rogado por algunos visitó a cierto hombre de leyes, gran abogado y usurero a quien estando gravemente enfermo rogó en presencia del sacerdote que mandase restituir lo obtenido con usura» («visitavit ad preces aliquorum, quemdam legistam, magnum advocatum et usurarium, quem graviter infirmum rogavit *in presencia sacerdotis* quod usuras suas restitui preciperet»). Aquí, pues, está no sólo Santo Domingo, sino otro sacerdote sin función ninguna a quien el escritor español pone en acción, haciendo ganar en todo sentido el original, pues el santo ya sabe de antemano

---

resolutum in os mulieris ingredi cum flamma sulphurea» («el oro, que como si hubiera sido derretido en un horno, se le mete a la mujer por la boca con una llama sulfurosa»). La oración del sacerdote obtiene el descanso de ese cuerpo. Se halla en VICENTE DE BEAUVAIS, *Speculum Morale,* lib. 3, pars 3, dist. 2, y en JACOBO DE CESSOLE, *Solatium Ludi Scachorum,* tract. 3, cap. 4, citado por KNUST, p. 336. Las otras versiones españolas *(Exemplos,* § 180 y *Castigos,* p. 99 de GAYANGOS) tienen muy poco que ver con el ejemplo de don Juan Manuel.

la futilidad de la visita y la segura condenación del mal lombardo.

Su habilidad para desarrollar una situación resalta indudablemente en el ejemplo 34, basado en un sencillo aforismo evangélico (Mateo XV, 14 y Lucas VI, 39): «Si un ciego guía a otro ciego, ambos caen en la fosa.» En don Juan Manuel uno de los dos ciegos ha perdido la vista recientemente y no tiene más remedio que convertirse en pordiosero a causa de su nueva tara; un detalle muy de la sociedad de entonces. Como ya ha andado el camino y sabe de antemano los peligros que lo acechan se muestra más insensato al ceder a las promesas de seguridad que le ofrece el compañero. Con todo ello está recalcando la situación del Conde, quien perfectamente conoce lo que le espera: «un mío pariente (...) me conseia que vaya a un logar de que me recelo yo mucho» (p. 186). Y cae el conductor y no deja por ello de caer el conducido. El aforismo evangélico queda cambiado en una situación viva y rápidamente narrada, con diálogo de cita indirecta, todo lo cual revela una gran capacidad narrativa (11).

Los dos ejemplos que comento a continuación distan mucho de las versiones existentes y quedará siempre el interrogante: ¿esa reelaboración total es del escritor? Si don Juan Manuel, sirviéndose de un aforismo evangélico, pudo crear

---

(11) Como curiosidad aduzco este ejemplo de JACOBO DE VITRY (núm. 43, p. 17):

«Cuando un ciego quiere adoctrinar a otro ciego (esto es, al pecador), cae el alimento en tierra, pues convierte la doctrina en doctrina terrenal. En ciertos lugares existe la costumbre de que en los días festivos se les da un cerdo a los ciegos para que lo maten y todos se lo repartan. Acaece con frecuencia que mientras un ciego quiere matar el cerdo se hiere a sí mismo o golpea y mata a alguno de los compañeros. De manera semejante, estos maestros ciegos, mientras debieran predicando matar al pecador, por su avaricia se hieren a sí mismos y escandalizando a los otros con su mal ejemplo a veces los matan. Dice la gente que no hay animal tan audaz como el caballo ciego: así son los maestros que se ciegan con la avaricia y los regalos.»

toda una situación, ¿no es probable que transformara a veces totalmente el material que caía en sus manos?

Del ejemplo 38 «De lo que contesçió a un omne que iva cargado de piedras preciosas et se afogó en el río» (p. 197) existe una huella en el *Dialogus creaturarum* (diálogo 32, página 173). El filósofo Crates de Tebas arrojó al mar una gran carga de oro diciendo que así hundía él las riquezas antes de que éstas lo hundiesen a él. Otro filósofo llevaba también una carga de oro y la arrojó, pues no podía poseer riquezas y virtudes al mismo tiempo. Ya el tema se encuentra aquí y en mi investigación de los ejemplarios no he visto otra forma más cercana a la del *Patronio*. Aduciendo tan sólo un testimonio es imposible resaltar hasta qué punto ha trabajado el autor este ejemplo. No obstante, la descripción de la escena es tan viva que no puedo dejar de mencionarla. Hace ver al hombre caminando con el fardo; el río sin barca ni puente; su determinación a cruzarlo quitándose los zapatos; la angustia del testigo que le grita que arroje las piedras preciosas y se salve; el hundirse paulatino hasta que desaparece y muere. El ejemplo debió ser usado por los predicadores en una forma alegórica. Para don Juan Manuel, que le ha dado una escenificación tan feliz, la moraleja se reduce a no poner en peligro el pellejo sin necesidad: «nunca aventuredes el vuestro cuerpo si non fuere por cosa que sea vuestra onra» y esa honra castellana nunca estaba en las riquezas.

Finalmente, la condenación del Senescal de Carcasona (ejemplo 40, p. 200) se halla tomada de un tema muy popular y variado en el cual las diferencias, más que episódicas, se determinan por las diversas causas de la condenación de una persona que muere con todos los auxilios de la Iglesia. Así se pueden distinguir cuatro grupos: 1.º El moribundo deja el dinero para los sufragios que no han de tener lugar sino tres años más tarde durante los cuales la cantidad se habrá agrandado con intereses usurarios; Jacobo de Vitry (§ 169).

2.º Un rico del ducado de Bavaria ordena las buenas obras por vanagloria y se aparece a la esposa siendo empujado a la alcoba por un gigante negro que lo espera; un frío glacial le penetra el cuerpo y después de revelarle a su consorte la causa de su condenación, mientras sale, tiembla el castillo y se oyen sus lamentos; Cesario de Heisterbach (ed. de Strange, 1851, vol. II, p. 329). De él lo toman el *Alphabet of Tales* (§ 300) y el *Recull de Eximplis* (§ 258). 3.º Esta forma, lo mismo que la siguiente, sólo aparece en el siglo XV. En Herolt (sermo 156, c) el personaje se confiesa, llora por sus pecados, promete la enmienda y recibe la extremaunción. El día del funeral parece que el aire sereno confirma la beatitud de su alma y, sin embargo, se aparece a un amigo para anunciarle que está en el infierno porque sus obras finales fueron motivadas por el miedo, no por la caridad: «Si las hubiese hecho por caridad, habría sido salvo; mas, como sólo las hice por temor, de nada me valieron.» («Si illa ex charitate fecissem salvus factus fuissem sed quia illa ex solo timore feci, ideo nihil mihi profuerunt.») Se halla también en *Jacob's Well* (cap. 26, p. 176). 4.º El *Jacob's Well* (p. 66) se refiere a la necesidad de la reparación a la cual se negó el moribundo por no dejar en la pobreza a la mujer y a los hijos.

Parece como si en este caso don Juan Manuel siguiera la misma técnica del ejemplo de Santo Domingo y el lombardo. Combina dos tradiciones y hace que sea una endemoniada, por cuya boca habla el diablo, quien revele la condenación del senescal. Evita las apariciones de muertos tan comunes en los ejemplarios y usa un vehículo de comunicación con el más allá, un poco más verosímil, pues al menos tiene sus raíces en el evangelio. Paso a paso, punto por punto, podemos ver cierta constante de técnica creadora, que revela en el escritor una habilidad innegable para manipular el material, desarrollándolo escénicamente o combinándolo con otras corrientes temáticas, para darle más verosimilitud y una proyección de más alcance de la que originalmente tenía en los ejemplarios.

Ejemplo 36.—*El mercader, su esposa y su hijo.*

El estudio del cuento del mercader y su esposa no deja de recordarme por contraste el de Pitas Pajas del Arcipreste de Hita. Don Juan Manuel aborda el tema del incesto en una forma original incrustándolo en otro tema, el de la venta de los consejos, que sostiene y dirige las reacciones del personaje principal y produce el desenlace feliz. Es, como en muchos otros casos, una combinación de dos fuentes que se influyen mutuamente y se transforman cambiando no sólo el enfoque que poseían por separado, sino ampliando otra vez la situación en la cual tiene lugar un acaecer humano.

La venta de los consejos tiene su forma anecdótica más elaborada en el *Gesta Romanorum* (núm. 103, p. 431), en donde se dan al rey tres consejos: «1.º Quidquid agas prudenter agas et respice finem. 2.º Numquam viam publicam dimittas propter semitam. 3.º Numquam hospicium ad manendum de nocte in domo alicujus accipias, ubi dominus domus est senex et uxor juvencula» (12). En cada caso se salva la vida del rey. El segundo consejo desgajado de la trilogía se encuentra en el *Libro de los Enxemplos* núm. 414 (362, 363) y el primero, con todo lo episódico, parece ser la forma más antigua, pues se halla en muchos de los ejemplarios (13).

---

(12) «Lo que hagas, hazlo con prudencia y considera el fin. Nunca dejes la vía pública para tomar un sendero. Nunca aceptes hospedaje para quedarte por la noche en donde el señor de la casa es viejo y su esposa una jovencita.» Este tercer consejo sobrevive en la cuentística española en F. Caballero, *Cuentos, oraciones, adivinas y refranes populares e infantiles* (Leipzig, 1878), p. 104; *Spanish Fairy Tales*, p. 183; C. Cabal, *Cuentos tradicionales asturianos* (Madrid, 1924), p. 52; A. de Llano Roza de Ampudia, *Cuentos asturianos* (1925), núm. 52; cf. Ralph S. Boggs, *Index of Spanish Tales* (Helsinki, 1930), p. 109.

(13) Etienne de Bourbon (núm. 81, p. 77); Vicente de Beauvais, *Spec. Morale*, lib. 3, pars 1.º, dist. 10; Klapper (núm. 127, p. 332); *Dialogus creaturarum* (núm. 93, p. 243); Bromyard (Cogitatio, cap. 10,

El rey hace inscribir la primera máxima por todas partes en su palacio y el barbero, que ha sido sobornado por los enemigos para asesinarlo, al verla, comienza a temblar desasosegado y descubre la conjura. Existe un aire de predicción profética que en el *Gesta Romanorum* se va acentuando más y más hasta el tercer consejo (14). Sólo en don Juan Manuel el personaje es un mercader que, como tal, se va a ausentar para dar cabida al segundo tema. Cuando compra, sale a relucir su hábito de gastar pensando que quizás lo que viene va a ser mejor. Es muy semejante al hábito del tahúr. Lo irónico es que de los cuatro consejos el más precioso no es el más caro, sino el segundo, que sólo le ha costado una dobla: «que cuando fuese muy sañudo, et quisiese facer alguna cosa arrebatadamente, que se non quejase nin se arrebatase fasta que supiese toda la verdat». Esto es siguiendo el texto de Gayangos (p. 406) en el cual hay un elemento de suspenso, ya que lo natural sería que la importancia del consejo fuese de acuerdo al precio que pagara el comprador y el lector no puede barruntar cuál será el efecto de los consejos. El texto de Blecua sólo trae dos consejos.

El tema de los ejemplarios es anecdótico, en tanto que el *Patronio* lo conduce con una conciencia plena de la personalidad del mercader que al fin se marcha para no perder todas sus doblas «aprendiendo tales fabliellas». No hay aquí el menor rastro de las demás versiones existentes y habría que

---

art. 5, 13); *Alphabet of Tales* (núm. 156, p. 108); *Recull de Eximplis* (núm. 129). Cf. KNUST, *op. cit.*, p. 369 y ss.

(14) También existe la fábula de los tres consejos del ruiseñor al cazador con tal de que lo deje escapar: 1.º Nunca intentes coger lo que no puedes agarrar. 2.º Nunca te duelas de cosa que no puedes recuperar. 3.º Nunca des fe a una palabra increíble. *Vitae Patrum*, Migne, latina, vol. 73, p. 479; *Barlaam y Josafat*, cap. X; JACOBO DE VITRY (núm. 28); *Legenda aurea*, cap. 180; *Disciplina Clericalis* (París, 1824), pp. 136 y 130 o (Berlín, 1827), p. 67; *Gesta Romanorum* (núm. 167); BROMYARD (M. XI, 78); *Scala coeli*, fol. 17b; *Libro de los Enxemplos* (núm. 124 [53]; *Alphabet of Tales* (núm. 191); *Recull de Eximplis* (núm. 162).

admitir o una versión española desconocida o la creación del escritor. Yo me inclino por lo segundo, pues la forma de labrar el personaje concuerda con lo ya estudiado en el primer capítulo.

Esta libertad e independencia en el trato de la venta de los consejos se manifiesta también en el tema del incesto que está clarísimo en don Juan Manuel, pues la mujer duerme en la misma cama con el hijo y lo llama marido: «Conortávase con aquel fijo, et amavalo commo a fijo, et por el grand amor que avía a su padre llamávalo marido. Et comía siempre con ella et durmía con ella commo quando avía un año o dos, et assi passaba su vida commo muy buena mujer» (p. 194 de Blecua). El autor niega que haya relación incestuosa y en ello se encuentra precisamente su gran originalidad. La situación es exacta a la de los ejemplarios: el caballero o marido que se parte en peregrinación dejándole un hijo a la mujer y mientras tarda en regresar el amor maternal se convierte en incestuoso. Cito, por ejemplo, estas líneas del *Recull de Eximplis* (núm. 276): «Un caualler de la ciutat de Roma aua en romeria, e james no torna, e lexa sa muller, e lexa li un seu fill, lo qual ella per gran amor que li hauía lo nodria molt delicadament; et tant lo amaua quel gitaua ab ella en un lit, el besaua, el abraçaua. E apres quel fill ach edat de hom, encare ella lo gitaua ab si en un lit, e la amor natural tornas en amor corrupta e desonesta.» Este es precisamente el enfoque de los ejemplarios: ausencia o muerte del padre, amor maternal exagerado, caída en el incesto. A ello sigue lo anecdótico del arrepentimiento, la acusación del demonio, etc. (15). Don Juan

(15) He aquí las variantes del tema: 1.ª La incestuosa que a veces mata al bebé, es acusada por el diablo en forma de clérigo ante el emperador. La pecadora se confiesa arrepentida y bajo la protección de la Virgen su acusador se esfuma. Se halla en ALFONSO EL SABIO, cantiga 17; VICENTE DE BEAUVAIS, *Spec. Hist.* 18b, 8, cap. 93; *Scala coeli* núm. 257; *Libro de los Enxemplos* núm. 274 (2.051); *Alphabet of Tales*, núm. 320; *Recull de Eximplis* núm. 276; *Jacob's*

Manuel conscientemente arregla todas las circunstancias de tiempo y de lugar para levantar la sospecha de infidelidad en la mente del mercader. Han pasado veinte años, el compañero es tan joven que no deben estar casados: «que non que fuese casada et porque el omne era tan moço». Llega la tarde y comen juntos, lo que indica que es un amancebamiento estable, y finalmente la noche, cuando los ve acostarse juntos. Ese elemento tiempo queda cortado al no apagar la luz para que los ojos confirmen la verdad de las palabras que va a oír el mercader. Así mismo el lugar ha sido desplegado por el escritor con un calculado propósito: la llegada del mancebo y las primeras palabras de cita directa dichas, al parecer, a la puerta de entrada: «Di, marido, ¿dónde vienes?» Palabras fatales, pues omiten el título de hijo y abren también la puerta a la sospecha. Luego la mesa y, para culmen, la cama. El escritor va repitiendo que el torturado marido los quiere matar en cada uno de estos instantes y lugares y a causa del consejo que le costara una dobla, se espera hasta saber toda la verdad. Esa

---

Well, cap. 10, p. 66. 2.ª La mujer incestuosa, llena de arrepentimiento, toma al bebé y se va a Roma a pedir la absolución del Papa. Este la obliga a que se presente en público tal como se presentó al hijo para inducirlo a pecado. Como ella lo hace arrepentida el Papa la absuelve, pero un cardenal critica el que por una culpa tan grande se la haya perdonado tan fácilmente. El Papa lo desafía a que sufra la posesión diabólica aquel que no tenga razón. El cardenal inmisericorde la sufre, pero es liberado por las oraciones de los presentes. Esta versión es la de CESARIO DE HEISTERBACH, *Dialogus miraculorum* (De contritione, cap. 11, vol. I, p. 77). De CESARIO la toma HEROLT, sermo 43 H. 3.ª Una reina preñada por las relaciones incestuosas con su hijo mata al bebé y le aparecen en la mano derecha unos círculos que no se borran y que ella cubre con un guante. La Virgen lo revela al confesor, quien obliga a su penitenta a mostrarle la mano e interpreta los círculos que son letras iniciales de palabras: «Casu Cecidisti Carne Cecata; Demoni Dedisti Dona Donata; Monstrat Manifeste Manus Maculata; Recedit Rubigo Regina Rogata.» Se halla en THOMAS WRIGHT, núms. 110 y 112 y en el *Gesta Romanorum* núm. 13. 4.ª Otras veces el incesto tiene lugar entre hermano y hermana y KLAPPER, núm. 79, p. 296, tiene una versión con muchas más peripecias que se aleja completamente de la línea que he venido estudiando.

verdad se ha reservado para el último momento, cuando la tensión ha subido hasta el punto de estallar en catástrofe y cita directamente las palabras de la entristecida esposa: «Ay marido et fijo!, etc.» Don Juan Manuel tiene tal conciencia del clímax que ha sabido crear que se dirige Patronio al Conde y dice: «Et si ovo grand plazer, non vos marabilledes.»

Los ejemplarios ven la amenaza de pecado en todo y no se libra de ella ni el amor maternal. Don Juan Manuel construye un ejemplo único en el cual la esposa fiel a lo Penélope es madre castamente amorosa. Su creación es en realidad única y original, quedando como verdadera joya en el proceso de perpetuación o evolución de los dos temas que ha usado. Knust anota copiosamente este ejemplo y aduce una versión inglesa de situación semejante a la del mercader y su esposa (Pryce. Archaelogia Cornu Brittan. Según Knust en la p. 379.) Pero no he podido consultar la obra ni averiguar la época a que pertenece y así es imposible relacionarla con el cuento de Patronio. Quizás indica la existencia de una corriente oral, quizás revela el alcance de popularidad del cuento español.

Ejemplo 23.—*Las hormigas.*

Si muchas veces, por falta de una fuente precisa se siente uno tentado a posponer un juicio favorable a la creación artística, admitiéndola en términos generales y sin compromisos, pero nunca precisándola, el ejemplo de las hormigas tomado casi con toda seguridad de la *Historia Natural* de Plinio (16) da pie para confirmar una vez más la libertad e independencia con que don Juan Manuel trabaja su fuente. He aquí la parte del texto de Plinio que nos interesa: Las hormigas «roen cada grano antes de meterlo al hormiguero, por miedo de que eche tallo bajo tierra; también dividen aquellos granos

---

(16) PLINY, *The Natural History,* trad. inglesa de John Bostook y H. T. Riley (London, 1855), Libro XI, cap. 36, en el vol. III, p. 38; DANIEL DEVOTO, *op. cit.*, p. 409, dice que quizás llega a don Juan Manuel por fuentes judías y árabes.

que son demasiado grandes a la entrada de sus agujeros y sacan a secar los que se han empapado con la lluvia». Don Juan Manuel toma la última cláusula y se la adjudica al vulgo y explica que es imposible que saquen los alimentos a secar, pues si así fuera lo harían después de cada lluvia y esto sólo ocurre en la primera. Añade que, además, en el invierno no hay sol suficiente para llevarlo a cabo.

La acción de las hormigas se explica para él con la primera cláusula de Plinio, quien dice que roen el grano para que no germine. Según don Juan Manuel la primera lluvia hace que germine el grano y lo sacan no a secarlo, sino para roer «aquel coraçón que a en cada grano de que sale la semiente». Elucubra, pues, científicamente con aquellos elementos de que dispone, aunque su punto de partida, el sabio Plinio, sea para algunos falso. Hoy se dice que no es la comida lo que sacan las hormigas a la primera lluvia, sino las larvas. Termina alabando, lo mismo que Plinio, su industriosidad y premura: «Et aun fallaredes que, maguer que tengan quanto pan les cumplía, que cada que buen tiempo faze, non fazen nin dexan de acarrear qualesquier erbizuelas que fallan. Et esto fazen recelando que les non cumplirá aquello que tienen; et mientre an tiempo non quieren estar de valde nin perder el tiempo que Dios les da, pues se pueden aprovechar dél» (p. 136).

Las fábulas: Ejemplos 5, 6, 13, 12 y 29.

Los cuentos tomados del *Calila e Digna* que tienen animales como protagonistas muestran perfectamente la manera tan original como don Juan Manuel cambia y manipula las circunstancias que enmarcan la anécdota en la fuente. Las otras fábulas o cuentos de animales revelan también su gran originalidad tanto más cuanto que el número de relatos paralelos para algunas de ellas es extraordinariamente rico a causa de su gran popularidad; y entre ellos resalta la versión manuelina. A veces un simple detalle añadido cambia y precisa la escena o subraya la dimensión humana que adquieren las bestias bajo la pluma del narrador castellano.

El ejemplo 5, de la zorra y el cuervo, ya fue estudiado con su genial penetración por Menéndez Pidal (17), quien determinó su fuente literaria y, comparándolo con la versión del Arcipreste de Hita *(Libro de buen amor,* coplas 1.437-1.443), señaló la diferente personalidad literaria de los dos escritores. Sólo quiero añadir algunos apuntes (no reparos) a sus páginas. La diferencia entre la versión de Walter el inglés y la del Romulus, fuentes respectivas de Juan Ruiz y de *El Conde Lucanor,* ya queda determinada en la antigüedad, si se compara la fábula en Fedro y en Babrio. Del fabulista latino procede Walter el inglés y del griego la del Romulus. El primero menciona la brillantez de las plumas del cuervo y su belleza en términos generales: «O qui tuarum, corve, pennarum est nitor! Quantum decoris corpore et vultu geris¡» En cambio, el segundo menciona la belleza de las alas y se refiere al brillo de los ojos, al cuello, al pelo y a las fuertes garras con las cuales derrota a las demás aves. Las versiones de los fabularios medievales se derivan del latín, pues en veinte de las que publica Hervieux la fábula se centra en la alabanza a las plumas del cuervo; unas veces a causa de su fuerza («O quis tuarum, corve, pennarum vigor est: Si vocem haberes latiorem...») y la mayoría de las veces, por el brillo de las mismas («O corve quis similis tibi, et pennarum tuarum quam magnus est nitor! Qualis decor tuus esset si vocem habuisses claram») (18). Además, casi todas añaden el detalle de que

---

(17) Ramón Menéndez Pidal, *Poesía árabe y poesía europea* (Madrid, Austral, 1963), p. 150-157.

18. Leopoldo Hervieux, *Les Fabulistes Latins* (New York, 1970, basada en la edición de 1894), vol. III, pp. 126, 155, 184, 237, etc.: «¡Oh, qué fuerza tienes, oh cuervo, en tus plumas! Si sólo tu voz fuese más potente...» «Oh cuervo, quién semejante a ti? ¡Y cuán grande es el brillo de tus alas! ¡Cuán grande sería tu belleza si tuvieras una voz clara!»

el queso había sido cogido por el cuervo en una ventana, lo cual no aparece en la versión griega.

Cuando la fábula pasa a los ejemplarios, es de gran interés ver la variante que aparece casi simultáneamente en el predicador inglés Odo de Cheriton (Hervieux, p. 653) y en el francés Jacobo de Vitry (§ 91). En ambos, la zorra no alaba la belleza del cuervo, sino que le pide directamente que cante porque su padre cantaba muy bien: «quoniam bene cantabat pater tuus, vellem audire vocem tuam» (19). Al señalar lo anterior se aprecia mejor el verso tan singular de Walter el inglés que inspira al Arcipreste de Hita: «te acercas a la blancura del cisne», detalle único en la línea procedente de Fedro.

La versión griega no tuvo la popularidad de la latina, que era más simple y más breve; y el único testimonio que la recoge es la colección del *Romulus,* en que el brillo de las plumas se compara al de la cola del pavo real, los ojos irradian como estrellas y nadie puede describir la gracia de su pico. Don Juan Manuel omite los detalles episódicos de su fuente: el queso había sido robado en la villa, el árbol es una alta encina y sus graznidos atraen la atención de la zorra, que se acerca para indagar curiosa la causa de tanto ruido. Omitiendo lo episódico, ahonda, en cambio, el *Patronio* en lo sicológico y subraya, más bien, que el cuervo está en la copa del árbol «porque pudiesse comer el queso más a su guisa et sin reçelo et sin embargo de ninguno» (p. 78). Como exordio de su discurso la zorra usa el tema de la fama («Don Cuervo, muy gran tiempo ha que oy fablar de vos»), pero no especifica en un principio si ha oído hablar en bien o en mal; y cuando ya se ha captado la atención de la víctima le dice que

---

(19) Otra variante de interés es la de ALEJANDRO NEQUAM (HERVIEUX, p. 801) en que dice la zorra que el cuervo es la más bella de todas las aves y quisiera convertirse en cuervo. El *Scala Coeli* subraya el decir de la gente, que aparece como tema central en el discurso de la zorra manuelina.

la gente no sabe apreciar lo que vale y ella encuentra a los demás errados. Además, al aducir lo que piensa la gente, dice que lo hace para probar que no quiere lisonjear. La fábula en esta forma se ha distanciado desde un principio de manera total de su fuente, para pertenecer por completo al nuevo escritor, que va desarrollando así su propio mundo de ficción.

La zorra procede al examen lógico de aquellas partes que el vulgo superficialmente condena. Lo único que a primera vista se nota de manera impresionista es el color negro del cuervo y bajo esta perspectiva incorpora los tres elementos que la fuente alababa en ditirambo: Las plumas (y en esto sigue la fuente) brillan como las del pavo real; mas para don Juan Manuel ello ocurre porque son tan negras y brillantes que adquieren el color del añil: «Tan prieta et tan luzia es aquella pretura, que torna en india, commo péñolas de pavón» (p. 79). Los ojos negros son mejores porque ven mejor y son como los de la gacela, no porque son como estrellas; y cierra este razonamiento sólido con una línea breve de simple afirmación categórica, como del mejor de los retóricos, que el interlocutor agobiado por los dos silogismos anteriores no puede poner en tela de juicio: «Otrosí el vuestro pico et las vuestras manos et uñas son fuertes más que de ninguna ave tanmaña commo vos.» Al cerrar así el grupo anterior está al mismo tiempo introduciendo el nuevo aspecto de la fuerza del cuervo, cuyo vuelo no obstaculiza el viento por recio que sea. Nótese que las versiones latinas, unas alaban el brillo del plumaje y otras su fuerza.

Tanto el color como el vuelo impresionan la vista y de manera lógica puede venir el canto que afecta el oído. Ese canto tiene que ser hermoso. La sabiduría de Dios en su creación no permite fallas. Finalmente, volviendo al tema inicial de la fama («sé que ha en vos más bien de cuanto nunca de vos oy») cierra la raposa su discurso. La armonía y composición de este parlamento es perfecta y al terminarla el narrador explica que el cuervo canta no por las lisonjas, sino por las verdades engañosas que ha oído. De esta manera se hace menos penosa la aplicación del ejemplo al conde, quien no puede ser un fatuo. En la fábula original y sus versiones se subraya la fatuidad del cuervo. El cuervo de don Juan Manuel es inteligente (como a tal le habla la zorra) y es engañado solamente porque no se precavió contra el peligro de la falsa verdad.

El ejemplo 6, la golondrina y las otras aves. No se ha puesto en duda que la versión de Walter el inglés sea la fuente de la fábula en el *Libro de buen amor* (coplas 746-754) (20). En cambio, si Menéndez Pidal señala también el *Romulus* como fuente de la fábula en don Juan Manuel, Georges Cirot opina que es muy difícil precisarla (21). Sin embargo, el paralelo de las dos versiones descompuestas en sus elementos constitutivos demuestra la solidez de la opinión de Menéndez Pidal. Esta fábula es más simple y menos complicada que la

---

(20) FÉLIX LECOY, *Recherches sur le Libro de buen amor* (París, 1938), p. 131. En la versión de Walter lo mismo que en la de Juan Ruiz son dos los momentos en que la golondrina amonesta a las aves a que se coman primero la semilla y una vez que ésta ha germinado, que arranquen el lino cuando aún está pequeña la planta. Sin embargo, esta doble admonición es común a las otras nueve versiones que aduce HERVIEUX en su edición de 1884 (cf. *Romuli fabularum,* p. 187; *Fabulae Antiquae,* § 20, p. 128; *Romuli Vindobonensis Fabulae,* § 19, p. 256; *Vindobonae Romulae Fabulae,* p. 296). Lo que sí me parece decisivo es que la versión de Walter el inglés es la única que tiene el detalle del canto de la golondrina: «Hominem placat yrundo sibi. Cumque viris habitans cantu blanditur amico», que corresponde a la copla 751 del Arcipreste:

Fuese la golondrina a casa del caçador
fizo allí su nido quanto pudo mijor;
como era gritadera mucho gorjeador
plugo al pasarero que era madrugador.
(Texto de Corominas.)

(21) MENÉNDEZ PIDAL, *op. cit.*, p. 154. GEORGES CIROT, «L'Hirondelle et les petits oiseaux dans *El Conde Lucanor*», *Bulletin Hispanique,* 33 (1931), pp. 140-143.

de la zorra y el cuervo y, por tanto, es muy fácil ver la correspondencia del *Romulus* y el *Patronio.*

1. La golondrina ve que siembran el lino y entiende el peligro.

«Dum primo lina seminari videret hyrundo, futurum inde volucribus cognoscens periculum.»	«La golondrina vido que un hombre senbrava lino, et entendió [por] el su buen entendimiento que si aquel lino nasciesse podrían los omnes fazer redes et lazos para tomar las aves.»

2. Junta las aves y les dice que si el lino nace se seguirá gran daño y les aconseja que saquen la semilla antes de nacer. El orden en don Juan Manuel está invertido.

«Ait illis: Agamus sine mora ut nova semina ista vastentur, quia si fecerint proventum, omnibus nobis parient dampnum.»	«Et díxoles en cómmo el omne senbrava aquel lino et que fuesen çiertas que si aquel lino nasçiesse, que se les seguiría ende muy grant dampno et que les consejava que ante que el lino nasçiesse que fuessen allá et que lo arrincassen.»

3. Las aves tienen esto en poco y no lo quieren hacer.

«Volucres, nimis (sic pro minus) provide futuorum, Hyrundinis contempserunt consilium.»	«Et las aves tovieron esto en poco et non lo quisieron fazer.»

4. La golondrina va al hombre, se le encomienda y obtiene seguridad para sí y para su linaje.

«Hyrundo suum genus convocavit et pacem cum hominibus firmavit. Erat autem forma pacis hujusmodi, scilicet quod neutra pars in dapna cogitaret alterius, et Hyrundines in familiaritatis argumentum in domibus nidificarent.»

«Fuesse paral omne, et metióse en su poder et ganó dél segurança para sí et para su linaje. Et después acá biven las golondrinas en poder de los omnes et son seguras dellos.»

5. En cambio, las demás aves son cogidas en las redes:

«Per recia enim volucres in captivitatem veninunt et mortem.»

«Et las otras aves que se non quisieron guardar, tómanlas cada día con redes et con lazos.»

Es obvio que el desarrollo de la fábula es el mismo y, sobre todo, *el pacto* de la golondrina con el hombre que no es tan claro en las otras versiones da la clave para identificar la fuente. Sólo el *Romulus de Nilant* subraya dicho pacto, pero no menciona que afecte a toda la especie (22).

El determinar la fuente no quiere decir que don Juan Manuel no la haya elaborado. Así, por ejemplo, «et volucres minus provide futurorum» del latín lo didactiza diciendo: «Et las cosas son ligeras de se desfazer en l'comienço et después son muy más graves de se desfazer» (p. 82). Principalmente, antes de mencionar el pacto de la golondrina se refiere al arrepentimiento tardío de las aves, detalle que no aparece en forma tan patética en ninguna otra versión, sobre todo

---

(22) Hyrundo se solum ad homines contulit et amicitiam cum eis pepigit, ea condicione ut secura posset inter homines versari et nidum ubi libet in tignis construere, et ita meruit quod petivit. «La golondrina ella sola se volvió a los hombres e hizo la paz con ellos de tal modo que con seguridad pudiera vivir entre ellos y construir su nido dondequiera entre las vigas, y así consiguió lo que pedía.» (HERVIEUX, *op. cit.*, vol. II, p. 524).

si se sigue la lección de Gayangos (p. 376 B) «et la golondrina las afincó dello muchas veces, fasta que vio que las aves non se servían desto nin daban por ello nada; et el lino era ya tan crescido, que las aves non lo podían arrancar con las alas ni con los picos. Et desque esto vieron las aves que el lino era crescido, et que non podían poner consejo al dagno que se les ende seguía, arrepintiéronse ende mucho, porque ante non habían y puesto consejo; pero el arrepentimiento fue a tiempo que non podía tener pro» (23). Esta lectura indica que por fin las aves se dan cuenta del mal y desesperadamente intentan en vano arrancar las plantas ya demasiado crecidas. Todo ello encuadra mejor el ejemplo con la lección de Patronio al conde (24), pero sobre todo, añade un toque dramático extraordinario al mencionar esa desesperación tardía de las aves. En esta forma la fábula de *El Patronio* no sólo aborda el tema central de la fuente que es la proximidad de las golondrinas a los hombres, sino que la sabiduría de la amiga del hombre queda realzada con vigor al describir la angustia de las demás aves, ignorada en todas las versiones latinas.

Georges Cirot coloca esta fábula a la altura de los mejores cuentos de don Juan Manuel: Doña Truhana, el labrador y su hijo, el mancebo que casó con una mujer brava, don Illán, el rey y los burladores que le hicieron el paño invisible. En todos estos cuentos su arte sabe dividir la acción, retardar el desenlace y distribuir los acontecimientos en *crescendo*. Es esto precisamente lo que, según Cirot, da valor literario al ejemplo sexto de la golondrina y los pajaritos.

---

(23) El texto de BLECUA subordina por medio de la conjunción *que* la cláusula: «et el lino era ya tan crescido» al verbo *vio* que la precede; y cambia el imperfecto *podían* por el condicional.

(24) «Ca non es cuerdo el que vee la cosa desque es acaescida, mas es cuerdo el que por una señaleia o por un movimiento qualquier entiende el daño quel puede venir et pone y conseio porque nol acaezca» (p. 83).

Ejemplo 13.—Esta breve fábula muestra como don Juan Manuel, que siguiera la versión del *Romulus* en las que acabamos de estudiar, se aparta aquí de la conocida colección para inspirarse en la que le brindaban los ejemplarios. Las diversas colecciones del *Romulus (Romuli Anglici cunctis exhortae fabulae, Romuli Vindobonensis Fabulae, Romuli Nilantis Fabulae)* (25) presentan la fábula en una forma más elaborada y el latín del Romulos de Nilant llega a ser elegante. Las aves no se hallan cautivas, sino que desde la fronda del verano ven al cazador de ojos irritados (aucupem lippum) preparar las trampas. Varias son las aves que entre sí comentan cuán compasivo (pium) es aquel hombre que no sólo les prepara o adorna el camino, sino que al verlas derrama abundantes lágrimas. Las palabras del ave experimentada son elocuentes, comenzando con el apóstrofe retórico: «Heu fugite simplices et innocentes aves» y exhortándolas a levantar el vuelo aceleradamente en el espacio en donde pueden gozar su libertad. Para saber quién es el hombre deben observar lo que hace y ver cautelosamente cómo ahoga y mata las aves que coge.

La versión que seguramente siguieron los ejemplarios de los predicadores, en los cuales muy probablemente se inspiró don Juan Manuel, se halla en Odo de Cheriton (26). Un calvo de ojos llorosos mataba perdices. Se sigue un brevísimo diálogo entre una de las cautivas y otra compañera libre que observa la matanza. El texto del predicador inglés es el que reproduce el *Libro de los gatos* (27). Es esta situación absurda de la perdiz cautiva impresionada por las lágrimas del cazador la que prefiere don Juan Manuel. El que ha creado

---

(25) HERVIEUX, *op. cit.* ed. de 1884, pp. 554, 358 y 278; ed. de 1894 (1970), vol. II, pp. 620, 542 y 448.

(26) HERVIEUX, *op. cit.*, ed. de 1884, vol. II, p. 641; ed. de 1894 (1970), vol. IV, p. 184.

(27) GAYANGOS, BAE, vol. 51, p. 544.

el cuervo inteligente del ejemplo 5.º quiere subrayar aquí la simpleza de la perdiz. El cazador que ya tiene en la red las perdices las va sacando una por una y matando y el viento que le azota la cara lo hace llorar. Con ello crea un verdadero cuadro de caza en el descampado donde sopla violenta la ventisca. Las palabras de la perdiz necia subrayan su estupidez: «Commo quiera que nos mata, sabet que a grant duelo de nos, et por ende está llorando!» (p. 104). La perdiz que no ha caído en la red termina dando gracias a Dios de no haber sido capturada y de no pensar que es bondad el matar llorando. Si en la versión de don Juan Manuel hay menos lirismo que en la del Rómulo, logra, sin embargo, subrayar más fuertemente lo absurdo de la situación, lo cual corresponde al absurdo de aquellos que hacen mal y pretenden dolerse de ello.

Ejemplo 12.—La fábula del gallo y la zorra tal como la presenta don Juan Manuel es única en la literatura de la Edad Media. Existe el tema de la zorra que trata de hacer descender del árbol al gallo. Así, por ejemplo, en las fábulas esópicas, invita al gallo a bajar, pues se ha proclamado la paz y la amistad en el mundo animal; el gallo entonces, mirando hacia lo lejos, le dice al zorro que ve acercarse una jauría de perros, pero que no debe temer, ya que se ha proclamado la paz. El zorro huye diciendo que seguramente la mayoría de las bestias no conoce aún el edicto (28). Lo único que demuestran los estudios sobre el tópico es el carácter único de la fábula del Patronio (29). No se ha mencionado hasta ahora la versión de Raimundo Lulio, que por su brevedad cito enteramente a continuación:

---

(28) Cf. *Aesop's Fables* (New York, 1940), p. 95.

(29) Cf. E. P. DAEGAN, «Cock and Fox: a critical study of the History and Sources of the Medieval Fable», *Modern Philology*, 4 (1906-1907), pp. 38-65.

En un árbol estaba un gallo con muchas gallinas; y habiéndole visto una zorra, se puso debajo del árbol a saltar, correr, jugar y a hacer tales movimientos por largo tiempo que al gallo, que le estaba siempre mirando, se le desvanecció la cabeza, perdió la virtud y se cayó del árbol; e inmediatamente la zorra lo cogió y mató (30).

Recuérdese que en el ejemplo del falso alquimista (§ 20) la única versión anterior a don Juan Manuel y al *Caballero Zifar* es la del autor catalán, que presenta la anécdota reducida a sus elementos primordiales y las dos obras posteriores, cada una a su manera, la transforman y desarrollan. Vale entonces preguntarse como hipótesis plausible si don Juan Manuel no hizo lo mismo con el ejemplo del gallo tanto más cuanto que detalles como las muchas gallinas y las diversas acciones de la zorra parecen ser el germen del relato de don Juan Manuel. Dice que un buen hombre vivía en la montaña y criaba muchas gallinas. Más que en ninguna otra fábula la descripción de las acciones de los animales nada tiene que envidiarle a los mejores fabulistas: ese gallo que picotea despreocupado en el campo; el acercarse gatuno de la zorra para dar el asalto y su desencanto cuando se le escapa la presa; la despreocupación del gallo en lo alto del árbol que contrasta finalmente con su loco desasosiego y pánico; el final rápido: «fue en por él; et assí lo levó de árbol en árbor fasta que lo sacó del monte et lo tomó, et lo comió» (p. 101). Todos los elementos contribuyen a hacer la pintura más viva y convierten la fábula en verdadera joya literaria. Es como si al manejar una fábula no popular el escritor se sintiera más libre para transformarla a su sabor. Solamente señalo la versión catalana

(30) RAIMUNDO LULIO (RAMÓN LLULL), *Obras Literarias* (Madrid, 1948), p. 691.

como una fuente posible, no segura. Al tratarse de cuentos y de fábulas que no necesariamente se transmitían de libro en libro, no se puede descartar en ningún momento la posibilidad de la fuente oral.

Ejemplo 29.—La zorra que se hace la muerta. Félix Lecoy, al estudiar las fuentes de esta fábula en el *Libro de buen amor* (coplas 1.412 - 1.421) menciona dos versiones del *Libro de los siete sabios,* una griega y otra árabe, en las cuales se halla esta anécdota y dice que sobre todo la versión de Juan Ruiz se acerca más a los detalles de la griega (31). Ian Michael ha apuntado juiciosamente al analizar las conclusiones de Lecoy que pudieron existir versiones latinas o francesas intermedias entre la versión griega y los escritores castellanos y que, además, en ningún caso se pueden ignorar las fuentes orales (32). Lo único que en realidad tenemos en este caso es un relato paralelo y al usar el método comparativo lo que resalta a primera vista es lo que ya anotara el erudito francés: que «las variantes de don Juan Manuel han sido introducidas por su evidente deseo de suprimir o atenuar ciertas inverosimilitudes del relato, como por ejemplo, la impasibilidad de la zorra ante la pérdida de un ojo y la amputación de la cola y las orejas». Quiero hacer dos anotaciones respecto a esta fábula: La primera confirma, a mi ver, la opinión de Ian Michael sobre la existencia de versiones latinas del cuento. El relato griego comienza con la anécdota de la zorra que visita el taller de un curtidor y como éste nota los destrozos prepara la trampa en la cual cae el animal, que al fin se escapa. Ahora bien, Alexander Neckam, en su *De naturis rerum libri duo* (33), al hablar de la astucia de la zorra que se

---

(31) Félix Lecoy, *op. cit.*, pp. 138-140.

(32) Ian Michael, «The Function of the Popular Tale», en *Libro de buen amor: Studies,* editado por G. B. Bybbon-Monypenny (London, Támesis, 1970), pp. 177-181.

(33) Alexander Neckam, *De naturis rerum libri duo,* editado

manifiesta de varias maneras, narra la anécdota de una zorra que, perseguida por la jauría de perros, y ya sin esperanza de escapar, se mete en casa de un soldado, en cuya sala ve pieles de zorro colgadas de las paredes. Como puede, pretende estar muerta y, colgada del muro, aguarda la entrada de los perros. Estos, ladrando desesperadamente, revelan su presencia, pero cuando el cazador ve las pieles cree que éstas han confundido a la jauría y la aleja del lugar. Esta anécdota capta precisamente dos elementos centrales del texto de *Los siete sabios:* la zorra en la casa del curtidor en medio de las pieles y la zorra que se hace la muerta. Ello revela, a mi ver, la existencia de versiones orales o escritas desaparecidas que iban sufriendo transformaciones.

En segundo lugar, al comparar las dos versiones castellanas se nota que la diferente moraleja que cada autor saca de la anécdota condiciona sin duda la selección de los detalles. Como ya lo ha apuntado Ian Michael (p. 211), la anécdota del Arcipreste de Hita enseña que no se debe uno aventurar a caer en una situación peligrosa en tanto que el ejemplo de don Juan Manuel enseña a sufrir las inconveniencias ligeras, pero nunca la seria amenaza. Ahora bien, esto explica la audacia de la zorra en la versión del Arcipreste que acostumbra, noche tras noche, penetrar en la villa cercada de muros a comer gallinas y lo que finalmente le cuesta el haberse expuesto sin prudencia al peligro: la pérdida de la cola, del colmillo, de un ojo y las orejas. La gracia y el humor del Arcipreste aparecen casi en cada verso, pero los elementos todos narrativos van a reforzar la moraleja en boca de doña Garoza. En cambio los detalles anecdóticos de don Juan Manuel van todos en armonía con la lección de Patronio al conde. La zorra entra tan sólo una noche en el corral donde había gallinas. La situa-

---

por Thomas Wright (London, Longman Green, 1863), cap. 125, p. 204.

ción ha sido captada y comentada con su proverbial sensibilidad artística por Azorín en *Los valores literarios* (34). Por eso contrasta el simple corte del pelo y de una uña, o aun la pérdida de un diente (nótese que no es el colmillo del Arcipreste, cuya extracción es mucho más difícil y dolorosa) con la pérdida de la vida. Don Juan Manuel subraya que el raposo no se mueve mientras lo trasquilan, «porque entendía que aquellos cabellos non le fazían daño en los perder» (p. 172). Por eso también llama la atención la exposición demasiado morosa e intelectual de lo que piensa el animal cuando oye que con un cuchillo le van a sacar el corazón. La zorra del Arcipreste lanza su imprecación: «al diablo catedes vos el polso!» (1.419c) y brinca y se pone al fin en salvo, única reacción realista. En cambio don Juan Manuel la pone a reflexionar inverosímilmente en estos términos: «Et el raposo vio quel querían sacar el coraçón et que si gelo sacassen, non era cosa que se pudiesse cobrar, et que la vida era perdida, et tovo que era meior de se aventurar a quequier quel pudiesse venir, que sofrir cosa porque se perdiesse todo. Et aventuróse et puñó en guarescer et escapó muy bien» (p. 173). No se trata, pues, de omitir detalles inverosímiles, como apunta Lecoy, sino de insistir a cada viraje de la anécdota en la lección que se va a sacar. La importancia de la moraleja que el autor tiene en la mente condiciona, pues, el desarrollo de la anécdota. Esto me parece sobremanera importante para reivindicar la libertad creadora de los autores medievales que pueden tomar la anécdota de fuente oral o escrita, pero en realidad la transforman a su manera y de acuerdo a sus propósitos particulares.

Esta libertad artística, este discernimiento que se ha visto comprobado, sobre todo en los ejemplos para los cuales se

---

(34) AZORÍN, *Los valores literarios* en *Obras completas* (Madrid, 1921), vol. XI, pp. 148-153.

pudo señalar una fuente precisa, están dando muestra de la manera como trabajaba en la lejana Edad Media un escritor de cepa. Su mundo de ficción se expande a voluntad y las circunstancias que ponen en marcha la peripecia de sus cuentos son manipuladas con seguridad y arte. A través de cada línea y por la enmarañada variedad de temas va surgiendo el escritor, el hombre que no sólo compila, sino que absorbe, asimila, se apropia y transforma con una conciencia plena y total de su arte.

Capítulo III

La historia en la ficción literaria

La libertad creadora de don Juan Manuel se manifiesta aún más claramente en aquellos ejemplos en que aparecen personajes históricos. En ellos se revela una intención precisa de inventar y de crear algo original y de adjudicarlo, por una u otra razón, a un personaje conocido o de ubicar el cuento en una circunstancia histórica, elevando así personaje y circunstancia al mundo poético de la ficción. Su tío Alfonso el Sabio había tomado, por ejemplo, la heroida de Ovidio *Dido a Eneas,* en la cual el único objeto del poeta latino era la exaltación artística del amor y había actualizado esa leyenda humanizando los personajes, dando realce a los sentimientos de la reina y vistiendo el episodio de un valor histórico y real. Por eso traduce el verso de Ovidio «Animumque pudicum male perdiderim» diciendo: «la mi castidad que yo había tan de corazón de guardar y guardaba» cristianizando totalmente los sentimientos de la reina pagana. Por eso también si traduce literalmente: «Dónde hallarás una esposa que te ame tanto como yo» agrega «que muero por ti» para subrayar y concretizar con una expresión muy castellana ese sentimiento (1). Así traía el Rey Sabio la ficción al marco de la historia. Don

---

(1) Alfonso X, el Sabio, *Primera Crónica General de España.* Ed. de Menéndez Pidal (Madrid, Gredos, 1955), vol. I, pp. 39B y 40A.

Juan Manuel va a tomar el detalle o el personaje histórico y los va a elevar, en reverso, al mundo poético de la ficción. Si la obra de su tío tiene más de compilación y adaptación, la suya se levanta al nivel de la creación; una creación consciente de la novedad que trae consigo y de los desconocidos rumbos artísticos a que está abriendo camino. Digo que es consciente porque es algo sistemático que claramente revela en el escritor un propósito y una intención.

La novedad se expresa, sobre todo, en un aspecto hasta ahora ignorado por los críticos: el aspecto del humor, refiriendo situaciones a determinados personajes que por su realidad histórica inseparable en la mente del lector van a crear un contrapunto, ya gracioso, ya irónico, con la anécdota tradicional que les atribuye don Juan Manuel. En otro grupo de ejemplos se verá su originalidad al leer puras anécdotas narradas con todos los caracteres de casos históricos. Son anécdotas seudohistóricas, verdadero ilusionismo sutil en el cual el escritor despliega un gran poder creador. Lo maravilloso es que así da la sensación de todo un mundo novelesco de caballeros y de héroes que en sus ejemplos van viviendo y quedan allí para siempre con la vida potente de los retratos hechos por los grandes pintores. Otras veces va a dar la sensación histórica más que en la anécdota, en el color local, en el amontonamiento de usos y costumbres, en la combinación de dos personajes: uno histórico y otro puramente imaginario. Sus recursos creadores son ricos y variados.

I. Humor e ironía en la ficción histórica

Ejemplo 9.—*Los dos caballeros y el león.*

Don Juan Manuel eleva al mundo literario de la ficción en primer lugar a su propio tío, el infante don Enrique, hijo, lo mismo que su padre y que Alfonso el Sabio, del rey don

Fernando y de la reina doña Beatriz. Don Enrique tenía un espíritu inquieto y aventurero y en 1259 se entera de que su hermano el rey Alfonso X ha enviado a Nuño González de Larra para que lo haga prisionero. El golpe de sorpresa falla y el infante derrota y mata a quien lo había de capturar. Trata entonces de refugiarse en la corte de Aragón, pero el rey, que era suegro de Alfonso, se niega a darle asilo y así se ve precisado a huir a tierra de moros. En Túnez lo reciben muy bien y apreciando su valor el rey moro le da mando de tropas y batalla a su servicio durante cuatro años. Un grupo de caballeros castellanos sedientos de aventuras viene entonces a unírsele en Africa y esto siembra la alarma y desconfianza entre los moros, quienes lo acusan de tramar la muerte del rey. Dice la Crónica de Alfonso X que el rey de Túnez

> *mandó llamar a don Enrique a la fabla, e entró dentro en el corral do era aconsejado que entrase. E todas las gentes suyas que lo guardaban fincaron en otras casas por do iban entrando, que eran muy redradas dende. E el Infante, estando allí con el Rey, díjole el Rey que le esperase allí e que luego vernía allí a él; e salió el Rey de aquel lugar del corral, e por la otra parte salieron los dos leones a fiucia que lo matarían. E don Enrique sacó la espada que él traía consigo, que la non partía de sí, e tornó contra ellos, e los leones non fueron a él. E don Enrique fue a la puerta e salió del corral* (2).

El rey le pide que salga de sus tierras y el Infante, con un buen botín ganado en las victorias de cuatro años, se dirige a Sicilia, en donde espera obtener la protección de Carlos

(2) *Crónicas de los Reyes de Castilla,* ed. de Cayetano Rosell y López (Madrid, 1875), BAE, vol. 66, p. 7.

de Anjou. Su espíritu aventurero le hace abrazar la causa de los enemigos de Carlos. Cuando éstos son derrotados encuentran al Infante escondido en una abadía de monjes y lo toman prisionero. Regresa a España cuando su sobrino don Sancho el Bravo acaba de morir y lo nombran tutor del joven Fernando IV (3).

Don Juan Manuel recuerda al más aventurero de sus tíos y lo incorpora al mundo literario de su ficción. La única verdad histórica parece ser que en Túnez los leones se acobardan. El tema es el de la amistad o alianza que se inicia en el peligro común y del cual cita Knust (p. 321) dos versiones, ambas inglesas y posteriores a don Juan Manuel. En la del *Gesta Romanorum* (núm. 133) se trata de dos perros conejeros que dañan las cacerías del rey poniéndose a pelear. El rey suelta un lobo feroz contra uno de los perros y cuando éste se halla casi vencido sueltan al segundo perro, que mata al lobo, y el cariño se establece así entre los dos animales. Más que la defensa mutua hay en esta versión la gratitud de uno de los mastines hacia el que le salvó la vida. En la versión de Bromyard (Pars 3, art. 9-29) se presenta primero el tema: dos perros que mientras pelean, al ver venir un lobo, olvidan su discordia para atacar al común enemigo. Luego dice que el caso ya había ocurrido en las *Estratagemas* de Frontino (lib. I, título 10) en donde Scorillus, rey de los dacios, calma una pelea entre los miembros de su ejército mostrándoles a los perros que luchan y se unen para defenderse del lobo. «Así —les dijo— haced contra los romanos» (4). Es imposible averiguar si hay una versión en la cual en vez de perros se trate de caballos, pero me parece muy probable que si don

---

(3) Cf. Puibusque, *Le Comte Lucanor. Apologues et fabliaux du XIVe siècle* (París, 1854), p. 213.

(4) Daniel Devoto *(op. cit.*, p. 379) dice que el relato está «vivo en el folklore judío y armenio (Chauvin, t. II, p. 150) y en la literatura arábiga *(Lámpara de los príncipes*, de Abubéquer de Tortosa, según María Rosa Lida de Malkiel, p. 188, núm. 4)».

Juan Manuel ha cambiado el lobo por un león del rey de Túnez, ha efectuado también la otra mutación. El capricho del rey, cuya cacería y diversión se frustran por la disensión, queda sustituido por la amistad de dos caballeros, elevando así el nivel de toda la anécdota y creando al mismo tiempo un contrapunto artístico entre el odio de los caballos y la amistad de sus dueños.

En el desarrollo de la anécdota o acción se ve algo muy típico del estilo narrativo del *Patronio:* dos grupos, cada uno de tres acciones: 1.º «Los cavallos lo vieron, començaron a tremer (...) fueronse legando el uno al otro.» 2.º «estovieron así una pieça et endereçaron entramos al león, et paráronlo tal a muessos et a coces (...)» (pág. 89). Esta misma técnica se verá en otros ejemplos.

Las primeras frases del cuento dan un aire de veracidad al relato: «dos cavalleros que vivían con el infante don Enrique (y el texto de Gayangos agrega: en Túnez) eran entramos muy amigos et posavan siempre en una posada» (p. 88). Pero la última parte de ese mismo párrafo tiene su picardía y está escrita «tongue in cheek», como se dice en inglés: «contaron su fazienda a don Enrique et pidiéronle por merced que echase aquellos caballos a un león que el rey de Túnez tenía. Don Enrique les gradesció lo que dezían muy mucho, et fabló con el rey de Túnez». Ese mencionarle al Infante el león de Túnez y aquel agradecerles muy mucho lo que le decían indican una referencia cargada de humor al lance de don Enrique y manifiesta que infante, caballos y caballeros están colocados en el mundo de la ficción y la historia verdadera se recuerda solamente en referencias veladas, indirectas y humorísticas. En vez de los dos leones de la crónica que se acobardan ante la espada de un caballero, hay dos caballos que derrotan a un león. Una tergiversación tal de la crónica sugiere cierto simbolismo no poco irónico que se hace más claro si se nota que los términos caballeros y caballos parecen intercambiables y así lo sugiere el título del ejemplo: «De lo que contesçió a los dos caballeros con el león» (Gayangos). Es como si, así podríamos decir, le hubiera dedicado el cuento a su tío para que lo leyese y se riera. Todo ello revela ya un arte muy sutil, unos juegos de imaginación que abren nuevos rumbos y nuevas formas a la creación literaria.

Ejemplo 27.—*El Emperador y don Alvar Fáñez.*

Ese humor fino, refinado, casi inglés que se descubre en el ejemplo anterior es lo que los críticos no han sabido descubrir en el doble ejemplo del emperador Federico y de Minaya Alvar Fáñez.

El emperador y la emperatriz

Sólo María Rosa Lida, a pesar de sorprenderse ante el ejemplo del emperador, apunta que la historia es cómica (5). Me parece vano en este caso tratar de defender la ortodoxia o heterodoxia del ejemplo y contrastarlo con las reacciones de Lope de Vega o del Arcipreste de Talavera ante la moralidad del caso. La seriedad proverbial que se atribuye a don Juan Manuel ha impedido captar esta veta de su fino humor; un humor que sí entendían los predicadores al usar el tema, con muerte y todo, desde el púlpito.

Las tres variantes del cuento se hallan todas en Jacobo de Vitry. La primera trata de una mujer que contradice en todo a su marido y para afligirlo se presenta de mal genio ante los invitados. Se han colocado las mesas del convite a la orilla de un río y al pedirle el esposo que se acerque y sonría ella, siempre llevándole la contraria, se acerca más y más

(5) María Rosa Lida, citada por Daniel Devoto, *op. cit.*, p. 429.

al borde de la corriente hasta que cae al río y se ahoga: «Quod attendens vir ejus valde iratus ait: Accede ad mensam. At illa volens contrarium facere, cum magno impetu in tantum a mensa se elongavit quod in fluvium cecidit et suffocata non comparuit» (6).

La intención de hacerla morir es clara en este texto latino y, sobre todo, en el de Etienne de Bourbon (núm. 299), quien la hace aún más patente: «cum quidam joculator haberet uxorem que semper erat ei rebellis et faciens contrarium hujus quod dicebatur ei, cogitavit quomodo se vindicaret de illa». (Como cierto gracioso tuviese una esposa que siempre se le rebelaba y hacía lo contrario de lo que él le decía, pensó en la manera de vengarse de ella.) Hervieux (vol. II, núm. 74) trae la versión del *Rómulo* de Marie de France en la cual el marido ha estado trabajando con los siervos para canalizar las aguas de un río y al acercarse a su mujer por comida que ella ha traído a petición de los siervos, se va alejando de él hasta que se cae en el canal y se ahoga. En este grupo de versiones el marido dice que hay que buscarla corriente arriba, pues aun en las aguas debe estar llevando la contraria. Para Etienne de Bourbon el marido es un «joculator», lo cual subraya el humor del ejemplo, más bien que su seriedad.

La segunda forma no lleva consigo la muerte de la mujer, sino un simple pinchazo en los dedos que se da por no querer seguir la única orden del marido de no meter la mano en un determinado hueco. Resalta el castigo a la desobediencia de la esposa: «Uxor enim marito in quantum secundum quod potest, obedire debet.» (La esposa en cuanto pueda debe obe-

(6) JACOBO DE VITRY (núm. 227) «Y al verlo dijo muy enojado su marido: Acércate a la mesa. Pero ella queriendo hacer lo contrario, con gran ímpetu se separó tanto de la mesa que cayó al río y ahogada no se la pudo hallar». ETIENNE DE BOURBON (núms. 244 y 299); THOMAS WRIGHT (núm. 10); HOLKOT, *In Librum Sapientiae Regis Salomonis* (Lectio 30, VIII); *Scala coeli* (núm. 513); *Speculum exemplorum* (pertinacia, II); PAULI, *Schimpt und Ernst* (núm. 142).

decer al marido) (Jacobo de Vitry, núm. 222). Finalmente, la tercera forma del cuento lleva consigo la prohibición de entrar en un horno. La esposa misma pide al marido que le mande algo para probar su obediencia. El horno le cae encima y la deja quebrantada (7). Estos dos últimos grupos son en realidad lecciones a la mujer misma y la anécdota está en la línea bíblica de Eva y la manzana del paraíso.

Don Juan Manuel, si hubiese querido ser seriamente didáctico, en este caso tenía de donde echar mano. El número de testimonios de las dos últimas variantes revelan que el ejemplo era bien conocido. Sin embargo, para un cuento humorista quedaba mejor el primer tema que don Juan Manuel transforma de manera completa y original (8) especialmente si se tiene en cuenta que el emperador a quien se refiere no es Federico Barbarroja, como se ha creído, sino Federico II, emperador de Alemania y rey de Sicilia (1197-1250).

Por una parte, pocos emperadores medievales se hallaron en una tensión tan crítica con el pontificado como este soberano que se dio cuenta paso a paso de que el Papa, a quien veneraba como vicario de Dios en la tierra, no era más que un rival en la dominación temporal. Sus tensiones llegan al culmen cuando el Papa Gregorio IX lo excomulga injustamente bajo el pretexto de que no ha cumplido su voto de ir como cruzado a Tierra Santa. El Papa ignora en su bula de excomunión, que Federico, atacado por la peste en el mar,

---

(7) La forma segunda se halla en ETIENNE DE BOURBON, núm. 300; *Dialogus creaturarum*, núm. 90; THOMAS WRIGHT, núm. 12; *Pauli*, núm. 318; *Alphabet of Tales*, núm. 575; CESARIO DE HEISTERBACH, IV, 76; *Recull de eximplis*, § 506. La forma tercera se halla en el *Scala coeli*, § 514; HEROLT, 0, XII; *Pauli*, § 318; *Libro de los enxemplos*, § 307 (240).

(8) Es verdad que TUBACH en su *Index Exemplorum*, § 5.294 menciona al marido traicionado que le presenta a la esposa dos cajas de dulces advirtiéndole cuál de ellas está envenenada. Sólo aduce un testimonio y esta versión de la mujer infiel tiene más que ver con los dramas de la honra del Siglo de Oro que la de don Juan Manuel que no menciona la infidelidad.

después de embarcarse para Siria, ha tenido que regresar a recuperarse. Excomulgado y todo, cruza finalmente el Mediterráneo y a fuerza de amistad y negociaciones con el sultán de Egipto, Al-Kamil, hijo de Saladino, le abren las puertas de Jerusalén, cuya corona obtiene por ocupación y por haberse casado en segundas nupcias con la hija de Juan de Brienne, titular a la corona de la Ciudad Santa. El patriarca de Jerusalén impone entredicho a la ciudad y Federico abandona Palestina, regresa a Italia y pide la reconciliación con el Papa; una reconciliación meramente exterior, pues el Emperador llega a la conclusión de que (en sus propias palabras) «de aquel en quien los hombres todos esperan hallar salvación del cuerpo y del alma sólo proviene el mal ejemplo, el engaño y la maldad» (9). Durante los años de su excomunión envió cartas a los soberanos de Europa, señalando la injusticia y las mentiras de la bula papal. Es fácil comprender en qué forma se dividiría la cristiandad, pues para muchos era obvio que el Papa lo había excomulgado injustamente. En este contexto resalta la ironía de su consulta a la Corte Romana en el cuento de don Juan Manuel y de la ambigua respuesta del Pontífice que termina con las palabras: «ca él non podía dar penitencia ante que el pecado fuesse fecho» (p. 158). De esto no se puede determinar ni importa el caso, si el escritor castellano defendía al Papa o al Emperador; pues parte del valor artístico de su ficción es precisamente esta ambigüedad consciente. La historia, al convertirse en cuento, se llena de absurdos y de interrogantes.

---

(9) Todos estos datos históricos y los que siguen han sido tomados de la importante obra reciente de THOMAS CURTIS VAN CLEVE, *The Emperor Frederick II of Hohenstaufen, Immutator Mundi* (Oxford, 1972), cf. pp. 187, 190-199. Otro libro clásico al respecto es el de ERNST KANTOROWICZ, *Frederick the Second* (New York, 1931). AMÉRICO CASTRO en «Presencia del Sultán Saladino en las literaturas románicas», *Semblanzas y Estudios Españoles* (Princeton, 1956), pp. 22-23, dice que el Papa excomulgó al Emperador

Pero hay un detalle más en la vida del famoso emperador que encuadra perfectamente en el cuento de don Juan Manuel. A comienzos de su reinado en Sicilia tuvo como aliados a los aragoneses, cuyo rey don Pedro puso a su disposición 500 hombres para ayudarle a la restauración de su poder en el reino de Sicilia y le dio como esposa a su hermana Constanza. Un tercer miembro de la familia real aragonesa, el infante don Alfonso, acompañó a su hermana a las nupcias y, al emprender la campaña de Sicilia, pereció como muchos otros españoles, víctima de la peste. Los historiadores apuntan que Constanza era diez años mayor que Federico y que a pesar de haberse casado por motivos políticos, los lazos del afecto y del mutuo aprecio se hicieron más y más fuertes hasta la muerte de Constanza en 1222. El emperador la hizo enterrar con su propia corona imperial como signo de su afecto. La segunda esposa, Isabel, hija de Juan de Brienne, princesa de Jerusalén, murió prematuramente en los momentos de mayor tensión con el pontificado (1228). Fue entonces cuando sus enemigos, siempre listos para propagar toda suerte de calumnias en contra del Emperador, lo acusaron de crueldad para con su esposa y declararon que ésta había muerto en una mazmorra después de haber sido golpeada personalmente por su esposo. Se decía, además, que la crueldad del Emperador con su joven esposa de sólo quince años había comenzado en la noche misma de la boda, en que después de golpearla la había abandonado para ir a pasar la noche con una prima de la nueva emperatriz. (Van Cleve, pp. 67, 166 y 204.)

---

cuando hacía dos días que ocupaba pacíficamente la ciudad de Jerusalén. Pero los historiadores exponen el conflicto en la forma en que lo he presentado. CASTRO, sin embargo, apunta valiosamente que Federico conocía perfectamente el Islam y la lengua árabe y recuerda los famosos cuestionarios del Emperador en los cuales indaga de cristianos y árabes la naturaleza de la vida presente y la del más allá. Para muchos de sus contemporáneos Federico era un incrédulo.

Hay que notar que en don Juan Manuel es precisamente el cuento cuya aplicación didáctica comenta Patronio con más brevedad: «non ay sinon pasar su ventura commo Dios gelo quisiera aderesçar» (p. 168). Todo indica que más que la moral del ejemplo lo que le interesaba al escritor era su deliciosa ficción en la cual introducía al renombrado Emperador. Toda la anécdota se convierte en suya: la situación familiar y la búsqueda de una manera de solucionarla; la consulta y respuesta del Papa; el veneno de las flechas de caza y la pomada para la sarna; la angustia de los presentes «muy fieramente llorando» que le ruegan a la emperatriz que no se unte el veneno; todo constituye un mundo imaginario perfectamente creado en el cual el autor parece haber perdido por un momento su seriedad de moralista y aventurarse en el gozo de la ficcionalización de su personaje histórico. El detalle de la sarna en boca de una emperatriz no se explica si no se enfoca el ejemplo bajo el prisma del humor; un humor consciente y central que revela una constante de técnica humorística desconocida hasta ahora en don Juan Manuel.

Don Alvar Fáñez y doña Vascuñana

En la segunda parte del ejemplo hay un contraste buscado entre el Minaya Alvar Fáñez de la épica y el que presenta el escritor, diríamos así, «prosificado». El personaje épico, déutero héroe del *Poema de Mío Cid,* ya era un personaje mítico. Es el Minaya valeroso que no quiere aceptar su parte en los despojos hasta que lleguen las grandes batallas y la sangre de los enemigos chorreando por los canaletes de la espada le bañe el brazo y le baje hasta el codo. Es el mensajero del Cid ante el rey Alfonso; el guía de doña Jimena, a quien tiene buen cuidado de aderezar conforme a su linaje antes de conducirla felizmente con sus hijas a los brazos del esposo. Es quien en nombre del rey entregará a sus primas a los infantes traidores. Es quien cierra con el último reto los parlamentos de las famosas cortes del poema. Y ahora, en contraste, lo presenta don Juan Manuel, a propósito, en un contexto íntimo y familiar, buscando matrimonio en su avanzada edad. Las costumbres vergonzosas de su vejez, la debilidad de su mente, son los resultados de heridas y batallas, son los traumas de las luchas, son irónicamente lo único que parece quedar de su grandeza. Sin embargo, la mujer lo debe amar en su mito, no en su realidad: «Et destas cosas le dixo tantas, que toda muger quel entendimiento non oviesse muy maduro, se podría tener dél por non muy bien casada» (p. 161). Es éste el mérito de doña Vascuñana, quien cree a pie juntillas en la grandeza mítica de su esposo: «Et non entendades que fazía esto por le lisoniar, nin por le falagar, mas fazíalo por (que) verdaderamente creya, et era su entención, que todo que don Alvar Háñez quería et dizía et fazía, que (en) ninguna guisa non podría seer yerro, nin lo podría otro ninguno mejorar» (p. 162). Su edad va a dar más la verosimilitud de un cerebro reblandecido cuando ante el sobrino confunda yeguas y vacas. En todo esto no se puede ver realidad histórica, sino gozo de creación y es necesario ser un creador en términos modernos para transformaciones de una tal magnitud, y de un sentido tal del humor.

Como el ejemplo 27 contiene en sí dos cuentos, este segundo cuento se desdobla como si realizara en esta forma la ley de «la bella armonía» en la composición de la pintura. Tiene lugar primero la prueba de las tres hijas de don Pedro Ansúrez y luego la prueba de la esposa ante el sobrino. Se inicia con una frase históricamente cierta, lo mismo que vamos a notar en otros ejemplos: «Don Alvar Háñez era muy buen omne et muy onrado et pobló a Yxcar, et morava y. Et el conde don Pedro Ançúrez pobló a Cuéllar, et morava en ella» (p. 160). Pero en la frase siguiente que cierra este párrafo: «Et el conde don Pedro Ançúrez avía tres fijas» se desborda la imaginación y sumerge al lector en el mundo de la pura ficción haciendo ver al héroe que entra por la puerta y llega «tan sin sospecha» a la casa del conde en busca de una mujer con quien casarse (10).

En la selección de la esposa resalta la composición narrativa basada en el número tres: 1.º Detallada proposición del héroe a la primera hija. 2.º Resumen breve de la reacción de la segunda señorita. 3.º Detallada respuesta de la hija menor, que se cierra con las palabras «Et esta dueña avía nombre doña Vascuñana.» Se trata de la propuesta y su realización o cumplimiento separados por una brevísima mención de que la propuesta se ha planteado una segunda vez. Es la misma composición del ejemplo 24, en la prueba de los tres hijos del rey. Ese número tres va a ser reiterado dentro de las partes mismas: cuando habla con la mayor de las muchachas son tres los defectos que le nombra: edad, mal humor y debilidades del cuerpo en la cama. Doña Vascuñana responde también a tres inconvenientes desdoblando el segundo y dejando modestamente sin mención los hábitos vulgares. Esta insistencia del número tres en la composición aparece también en la segunda parte, pues son tres las pruebas a que don Alvar Fáñez somete a su esposa en presencia del sobrino: las vacas que son yeguas, las yeguas que son vacas y el río que corre hacia su nacimiento. Todo esto es conscientemente buscado siguiendo la importancia medieval concedida al número de la Trinidad. Se ciñe a reglas de composición de su tiempo, pero a causa de su vuelo imaginativo el escritor explora nuevos campos.

Si lo que he mencionado se refiere a la estructura exterior, debo agregar que ya en la primera parte se introduce el tema trascendental y filosófico de la relatividad de la realidad que llega a su mejor expresión en la prueba de su esposa. Las cosas no son lo que parecen ser y por eso una dueña que

---

(10) Cf. María Rosa Lida, *op. cit.*, p. 107 en la nota.

oyera lo que dice el anciano Alvar Fáñez, si no supiera quién es en su realidad mítica y en su dimensión épica, se tendría por mal casada. Ha de creer en una realidad que es ficción. En cambio, la misma grandeza que reclama, como ya lo apunté, es irónicamente la causa de los malos hábitos de su vejez. Así el autor crea un contrapunto artístico de realidades que son y no son grandeza y por tanto son meramente relativas.

La fórmula «Et acaesçió que una vez» (p. 163) inicia la segunda parte de la prueba de doña Vascuñana en presencia del sobrino. El tema se halla esbozado en los apotegmas de los Padres cuando el abad Silvano prueba la obediencia de su discípulo Marcos llamando búfalo a un jabalí pequeño y así edifica a los ancianos (11). El tema del río que corre hacia su fuente es posible que lo tomase don Juan Manuel de los ejemplos ya citados para el cuento del emperador, sobre el marido que busca a la esposa contra la corriente. Pero esto es sólo una hipótesis que para demostrar la creación artística me parece sin importancia.

Creo que lo central en esta parte del cuento son los temas de la relatividad de la realidad y la locura que Cervantes va a convertir más tarde en parte esencial de su *Don Quijote*. Ello me parece tan genial en don Juan Manuel que debe analizarse el proceso por el cual no sólo el sobrino, sino los demás acompañantes vienen a creerse locos, pues las cosas no son

---

(11) MIGNE, *Patrologia Griega,* vol. 65, p. 296B. En contraste los ejemplarios elaboran la terquedad de la mujer de cuyo tema hay tres versiones: 1.ª *El Romulo* (HERVIEUX, ed. de 1884, vol. II, p. 548): Al pasar marido y mujer por un prado recién cortado aquél dice que lo han hecho con la hoz y ésta que lo han cortado a tijeras. El marido la tumba y finalmente le corta la lengua, más la testaruda mujer sigue imitando las tijeras con la mano. Esta versión se encuentra de modo más sumario en ETIENNE DE BOURBON, núm. 243, *Dialogus creaturarum,* núm. 30; THOMAS WRIGHT, núm. 3. 2.ª Tanto ETIENNE DE BOURBON como THOMAS WRIGHT traen en el número inmediatamente anterior una variante tomada de JACOBO DE VITRY en la que la mujer peleadora que llama al marido «pediculosus=piojoso» sigue haciendo el signo con las manos mientras

como las ven. En un principio el sobrino cree que la confusión de las vacas en yeguas es un chiste de don Alvar Fáñez («et cuydó que gele dizía por trebejo» (p. 163), pero inmediatamente el tío le sugiere que ha perdido el seso. Al ver que se le habla en serio no puede menos de pensar que es don Alvar Fáñez quien ha perdido el entendimiento y así le puede decir a doña Vascuñana: «et tanto avemos porfiado que él me tiene por loco, et yo tengo que él non está bien en su seso» (p. 164). En esta situación en que las cosas no son lo que parecen ser, en que bien el uno, bien el otro se halla enloquecido, la esposa prefiere creer en su marido; «tovo verdaderamente ella, con todo su entendimiento, que ellos erravan, que las non conosçían, mas que don Alvar Háñez non erraría en ninguna manera en las conosçer». Y en la cita directa le dice también al sobrino que está loco. Las afirmaciones de doña Vascuñana sobre la realidad que contemplan siembran la duda no sólo en el sobrino, sino en los circunstantes: «Et tanto le afirmó esto, que ya el cuñado et todos los otros començaron a dubdar que ellos erravan, et que don Alvar Háñez dizía verdat» (p. 165). La gradación es perfecta, pues de la duda se pasa en el segundo caso (de las yeguas que son vacas) al temor de que sea cierto. Es el miedo a esa horrible certeza de estar loco el que arranca la exclamación del sobrino: «Por Dios, don Alvar Háñez, si vos verdat dezides, el diablo me traxo a mí a esta tierra; ca ciertamente, si éstas son vacas, perdido he yo el entendimiento.» Al oír a doña Vascuñana empiezan ya no a dudar sino a pensar que lo que ven no son en realidad yeguas. El tercer paso consterna total-

el esposo la ahoga en el río. 3.ª JACOBO DE VITRY, núm. 237, trae una tercera forma, que es la fuente del *Médico a los palos*. Cito los textos de estas versiones por curiosidad en la segunda parte, no porque se relacionen en algo con el ejemplo manuelino. Esta tercera versión viene de los Fabliaux. Cf. BARBAZAN et MEON, *Fabliaux et Comtes* (París, 1808), vol. III, p. 1; LEGRAND D'AUSSY, *Fabliaux ou Comptes* (París, 1829), vol. III; MONTAIGLON et RAYNAUD, *Recueil complet des Fabliaux* (París, 1878), vol. III, p. 156.

mente al sobrino, que se cree de verdad perdido y no es sólo él quien queda afectado por la nueva manera de ver la realidad, sino que «creyeron todos que aquella era la verdat» (p. 166). Ya en otro capítulo apunté la importancia de la cita directa en don Juan Manuel para expresar lo más íntimo del personaje y es éste un ejemplo en donde la usa con más profusión y con más fuerza.

Se encuentra aquí exactamente el tema esencial de Cervantes en su *Don Quijote.* Quién no recuerda los rebaños de ovejas que son ejércitos, las ventas que se convierten en castillos y las mozas en damas, etc.; y la manera como, sobre todo en la segunda parte, su realidad se va proyectando y extendiendo y va afectando y transformando la existencia de los demás. La gradación tan obvia del proceso mental del sobrino y de los acompañantes, que es querida y lograda por el escritor de *El Patronio* a medida que narra el caso, hace que no se trate tan sólo de una obediencia impuesta por la intimidación y el hambre como en el drama de Shakespeare, sino de un convencimiento pleno y absoluto del entendimiento de doña Vascuñana, que afecta no sólo la mente del sobrino, sino la de los acompañantes. Se trata, pues, de un tema trascendental y sutil que el gran escritor al crear su ficción y al internarse en su mundo, ya vislumbra, ya toca y esboza. Así como el *Quijote* está lleno de humor, así este cuento de don Juan Manuel tiene la semilla del mismo. El genio de Cervantes le dará pleno desarrollo en el Siglo de Oro, pero el germen está precisamente aquí. No hay en ninguno de los ejemplarios una elaboración como ésta del caso del abad Silvano y así este cuento, que sale casi en su totalidad de la imaginación de don Juan Manuel, lo coloca muy alto entre los iniciadores de la ficción europea en términos modernos.

Ejemplo 28.—*Don Lorenzo Suárez.*

Don Lorenzo Suárez Gallinato viene a cerrar este ciclo de

personajes históricos ficcionalizados bien humorísticamente, bien con un sentido irónico. Poco habría que agregar al corto párrafo de María Rosa Lida citado tanto por Blecua (p. 168) como por Daniel Devoto *(op. cit.,* p. 414). Ecija se cambia en la prestigiosa Granada y don Lorenzo sirve al rey moro con lealtad. Se presenta además el tema del milagro eucarístico tan importante en Cesario de Heisterbach y, sobre todo, según Daniel Devoto, el tema de la defensa de la hostia y del nombre de Dios (12). Todo ello es importante. Pero no se ha hecho hincapié en que para este ejemplo de la lealtad a la fe y a Dios, para el único milagro de *El libro de Patronio,* don Juan Manuel haya escogido precisamente a un traidor; a un caballero que no sólo traiciona al rey cristiano, sino que recupera el favor de éste, traicionando al rey moro, a quien se pasara a servir. No se ha capitalizado el hecho de que se presente aquí a un doble traidor como modelo de lealtad.

Ya que la moraleja del ejemplo es que las cosas que parecen malas a veces no lo son, existe la posibilidad de que don Juan Manucl escogiera a don Lorenzo Suárez como protagonista de la anécdota para justificar veladamente su traición. En otras palabras, para decir que su alevosa conducta con el moro Abenhuc, aparentemente condenable, fue en sí un acto bueno con el cual lavó y expió el deservicio que hiciera a las huestes cristianas pasándose por un tiempo al campo enemigo. En esta forma el escritor en la persona de don Lorenzo estaría justificando también su propia conducta. Sin embargo, a pesar de que fuera ésta la intención de don Juan Manuel, la anécdota y el personaje histórico a quien la atribuye producen un inevitable contrapunto irónico. Después de que ocurre el incidente y el rey de Granada le pide cuentas de lo hecho la

(12) Edito los ejemplos de ETIENNE DE BOURBON, núm. 385, y de JACOBO DE VITRY, núm. 219, en la segunda parte. Debo anotar que ninguno de los milagros eucarísticos se lleva a cabo para premiar una ejecución o muerte violenta.

respuesta de don Lorenzo Suárez pone el énfasis precisamente en la lealtad. Menciona como premisa de su razonamiento el hecho de que el rey le ha encomendado la guarda y defensa de su cuerpo, confiando en su lealtad. Pues esta cualidad por la cual lo ha escogido el rey terreno es precisamente la que lo ha llevado a defender al rey del cielo. Todo esto es necesariamente irónico en el personaje histórico que lo dice, pues no ha servido lealmente ni al rey del cielo ni al rey moro. Ello no puede ser casual y no hay duda de que obedece a un propósito definido del escritor.

II. LA SEUDOHISTORIA

En este segundo grupo de ejemplos a estudiar don Juan Manuel toma no sólo el personaje histórico, sino también la anécdota y transforma ésta completamente manejando todo el conjunto a discreción y haciéndole conservar no obstante, el ambiente y el estilo de las crónicas de los reyes.

Ejemplos 16 y 37.—*El Conde Fernán González.*

El caso más obvio de seudohistoria es el ejemplo 16, que ya comentó María Rosa Lida, y que se halla inspirado en la *Primera Crónica General* (13) y en las coplas 334-385 del *Poema de Fernán González.* El rey Sancho de Navarra acaba de ser vencido y muerto por el conde castellano. El conde de Tolosa, que viene a ayudar al rey navarro, al saber su muerte dice que desea vengarla luchando con los castellanos y Fernán González, cuando lo sabe, ordena a sus hombres cansados salirle al encuentro. Sus caballeros, agobiados por tantas batallas, le dicen: «Esta vida non es sinon pora los peccados, ca

(13) MARÍA ROSA LIDA, *op. cit.*, p. 106. ALFONSO EL SABIO, *Primera Crónica General*, ed. de MENÉNDEZ PIDAL, NBAE (Madrid, 1906), vol. I, cap. 696, pp. 397-398.

siempre nos queremos semejar a los de la hueste antigua que nunqua canssan de día nin de noche. Et este nuestro sennor semeia a Sathanas, et nos a los de sus criados, que nunqua folgamos sinon quando sacamos almas de omnes. Et nin ha duelo de nos que soffrimos muy grand lazeria, nin de si mismo que es tan mal ferido. Onde a mester que aquello que vemos que nos estara bien, que ge lo digamos; et por la su loçania que non caya el et nos en grand yerro.» Por esto piden a Nuño Laínez que presente su demanda. El mensajero subraya que el Conde necesita descanso para sanar de sus heridas; la vida que llevan, ningún otro hombre la lleva; la codicia hace olvidar la mesura; si no está repuesto puede muy bien perder la batalla. Se lo dicen no por cobardía, sino porque lo aprecian.

Las ideas que el Conde expresa en su respuesta son las siguientes: 1.º Conviene adelantar la batalla, pues el día que pierde el hombre queda perdido para siempre. Es el tópico del «fugit irreparabile tempus». 2.º El hombre se lleva de este mundo lo que hace aunque sea el descansar y el divertirse. Los hechos malos mueren con el hombre. Las buenas acciones nunca perecen y continúan la memoria de quien las hizo. 3.º Los grandes hombres pasaron grandes trabajos: no comieron y tuvieron que olvidar los vicios de la carne y del mundo. Así Alejandro, de quien se cuentan los hechos, no los días ni los años; Judas Macabeo, «obispo et buen cavallero»; Carlos el emperador y otros que serán mentados por sus hechos hasta el fin del mundo. La respuesta del Conde es aceptada por sus caballeros. Se mueven rápidamente y, a pesar de lo difícil de la lucha, vencen y Fernán González mata al Conde de Tolosa.

La situación que crea don Juan Manuel, como para advertir que no le interesa el detalle histórico *per se,* es completamente distinta. Se hallan en un momento de sosiego y de tregua y el consejo de Nuño Laínez es algo personal suyo, no motivado por la protesta de las gentes. Aunque la respuesta del Conde parece diferente, sin embargo el punto central de semejanza es precisamente el refrán que ya estaba en germen en el texto de la Crónica (14): «E el ome que quisiere estar vicioso e dormir e folgar e non quisiere al llevar deste mundo, *deste atal mueren los sus buenos fechos* (...) *mas los buenos fechos nunca mueren*, y siempre es remenbrança aquel que los fizo.» Aquel «dormir e folgar» lo especifica don Juan Manuel diciendo: «a omne del mundo non plazdría más que a él folgar et estar viçioso si pudiese (...) et si quisiessen andar a caça con buenas mulas gordas et dexar de defender la tierra, que bien lo podrían fazer» (p. 113). No puedo admitir que el refrán sea algo meramente accesorio, sino que precisamente cristaliza la idea central de la respuesta de Fernán González en la Crónica. Más que accesorio es una sustitución feliz, una manera refinadamente artística de dar relieve y concisión a las frases que he citado de la Crónica, las cuales quizás están más claras en estas dos estanzas del poema (348 y 9):

> Sy omne el su tiempo en valde quier pasar,
> non quiere deste mundo otra cosa levar,
> sy non estar viçioso e dormir e folgar
> *deste tal muer su fecho quando vien a fynar.*
>
> El uiçioso e el lazrado amos an de moryr,
> *quedan los buenos fechos, estos han de vesquir,*
> dellos toman enxyemplo los que han de venir (15).

La manera como don Juan Manuel ha cambiado el episodio y aducido el refrán que quintaesencia la idea, ha elevado al Conde Fernán González al mundo poético de la ficción.

---

(14) María Rosa Lida *(loc. cit.)* dice, hablando del refrán, «Con todo, el poético refrán no es elemento esencial del relato (puesto que falta en las citadas versiones anteriores), sino solamente un accesorio embellecedor que da filo epigramático a la respuesta del Conde.»

(15) He citado la crónica por el texto traído por Knust en la

Como lo ha apuntado María Rosa Lida, «la prueba de la eficacia estética es que la forma moderna del refrán es la versión caballerescamente enmendada por don Juan Manuel: 'murió el hombre y vive su nombre' (...) a veces con mención expresa de Fernán González: 'murió el Conde, mas no su nombre'».

El héroe castellano es asimismo usado para dar valor al dicho de que las heridas nuevas hacen olvidar el dolor de las pasadas, en el ejemplo 37. Aunque se menciona la batalla de Façinas todo el ejemplo es creación absoluta de la imaginación del autor, quien trae aquí las quejas de los súbditos que había omitido del relato de la crónica en el ejemplo 16. Además, si en éste el refrán es lo central, en el ejemplo 37 los versos de la moraleja terminan también en refrán, pero que ya no tiene nada que ver con el dicho atribuido aquí a Fernán González. Esto revela claramente que don Juan Manuel se mueve en su mundo ficcional con una independencia completa y absoluta.

Ejemplo 15.—*Los tres caballeros.*

Aunque siempre se puede recurrir a la existencia de un relato perdido, parece que don Juan Manuel en el ejemplo 15, con datos de la crónica del santo rey don Fernando, forma completamente su ejemplo combinando detalles para obtener una anécdota original con apariencia de relato verdadero. Otra vez usa libremente la historia, lo mismo que en los dos ejemplos de Fernán González, para convertirla en pura ficción.

Tanto Puibusque como Knust señalaron los pasajes en cuestión y desde entonces se avanzaron teorías para identificar al tercer caballero desconocido, sin darse cuenta de que es ya desconocido en la crónica. El detalle, llevado al nuevo

---

página 341 y el poema por la edición de ALONSO ZAMORA VICENTE, *Poema de Fernán González* (Madrid, Espasa-Calpe, Clásicos Castellanos, 1946), p. 104.

contexto manuelino, ha sacado de quicio al investigador que busca erróneamente precisión histórica en donde sólo hay feliz imaginación.

Son dos los capítulos inspiradores de la *Primera Crónica General.* El primero, el capítulo 1.107, narra la hazaña conjunta de don Lorenzo Suárez y de Garcí Pérez de Vargas durante el sitio de Sevilla. Don Lorenzo Suárez propone a Garcí Pérez de Vargas y a otros caballeros dar una «espolonada» a los moros que con frecuencia salen por una de las puertas del alcázar, pasan el puente que está sobre el Guadaira y aquejan la hueste cristiana. Pero don Lorenzo les advierte: «mas catad commo ninguno de nos non entre en la puente nin llegue a ella (la puerta), que seer nos ye gran peligro» y agrega la crónica: «et esto dizie don Lorenço Suárez por prouar a Garçi Perez de Vargas que serie lo que y farie». Ya aquí hay varios de los elementos que inspiran la anécdota de don Juan Manuel: la puerta peligrosa del alcázar, el paso del foso («la cava») y de la «barvacana» y, más que nada, cierta especie de reto a la bravura de Pérez de Vargas. Para don Juan Manuel, más bien que el grupo innominado «otros caballeros», es más importante especificar la hazaña y referirla sólo a tres valientes aunque el tercero quede en el anonimato.

Cuando llega la hora de la pelea y el grupo de valientes ha batido a los numerosos moros («bien fasta diez mill podrien ser») se da cuenta don Lorenzo Suárez de que Garcí Pérez de Vargas ha pasado el puente y lucha de la otra parte completamente asediado de enemigos. «Cavalleros —dixo don Llorenço Suarez (...) engannados nos a Garçi Perez. Vedes commo a pasada la pontezilla el; mas faranos oy entrar en tal logar en que auremos todos mester el ayudorio de Dios. Et porque me reçelaua yo del, oue yo dicho que ninguno non entrase en la pontezilla. Pues asy es, et nol podemos ende tornar, vayamosle acorrer, que esto a fazer es; ca en otra guisa, mal nos estaria, sy a tan buen cauallero, commo es

Garçi Pérez, se oy perdiese por la nuestra mengua.» Con denuedo pasan el puente, atacan y hay gran mortandad de moros, regresando al real y diciendo don Lorenzo Suárez que nunca había hallado caballero que en valor le venciese si no fuera don Garcí Pérez de Vargas. Como el autor del *Patronio* pone a los dos caballeros juntos atacados por la hueste de los moros el socorro definitivo viene en su ficción, naturalmente, del rey.

El tema de que la mayor bravura está en aguardar cuando el enemigo es mucho más numeroso se halla con más claridad en otra anécdota que la crónica refiere de Garcí Pérez de Vargas (16). Un grupo de caballeros debe salir del real por orden del rey Fernando, cuya tienda está ubicada en una altura. Garcí Pérez y otro caballero innominado no parten con el grupo y al ponerse en camino se dan cuenta de que el paso está cerrado por siete caballeros moros. El caballero desconocido prefiere regresar al real, pero Garcí Pérez de Vargas (mientras todo lo contempla el rey a distancia, a cuyo lado está don Lorenzo Suárez) tomando sus armas pide al escudero que lo siga detrás sin desviarse a ningún lado y así, con entereza, sin atacar, se va acercando al enemigo que trata de amedrentarlo «faziendo cadamannas et sus abrochamientos vna grant pieça». Al ver que nada detiene al caballero cristiano en su camino se van los siete moros al lugar en donde don Garcí Pérez se había puesto las armas y en donde se le había caído la cofia o lienzo que cubría la cabeza por debajo de la «capellina» metálica. Pasado el peligro, al quitarse las armas, se da cuenta de que le falta la cofia y graciosamente narra la Crónica que cuando el escudero le ruega que no vuelva al lugar donde la perdiera, guardado ahora por los enemigos, don Garcí Pérez le dice que bien sabe que no tiene cabeza para andar sin cofia, «et esto dezie él porque era muy caluo,

(16) Se halla en el capítulo 1.084 de la *Primera Crónica General* que cito por la edición de Madrid de 1906.

que non tenie cabellos de la meytad de la cabeça adelante». Al volverse hacia los moros éstos no osan esperarlo; recoge su cofia y sigue su camino. Al regresar al real y al preguntarle quién fuera el caballero que huyó del peligro, él nunca quiso revelar su nombre: «Et don Llorenço Suarez ge lo pregunto despues muchas vezes quien fuera aquel cauallero, et siempre le dixo que nol conosçie et nunca del lo podieron saber (...) ante defendio al su escudero que por los oios de la cabeça non dixiese que lo conosçía; et el escudero asi lo fizo que nunca lo quiso dezir, pero que gelo preguntaron después muchas vezes.»

Estos son los elementos con los cuales don Juan Manuel ha construido su anécdota. Nótese que en su relato el caballero que ataca por miedo es precisamente el caballero desconocido y sólo quedan en el cuadro los dos héroes. La impasibilidad ante el peligro está muy clara en la anécdota de la cofia: «et quando vieron que se non boluie a ninguna parte nin se querie desuiar por cosa que ellos feziesen, synon que todauia yua por su camino derecho, tornaronse et fueronse (...) et fueronse ende acogiendo que non se detouieron y mas». Si don Lorenzo admite en la crónica que sólo Garcí Pérez de Vargas lo podría superar en valor, don Juan Manuel, analizando en cierto modo el pasaje del cerco de Sevilla, constituye campeón a Suárez Gallinato a causa precisamente de su dominio en la batalla, un dominio que por otra parte es precisamente Pérez de Vargas quien lo ha demostrado claramente en la anécdota de la cofia. Es obvio que el escritor es parcial a favor de don Lorenzo Suárez, cuyas traiciones, como ya lo dije, parece justificar en el ejemplo del milagro eucarístico. Pero es que él en su ficción se siente rey y señor y es ésta la actitud que se destaca a medida que se analizan sus cuentos revelando ya en germen modos y maneras que cristalizarán en joyas de plenitud en el Renacimiento.

Es imposible, y me parece del todo inútil, tratar de precisar más los elementos de la fuente. Lo que sí queda muy claro es la admirable libertad con la cual la imaginación del escritor construye la anécdota seudohistórica de un perfecto balance narrativo. Entre la porfía o contienda de los tres caballeros y la solución que da a la misma ese jurado que nombra el rey compuesto por «quantos buenos omnes eran con él», coloca don Juan Manuel la acción de los tres valientes que desencadena no sólo la rabia ofendida de los moros, sino la cólera indignada del rey. Son cuatro fuerzas las que mueven la narración: dos disputas; una particular y otra colectiva; dos sentimientos de indignación; uno colectivo y otro personal del rey (17). Y todo se soluciona en la lección ejemplarizante «ca siempre vençe quien sabe sofrir».

III. Ambientación seudohistórica de anécdotas tomadas de los ejemplarios

He podido denominar seudohistorias los ejemplos de Fernán González y de los tres caballeros porque tanto la anécdota como el personaje han sido tomados de la *Primera Crónica General,* pero don Juan Manuel ha novelizado uno y otra. En el presente grupo voy a analizar aquellos casos en que la anécdota se halla claramente tomada de los ejemplarios, pero el escritor la relaciona en el *Patronio* con un personaje histórico o la ambienta en tal forma que le da con gran maestría visos de veracidad, de realidad.

(17) La disensión colectiva está clara en estas líneas: «Et desque fueron ayuntados, ovo entrellos grand contienda: ca los unos dizían que fuera mayor esfuerço el que primero los fuera ferir, et los otros que el segundo, et los otros que el terçero. Et cada unos dizían tantas buenas razones (que) paresçían que dizían razón derecha» (p. 110). La indignación que yo he llamado colectiva se revela cuando dice: «Et desque los moros vieron que non les dizían ninguna cosa, toviéronse por escarnidos et comencaron a yr en pos ellos» (p. 109).

Ejemplo 18.—*La pierna quebrada.*

Gran libertad creadora se manifiesta en la anécdota de don Pero Meléndez de Valdés, personaje históricamente oscuro, acerca del cual muy poco o nada se puede decir. La verdad en que hoy día ningún crítico la considera como histórica y después de María Rosa Lida (p. 107) y de Knust (p. 346) se cita más bien como una variante del tema del «mal providencial» que libra del mal mayor: la muerte.

El tema en los relatos paralelos reviste una doble forma. En la primera se trata de un joven escudero a quien acusan, por envidia, de relaciones vergonzosas con la esposa de su señor. Este, que tiene un galpón en el bosque, para deshacerse del supuesto rival da orden a los galponeros de arrojar al fuego a la primera persona que se presente en nombre del amo. El inocente escudero, enviado al galpón muy de mañana se queda por el camino oyendo misa y mientras tanto su enemigo es arrojado a las llamas. Al ver la salvación milagrosa del escudero el señor averigua la verdad y se establece su inocencia. Esta versión que se halla en el *Scala coeli* (núm. 713), tomada del *Libro de los siete dones,* se reproduce en el siglo XV ya con más detalles anecdóticos, como por ejemplo en la versión de Klapper (núm. 182). El relato se relaciona con el cuento de Patronio en las falsas acusaciones de los envidiosos que tienen en don Juan Manuel un carácter político y en la salvación providencial de la muerte con la subsecuente justificación del acusado; pero el escudero no sufre en realidad ningún mal menor.

La segunda forma del relato la trae Bromyard (Bonitas, IV, art. 6, 17), ya citado por Knust, en la cual se subraya, sobre todo, la existencia del mal providencial: «Illi tamen, qui illam Dei curialitatem ad praesens non considerant, murmurant, qui tamen ei gratias reddent in fine rei veritatem cognoscentes.» («Aquellos que no tienen ahora presente esa providencia de

Dios, murmuran; pero los que le dan gracias al final conocen la verdad.») Es un elemento central en la versión de don Juan Manuel y que falta en la variante del horno. Se trata aquí de un pobre mendigo que día a día reúne un óbolo con el cual paga la cama de la posada cada noche. Cierta vez no tiene suerte y se ve forzado a pasar la noche en otro lugar menos cómodo. A la mañana siguiente se encuentra la posada en ruinas, pues las llamas han consumido huéspedes y edificio: «benedictus Deus, qui me custodivit ab obolo, quia si obolum habuisset, cum aliis combustus fuisset (*sic* por fuissem»); («bendito sea Dios que me libró del óbolo, pues si hubiera tenido ese óbolo, con los demás me habría quemado»).

Los relatos paralelos contienen en verdad los elementos de la anécdota de don Juan Manuel; pero él sabe cambiar aquí lo anecdótico en actitud anímica del personaje, una actitud que con tanta sensibilidad ha sabido subrayar Azorín en su versión del cuento (18). Sin embargo, no hay forma en los relatos paralelos que se pueda precisar como modelo de don Juan Manuel. Alrededor del personaje leonés construye una situación original narrada a la manera de las crónicas. Aquí, como en el ejemplo 15 y como en otros casos, los críticos pueden refugiarse en la existencia posible de relatos per-

---

(18) AZORÍN, *Los valores literarios,* tomo XI de las *obras completas* (Madrid, 1921), p. 135: «Una vez vivía un caballero que se llamaba don Rodrigo Meléndez de Valdés. Asistía con su consejo al rey. Vivía holgada y cómodamente en su casa. Su casa era ancha y rica; un ancho huerto se abría detrás del edificio. Don Rodrigo caminaba lentamente; reposados eran sus ademanes. No gustaba en su morada de ruidos turbadores. Su mesa mostrábase blanca, limpia y bien abastada. Cuando hablaba nuestro caballero lo hacía con palabras mesuradas y breves. Su sosiego era inalterable. Si le acontecía un contratiempo, don Rodrigo exclamaba sin irritarse: 'Bendito sea Dios; ca pues El lo fizo, esto es lo mejor'. Siempre esta reflexión estaba en los labios del caballero. No había pesadumbre ni angustia, por terribles que fueran, que lograran sacarle de esta su sabia conformidad. Las gentes que lo rodeaban llegaron a tomar enojo de esta ecuanimidad. Sin duda el sosegado caballero no tenía alma.»

didos o de una crónica más o menos verdadera cercanos al cuento de Patronio y que el autor habría retocado, sin suponer en él los vuelos de creación que yo le adjudico. Sin embargo, cuando hay líneas o vetas de relatos paralelos, es muy extraño que no haya la menor traza de la forma que presenta don Juan Manuel y que éste sea tan único y tan original al tratar el tema. Para mí es más plausible creer en la originalidad creadora, tanto más cuanto que ésta ya se ha demostrado en aquellos casos en que se ha podido precisar la fuente de inspiración. Además, los ejemplos en que aparecen personajes históricos presentan una clara constante de imaginación y originalidad, y si se tratara tan sólo de uno o dos casos, se podría recurrir a la existencia de relatos desaparecidos; pero no cuando el fenómeno se repite demostrando en el escritor más bien una actitud artística consciente.

Ejemplo 11.—*Don Illán y el Deán de Santiago.*

No hay duda de que es el cuento más famoso de la colección. A pesar del correr de los siglos nada se le puede agregar ni quitar para hacerlo más actual, más bello o más conforme a la estética contemporánea. Lo han codiciado Borges y Anderson Imbert (19). Si en cierta manera lo disecciono (y haciéndolo siento miedo de romper algo muy valioso) es para seguir el método de este estudio y demostrar a cada paso la forma en que don Juan Manuel, con diversos elementos, va llevando a cabo su creación. Lo histórico, o más bien que lo histórico en este caso lo tradicional, viene a crear en el ejemplo todo un ambiente, un fondo contra el cual se dibujan los dos personajes y en que el tiempo mágico se desdobla y se

(19) JORGE LUIS BORGES en *Antología de la literatura fantástica* (Buenos Aires, Sudamérica, 1940), editada por Silvina Ocampo y Adolfo Bioy Casares, pp. 139-141. ANDERSON IMBERT, *La sandía y otros cuentos* (Buenos Aires, Galerna, 1969), pp. 98-104.

esfuma. Ya se han estudiado, para bien o para mal, los diversos aspectos del cuento y la bibliografía concerniente al mismo es más copiosa que la de otros ejemplos (20). Knust (pp. 324-334) lo ha anotado rica y meticulosamente y cita los ejemplarios para el origen del tema. Sin embargo, su énfasis descansa en textos posteriores y además no distingue entre los dos temas aquí combinados por don Juan Manuel: 1.º El tema de la ingratitud del discípulo para con su maestro después de obtener la dignidad episcopal; 2.º El tema de la ilusión mágica en que el maestro hace que el discípulo se vea hecho emperador y de pronto, al negarse a reconocer a aquel a quien todo lo debe, vuelve a la pobreza de su realidad primera (21). El texto más antiguo del primer grupo es el de Vicente de Beauvais (*Speculum morale,* lib. 3, pars. 7, dist. 2, De avaritia) del año 1244 y citado por Knust. Pero casi contemporáneo suyo es el ejemplo de Etienne de Bourbon (número 412), solamente unos seis o diez años posterior, quizá mejor conocido por don Juan Manuel, y que recoge palabra por palabra el texto del *Speculum morale* con unas pequeñas variantes de dos o tres términos. En ambos se trata de un discípulo que se lamenta de la ceguedad de los obispos de Francia que no elevan a su gran maestro de literatura a la dignidad episcopal. Hecho Obispo, llama a sus sobrinos a ocupar los cargos eclesiásticos, dejando en el anonimato a su maestro. Este se le presenta al prelado en una procesión llevando dos antorchas encendidas a pleno día para disipar la ceguedad que ha caído sobre él al igual que los demás obispos. Thomas

---

(20) Basta consultar para ello las páginas de DANIEL DEVOTO, *op. cit.*, pp. 382-392.

(21) Escribe DANIEL DEVOTO *(op. cit.*, p. 382): «Ni Thompson ni los diferentes autores que de él se ocupan han separado con claridad los dos elementos principales que lo componen, y que son la prueba de la ingratitud (...) y la ilusión mágica o, más precisamente, el tiempo mágico cuyos dos aspectos recoge el mismo *Motif-Index:* D. 2.011 (años que parecen días) y D. 2.012 (momentos que parecen años).»

Wright (núm. 73) trae el mismo tema y lo refiere al maestro Roberto de Chartres abreviándolo. Aquí, pues, está no sólo la ingratitud, sino el nepotismo que don Juan Manuel va a presentar en forma gradual con tanta maestría: el deanazgo de Santiago para un hermano, el arzobispado para «un su tío, hermano de su padre», el obispado francés para un tío por parte de la madre «omne bueno ançiano». Y a medida que decrece la cortesía inicial del discípulo, va creciendo la queja de don Illán: «Et el electo díxol quel rogava quel quisiesse consentir que aquel deanadgo que lo oviesse (...). El Papa le dixo que non lo affincasse tanto (...) quel faría echar en una cárcel que era ereje et encantador» (pp. 96 y 98). «Et don Illán dixo que bien entendíe quel fazía grand tuerto (...). Et don Yllán quexosse ende mucho pero consintió en lo que el cardenal quiso (...). Et don Yllán se començó a quexar mucho, retrayéndol quantas cosas le prometiera et que nunca le avía complido ninguna, et diziéndol que aquello reçelava en la primera vegada que con el fablara, et pues aquel estado era llegado et nol cumplía lo quel prometiera, que ya non le fincaba logar en que atendiesse dél bien ninguno» *(ibídem).*

En lo referente al segundo tema, Knust cita tres versiones, pero sólo el *Scala coeli* (núm. 72) es contemporáneo de don Juan Manuel. Los otros dos, Bromyard que lo trae dos veces en la forma más breve y el *Promptuarium Exemplorum* de Herolt son posteriores, aquél en unos treinta o cuarenta años y éste del siglo XV. El único texto realmente anterior es la *Tabula Exemplorum* (no citado por el editor alemán), del cual procede, sobre todo, el *Scala coeli* y que, como ya vimos, es la posible fuente del ejemplo segundo. Los elementos esenciales que usa don Juan Manuel ya están allí. Se trata de un nigromante a quien el discípulo ofrece muchos bienes: «Item nota quidam nigromanticus habebat unum discipulum qui promitebat ei multa bona» («sabe que cierto nigromante tenía un discípulo que le prometía muchos bienes»). «Et el deán le prometió et le aseguró que de qualquier vien que él oviesse, que nunca faría sinon lo que él mandasse» (p. 95). (Sería ingenuo pretender que esta correspondencia ya fuera suficiente prueba para precisar la fuente inmediata. Me limito tan sólo a apuntarla.) Lo hace emperador y Herolt especifica más tarde que se trata de Constantinopla. Las tierras que le pide el maestro las cambia el *Scala coeli* en beneficios vacantes: «quem magister rogabat ut sibi promissum impleret quia multa beneficia vacabant» («al cual rogaba el maestro que le cumpliese lo prometido porque muchos beneficios estaban vacantes»). Para librarse de cumplir sus promesas el emperador pretende no conocer al peticionario, quien entonces le dice: «Ego sum ille qui hec omnis *(sic)* dedi vobis et ecce auferro a vobis omnia.» («Yo soy aquel que os dio todo esto y he aquí que ahora os lo quito todo.») Sólo en Herolt (qué lástima, un testimonio tardío) aparecen los mensajeros y soldados para hacerlo emperador: «et quod ad eum venirent primo nuncii, post milites eum rapientes et imperatorem facientes eum et homagia terrarum suarum». («Y vinieron primero a él unos mensajeros y después unos soldados que se lo llevaron y lo hicieron emperador y le ofrendaban sus tierras.») Son un eco de los nuncios que llegan a la cueva de don Illán procedentes de Santiago y que indican probablemente la existencia de una versión que incluía este elemento y que pudo haber conocido don Juan Manuel. Ese elemento mágico tan breve y tan simple de los ejemplarios es el que elabora don Juan Manuel. Al conocer la sencilla forma en que el mago primitivo deshace el encantamiento resalta la inventiva del autor de *El Patronio* quien constituye las perdices como principio y término de la alucinación: «Et tomol por la mano et levol a una cámara. Et en apartándose de la otra gente llamó a una mançeba de su casa et dixol que toviesse perdizes para que çenasen essa noche, mas que non las pusiessen a assar fasta que él gelo mandasse (...). Entonçe don Yllán dixo al Papa que pues al non tenía de comer, que se avría de tornar a las perdizes que mandara assar aquella noche, et llamó a la muger et dixol que assasse las perdizes» (pp. 95 y 98).

Además, en el espacio mismo del encantamiento es donde punto por punto va demostrándose la naturaleza ingrata del Deán. El tiempo mágico está ya en germen en la *Tabula Exemplorum* y en el *Scala coeli,* pero se requería el genio de un escritor como don Juan Manuel para darle dimensión artística y desarrollarlo con una seguridad creadora que es de admirar en un autor medieval. Lo ha apuntado ya María Rosa Lida: «Piénsese en las doce incoloras líneas del *Promptuarium exemplorum* (Knust, p. 331): «Dicitur quod quidam nigramanticus habebat discipulum qui promitebat ei multa bona», etcétera, y en la historia de don Illán de Toledo, con su ilusionismo sutil que engaña al deán (y al lector), con una narración sabiamente demorada para desplegar con infinitos toques menudos la ingratitud del discípulo y las reiteradas pruebas a que lo somete la paciencia del maestro, con la evocación miniaturista de la cámara del nigromante, de los cabildeos de una elección episcopal, de los parientes, humorísticamente singularizados, que el clérigo prefiere siempre a don Illán» (22).

Se ha creído que don Illán es un personaje histórico y Amador de los Ríos (23) dice que en el siglo XII los Illanes de Toledo tenían fama de magos y se narraban entonces sus artes junto con las de Hércules y la cueva encantada. Sin embargo, un tal señor Gamero, en una carta del 4 de junio de 1872, le hace notar que el nombre de los Illanes no aparece en ningún libro que trate de la nigromancia y no figuran tampoco en las memorias toledanas de los siglos XII y XIII. Knust tiene suficientes referencias para probar que los Illanes

(22) MARÍA ROSA LIDA, *op. cit.*, p. 110.

(23) AMADOR DE LOS RÍOS, *Historia crítica de la literatura española,* vol. IV, p. 280, citado por KNUST, de quien tomo la información acerca de los Illanes, pp. 325, 326.

sí figuran en la historia de Toledo, aunque no como nigromantes; especialmente un Esteban Illán, quien toma la vieja ciudad imperial para el rey Alfonso VIII, entonces de nueve años de edad. Así la conservó para Castilla en tiempos en que el rey de León también la codiciaba para sí. Lo que se deduce de todo esto es que era un nombre íntimamente ligado a la famosa ciudad y don Juan Manuel no necesitaba de más para incorporarlo a su ficción (24).

Es precisamente uno de los cuentos en que resaltan los detalles locales, como por ejemplo, el túnel que lleva a los personajes tan a lo profundo que «paresçía que estavan tan vaxos que passaba el río Tajo por cima dellos»; y la mención de las perdices asadas que son hasta el día de hoy uno de los platos típicos de la ciudad imperial.

El escritor usa la tradición más que la historia para localizar y ambientar su famoso cuento. El ubicar al mago en Toledo era bien explicable, pues la ciudad era famosa por sus escuelas de nigromantes. Ello está recogido precisamente en los ejemplarios en que varias experiencias de hechicería tienen lugar en dicha ciudad. Si el mago en un caso que narra el *Liber exemplorum* (núm. 38) del siglo XIII es tan sólo un «magus Hyspanus», Cesario de Heisterbach (Dist. 5, cap. IV) sitúa precisamente en Toledo su complicada anécdota (25). Los textos no tienen nada que ver con el cuento de don Illán, en el cual no aparece para nada el diablo y sólo por un momento el

---

(24) KNUST (p. 326) se refiere a la etimología que Ríos adjudica a la palabra «perillán» (Per Illán) y que significa una persona lista, pícara y despierta a toda clase de empresas. Pero COROMINAS en su diccionario dice que «perillán» pertenece a la familia de la palabra «perifollo». El editor alemán menciona también la leyenda de San Illán, humilde labrador, quien al carecer de agua la hace brotar milagrosamente de una quijada y dicha agua tiene propiedades milagrosas contra la mordedura de los perros rabiosos. Pero son elucubraciones que no interesan para comprender la creación manuelina.

(25) La repiten el *Recull de eximplis*, núm. 493, y el *Alphabet*

Papa malagradecido se refiere a su magia como herejía; en tanto que los ejemplarios siempre relacionan nigromancia y artes diabólicas. El principal interés, si no el único, de estas leyendas es demostrar la existencia de una tradición con respecto a Toledo. Además, se decía que Virgilio había aprendido sus artes mágicas en dicha ciudad y que la nigromancia la había iniciado allí nada menos que Hércules con su famosa cueva, cuyo reflejo está en el túnel profundo por donde don Illán conduce a su discípulo. Los datos suministrados por Knust (pp. 327-329) a este respecto siguen siendo los más completos.

Ejemplo 3.º—*El ermitaño y el rey Ricardo.*

Don Juan Manuel ha usado la tradición (y lo tradicional se convertía con frecuencia en historia durante la Edad Media), para ambientar y localizar su cuento de don Illán. En el ejemplo tercero presenta dos personajes: el ermitaño que quiere saber su puesto en el cielo y el rey Ricardo de Inglaterra. Aquél, personaje de pura ficción y éste, una personalidad histórica. Pero como para indicar que se mueve en un mundo enteramente imaginativo, la acción que le adjudica al rey y que le merece un alto puesto en el cielo está tomada de otra ficción: el salto del templario. Hay aquí tres temas que el artista combina con insuperable maestría para darnos su creación: el ermitaño que quiere saber su puesto en el cielo, la maldad proverbial del famoso rey de Inglaterra y el salto del templario. Son en realidad dos ejemplos tradicionales engastados en la figura central, histórica y más que histórica mítica de Ricardo Corazón de León, a la cual poco bueno podía atribuirse.

---

of Tales, núm. 1.062. Ambos traen también otro caso ubicado asimismo en Toledo y que dicen tomar de CESARIO: *Alphabet,* número 469, *Recull,* núm. 1.019.

Menéndez Pidal, al estudiar *El condenado por desconfiado,* examinó el origen y desarrollo del tema del ermitaño (26). Para mi propósito examino las versiones cristianas que, como lo apunta el sabio hispanista, arrancan de los solitarios del desierto egipcio, hombres de lucha espiritual entre los cuales el pecado más sutil y difícil de evitar era el orgullo. La forma más antigua está referida en las *Vidas de los Padres* a San Antonio el ermitaño, quien oye una voz: «Antonio, aún no has llegado a los méritos de un curtidor que vive en Alejandría» (27). La virtud de este curtidor es la humildad, pues se considera gran pecador y tiene miedo de condenarse. Se cree el peor de los hombres. Este ejemplo da la impresión de que el tema del cuento hindú original ha llegado a su total simplificación y esquematización: el santo ermitaño comparado con el pecador humilde. De las otras versiones que reviste el tema en las *Vidas de los Padres* se derivan las ricas variantes medievales de los ejemplarios, que puedo esquematizar así:

1.º	San Macario y las dos hermanas.	*Liber exemplorum* núm. 188.
	Los dos Padres y Eucaristo.	Klapper núm. 5.
2.º	San Pioterio y la monja.	Klapper núm. 197.
3.º	El tríptico de San Pafnucio comparado con	
	a) un músico exladrón	Jacobo de Vitry núm. 72 Etienne de Bourbon número 26

(26) RAMÓN MENÉNDEZ PIDAL, *Estudios literarios* (Madrid, Austral, 1968), pp. 14-31. GORDON HALL GEROULD «The Hermit and the Saint», *Modern Language Association,* XX (new series XIII) (1905), pp. 529-545, estudió de nuevo el tema a pesar de que reconoce que el estudio de MENÉNDEZ PIDAL es exhaustivo.

(27) *De Vitis Patrum.* Lib. III, núm. 130 y lib. VII, cap. XV, núm. 2, en MIGNE, *Patrologia Latina,* vol. 73, pp. 785 y 1038.

	Fabliaux francés Herolt (dos versiones) Klapper núm. 117 *Scala coeli* núm. 700
b) el preboste de la ciudad	San Gregorio de Tour El ermitaño y el Papa Fabliaux francés *Scala coeli* núm. 700
c) un comerciante	*Scala coeli* núm. 700

1.º San Macario oye una voz que le dice que no ha llegado a la perfección de dos mujeres que viven en la ciudad (28). La virtud de éstas no es la virginidad, sino el vivir casadas con dos hermanos en perfecta concordia. Este ejemplo tiene su inverso en el de los dos padres del desierto que no han alcanzado la perfección del seglar Eucaristo, quien vive en virginidad con su mujer y es muy caritativo (29). Se da énfasis a la pobreza y castidad del seglar que tiene tanto mérito como la de los solitarios del desierto. De este ejemplo se deriva la versión que trae Klapper (núm. 5) de un manuscrito de 1485.

2.º Una segunda forma es la de San Pioterio y la monja despreciada como loca por sus compañeras de convento (30). Se subraya la virtud oculta y escondida y se resalta el arrepentimiento de las cohermanas, quienes van confesando humilladas las ignominias a que han sometido a la santa. Me parece que de esta versión se derivan los ejemplos en los cuales el punto de comparación es una santa mujer y el más elaborado es el que trae Klapper (núm. 197). No creo interese

(28) *De Vitis Patrum,* lib. VI, libellus 3, núm. 17 y lib. III, núm. 97 en MIGNE, *Latina,* vol. 73, pp. 778 y 1013.

(29) *De Vitis Patrum,* lib. VI, Libellus 3, núm. 2 en MIGNE, *Latina,* vol. 73, p. 1006. Cf. TUBACH, *Index Exemplorum,* núm. 3.175.

(30) *De Vitis Patrum,* lib. V, núm. 19 y lib. VIII, Cap. XLII, en MIGNE, *Latina,* vol. 73, pp. 984 y 1140.

comentarlo aquí, pues es de un manuscrito del siglo XV y está cargado de detalles sobrenaturales y novelescos. Lo publico en la sección de textos para hacer ver hasta dónde puede llegar la elaboración de un tema.

3.º El que más importa a mi propósito es el tríptico de la vida de San Pafnucio, del cual se derivan las versiones más populares de los ejemplarios (31). El santo abad es comparado sucesivamente a un músico, al preboste de la ciudad y a un comerciante. En los tres casos el santo es seguido por su aparcero espiritual para obtener el culmen de la perfección en la vida solitaria. Se reconoce en cada caso la virtud del seglar, pero se coloca por encima de ella la vida cenobítica, corona de toda perfección, lo cual ya constituye un cambio importante a pesar de que los tres personajes se consideran humildemente pecadores y se conserva así en cada uno la huella de la forma simplísima del ejemplo primitivo de San Antonio. De los ejemplarios sólo el *Scala coeli* (núm. 700) trae el tríptico completo.

El primer personaje es un músico pecador, borracho y exladrón, pero humilde, cuyas dos acciones buenas son haber rescatado de manos de sus compañeros ladrones a una virgen de Cristo y el haber respetado a una pobre mujer a quien ayuda a pagar el rescate de su esposo y de sus hijos. Los ejemplarios medievales toman, sobre todo, el detalle del ladrón y resaltan como moraleja, más que la humillación del hombre espiritual, la necesidad de la perseverancia. La versión más antigua de los predicadores la trae Jacobo de Vitry (núm. 72). Un ladrón arrepentido no quiere aceptar las penitencias que le propone el ermitaño. Finalmente convienen en que cada vez que vea una cruz se arrodille y rece un Padrenuestro. Huyendo de sus enemigos el cumplimiento de la penitencia le cuesta la

(31) *De Vitis Patrum,* lib. VIII, cap. 63-65, en MIGNE, *Latina,* vol. 73, pp. 1170-1173.

vida y el ermitaño, que lo ve subir al cielo acompañado de coros de ángeles, se indigna: «et cepit cogitare exmagna presumptione et valde indignare et dolore quod, per multos annos, penietenciam durissimam facisset et tamen latro ille et homicida, qui nunquam penitenciam fecerat eum in gloriam precessisset». («Y empezó a pensar llevado de gran presunción y a indignarse mucho y a dolerse de que por muchos años había hecho penitencia durísima y sin embargo el ladrón y homicida aquel, que nunca había hecho penitencia, lo había precedido a la gloria.») Deja su santo retiro y en el camino se desnuca sin tener tiempo de arrepentirse. Etienne de Bourbon (núm. 26), lo mismo que Klapper (núm. 117), siguen esta versión en forma algo más esquemática.

Más tarde, en Inglaterra, Herolt trae la salvación del ladrón, pero sin la condenación del eremita (Sermo 49F, *De passione Domini)* y añade otro ejemplo diferente del ermitaño que rehusa aceptar como compañero de penitencia al ladrón arrepentido. Cuando éste muere de un accidente y el santo lo ve subir al cielo, juzga vana e innecesaria su propia abnegación de tantos años. Se prepara a robar, pero sufre una caída y muere impenitente. Esta versión del siglo XV ya revela nuevos rumbos y variantes del tema lo mismo que el fabliaux francés «De l'ermite qui se cassa le cou» (32). En éste la penitencia, corta pero fatal del Padrenuestro, se cambia en algo más complejo: tiene que ayudar al prójimo en toda circunstancia y nunca mentir. La narración agrega detalles que añaden una dimensión de mera aventura al ejemplo: primero, dos hombres atados a un árbol y desnudos a quienes ayuda, a pesar de que una rama le ha sacado un ojo al acercarse a ellos. Luego un leproso, a quien salva de la corriente y abraza. Finalmente lo matan tres caballeros que andan en su busca y a quienes por

---

(32) LEGRAND D'AUSSY, *Fabliaux* (París, 1829), p. 100. DOMINIQUE MARTIN MEON, *Nouveau recueil de fabliaux et contes* (París, 1823), vol. II, pp. 202-215.

no mentir revela su identidad. El fin del ermitaño es el mismo de los ejemplos anteriores.

De la veta original se ha tomado solamente el detalle del ladrón y el cuento ha emprendido rumbos diferentes que subrayan más que nada cuán importante es perseverar en el bien obrar y la incertidumbre de la salvación. Este último aspecto es importante, pues lo tiene en cuenta don Juan Manuel.

Las otras dos partes del tríptico comparan al santo abad Pafnucio con el preboste de la ciudad y con un rico comerciante. Aquél es humilde y vive en celibato con su mujer desde hace treinta años; practica la caridad con los pobres y la hospitalidad y ha sido justo y honrado en el desempeño de su oficio. El comerciante, por su parte, da todo lo que gana a los pobres. Son virtudes monásticas practicadas en el siglo. Sin embargo, a ambos les falta la culminación de la santidad: «Quousque ergo tu terrenam exerces negotiationem nec coelestia attingis mercimonia?» («Hasta cuándo, pues, te ocupas en los negocios terrenales sin alcanzar los bienes celestiales?») Exhortados por San Pafnucio terminan la vida como solitarios.

La única huella que dejan estos personajes (distante, lo mismo que la del músico ladrón) es dar pie para que el ermitaño se compare con algún poderoso (33) y así el compañero del paraíso puede ser el Papa San Gregorio. Jacobo de Vorágine (núm. 8) dice que al dolerse un eremita de que el Papa San Gregorio vaya a ser su aparcero en el paraíso («At ille fortiter ingemiscens parum sibi voluntariam paupertatem profuisse putabat») («El, acongojándose muchísimo, pensaba que la pobreza voluntaria le había servido de poco») oye la voz del Señor, que le amonesta diciendo que el Papa no está apegado a su riqueza tanto como el anacoreta a una gata, único ser

(33) SAN GREGORIO DE TOUR, *Liber de gloria confessorum* en MIGNE, *Latina*, vol. 71, p. 862, narra que el Señor le dice al obispo Amando de Burdeos: «Surge et egredere in occursum famulo meo Severino: et honora eum sicut honorari Scriptura sancta docet amicum Divinitatis; melior est enim te, meritisque sublimior.»

que lo acompaña (34). A esta rama pertenecen también el fabliaux francés del «preboste de Aquilea» y el cuento árabe tardío «El rey piadoso» de *Las mil y una noches* mencionado por Geroult (35).

He creído sobremanera importante el examen del tópico del ermitaño tan rico en variantes y formas. Lo admirable es que en ellas hay sugerencias y pequeños detalles de lo que haría don Juan Manuel. Pero en toda esta riqueza no hay una sola variante que pudiéramos señalar como fuente y, por tanto, crece en verosimilitud la hipótesis de que el famoso escritor da aquí una versión casi enteramente original.

En el tríptico de San Pafnucio ya señalé que lo central es que el culmen de la perfección se halla en la renuncia del siglo. Don Juan Manuel examina precisamente este punto en la parte introductoria del ejemplo. El Conde Lucanor sabe que ha de morir y que a causa de su edad no le quedan muchos años de vida y pregunta al consejero qué debe hacer para que Dios lo halle digno de compartir con sus santos la gloria del paraíso; pero agrega: «según el estado que yo tengo». Excluye así explícitamente la moraleja inicial del tríptico y Patronio, al comienzo de su respuesta, primero con cierto sentido del humor se alegra de que no quiera cambiar de estado como el rey del primer ejemplo y luego, seriamente, agrega que el abandono de sus deberes como señor sería mal visto de las gentes y el Conde correría el peligro de no poder soportar las asperezas de la vida religiosa. Por tanto, el punto central se halla en que el mérito y la salvación no dependen

---

(«Levántate y sale al encuentro de mi siervo Severino y hónralo como la Santa Escritura manda honrar al amigo de Dios; es mejor que tú y más elevado que tú en méritos.»)

(34) Se halla también en *Secreta Secretorum* ed. de ROBERT STEELE, Early English Text (London, 1898), p. 169. Luego en el siglo XV la traen HEROLT *(Promptuarium,* T. 9), *Libro de los Enxemplos,* núm. 51, *Recull de Eximplis,* núm. 235. Cf. TUBACH, *op. cit.,* núm. 891.

(35) GEROULD, *op. cit.,* pp. 536 y 540. D. M. MEON, *Nouveau*

del estado, sino de la manera como se cumplen esos deberes de cada estado. Se separa así de la moraleja de las versiones cristianas primitivas y se vuelve al cuento del brahmán y el cazador del *Mahabarata* en el cual los prolijos parlamentos van a demostrar que el cazador ha hallado la perfección en la humilde casta de los çudras. Esto me parece importantísimo, pues si no supone que el escritor conociera el original indio sí se ve claramente que el artista medieval no repite o copia, sino que consciente de la relatividad de los valores, los sabe examinar, discutir y enfocar en formas diferentes.

La dimensión sicológica del ermitaño en las versiones anteriores es bien limitada: los santos Antonio, Pafnucio, Macario y Pioterio van como autómatas a examinar a los seglares, a quienes los guía la misteriosa voz del cielo y dan por sentada su salvación sin tener de ella la menor duda. Los ejemplarios agregan un toque más humano al subrayar la rebeldía del santo

---

recueil de fabliaux et contes (París, 1823), vol. II, p. 187. En este fabliaux el ermitaño que va a ver qué clase de hombre es su aparcero en el paraíso es recibido por la esposa del santo preboste y ésta lo somete a las restricciones corporales en que vive su marido: en la mesa, mientras los demás gozan los excelentes manjares, el ermitaño, ocupando el puesto del preboste, sólo toma pan y agua; por la noche la esposa lo lleva al tálamo nupcial y graciosamente, cuando los deseos carnales del anacoreta se encabritan, lo hace sumergirse en agua helada que está al pie de la cama, pues es la forma en que su aparcero en el paraíso vive en celibato a pesar de sentir el tibio calor del cuerpo femenino. En el cuento de *El rey piadoso (Arabian Nights*, vol. V, p. 28) el ermitaño descubre qué pobre y austeramente vive el rey con su esposa una vez que abandona los salones de la corte y se retira a sus habitaciones privadas. Lo único que tienen estas dos versiones de importante para nuestro propósito es el demostrar, una vez más, siguiendo el tríptico de San Pafnucio, que la comparación de la santidad del ermitaño se hacía con gente de rango y con reyes. No hay que olvidar que el cuento de *Las mil y una noches* es tardío. El camino estaba ya abierto en los ejemplarios para que don Juan Manuel pusiera al Rey de Inglaterra en escena. En todas las versiones referentes a un alto personaje se subraya el valor de la continencia y de las virtudes ascéticas, aunque esto se haga maliciosamente en el fabliaux. Este aspecto no interesa en manera alguna a don Juan Manuel.

ante la inequidad del mérito y la recompensa celestial; pero sólo don Juan Manuel amplía sicológicamente ese campo del alma humana en tres momentos anímicos de su anacoreta. Para hablar de un aparcero en la gloria del paraíso hay que estar seguro de ésta y, antes de la doctrina de los reformadores protestantes, nadie podía estarlo sin una revelación especial que en sí misma constituye una recompensa inigualable: «Et por ende, fízol Dios tanta merçed, quel prometió et le aseguró que avría la gloria de Parayso. El hermitaño gradesçió esto mucho a Dios» (p. 70). Este primer paso exigido por la lógica característica del escritor ensancha ya felizmente la dimensión sicológica del personaje quien, recibida la primera gracia, por un capricho, con curiosidad insana y a pesar de las admoniciones celestiales, quiere saber a toda costa quién va a ser su compañero en el paraíso: «Et commo quier que el Nuestro Señor lo enviase dezir algunas vezes con el ángel que non fazía bien en le demandar tal cosa.» Dios sabe lo que va a venir y la turbulencia que la nueva revelación va a causar en el ánimo del santo. Desde el punto de vista de la verosimilitud parece imposible que un ermitaño, un solitario, completamente separado del mundo, supiera tanto acerca de la crueldad y el bandidaje del rey de Inglaterra; pero el cuadro que está brindando el escritor, más que histórico y real, es puramente mental y sicológico y por eso, como el ermitaño de los ejemplarios se indigna de la fácil glorificación del bandido, el santo de don Juan Manuel se impacienta y entristece: «et por esto estaba el hermitaño de muy mal talante». El ángel del Señor tiene que explicarle a este predestinado el por qué del alto premio divino al rey Ricardo. Paso a paso, adentrándose en el mundo interior de su eremita, ha llegado el escritor a la segunda fase del retablo.

En todas las formas del ejemplo el personaje central es el ermitaño. Don Juan Manuel desplaza su importancia al rey Ricardo de Inglaterra para dar un nuevo enfoque a la moraleja del ejemplo. Como lo ha señalado Daniel Devoto, usa el ejemplo tradicional como marco de una nueva narración, la cual es en realidad el cuadro que quiere brindar a los lectores: «el ermitaño se maravilla y, a semejanza de lo que el Conde Lucanor acostumbra rogar a Patronio, pregunta al ángel 'cómo podía esto seer', con lo que se abre una nueva dimensión en el relato al convertirse el cuento del ermitaño en marco de la nueva narración (...). Esta observación no busca ni mostrar la complejidad del *Ejemplo*, ni insistir sobre la exacta calidad de su mensaje, sino precisar que en él el relato de la comparación de méritos se compone de un elemento fijo, ligado a otro que sobre pertenecer a un ámbito narrativo diferente —cuento intercalado en un cuento, y no acaecer novelesco concomitante— puede tener vida artística o tradicional aislada» (36).

Con la historia del rey el alma del anacoreta va a obtener la paz y a glorificar al Señor. Por eso, aunque parezcan en yuxtaposición, los temas están muy bien combinados bajo la exigencia del proceso anímico del ermitaño tradicional.

La figura de Ricardo Corazón de León se había mitificado ricamente con el correr de los años. Sirve de manera admirable el propósito del escritor, pues lo que intranquiliza la conciencia del Conde Lucanor son las muchas guerras que no han sido siempre contra los moros, sino contra los cristianos. Las crónicas culpaban precisamente a Ricardo de Inglaterra de causar la discordia entre los cruzados. *La gran conquista de Ultramar* (37) menciona en el capítulo 202 y siguientes del

(36) Daniel Devoto, «Cuatro notas sobre la materia tradicional en Don Juan Manuel», *Bulletin Hispanique,* LXVIII (1966), p. 197.

(37) *La gran conquista de Ultramar,* ed. de Pascual de Gayangos, BAE, vol. 44 (Madrid, 1858). Algunos la han atribuido a Alfonso el Sabio y otros a su hijo el rey don Sancho. La edición más antigua que se conoce es la de Salamanca, en 1503. Hay tres manuscritos incompletos de los cuales el de la Biblioteca Nacional de Madrid está en pergamino con letra del siglo XIV. Parece ser una traducción de una versión francesa *Conqueste d'Outremer,* que no se terminó hasta el año 1295, once años después de la

libro cuarto la actuación del famoso rey en la cruzada, empezando precisamente con las rivalidades entre Francia e Inglaterra sobre la sucesión de este último reino. Dicha crisis se soluciona coronando a Ricardo en Londres con la promesa de casarse con la hermana del rey de Francia, a quien promete acompañar en socorro de Jerusalén. Al principio son amigos, pero la rivalidad estalla pronto. «Mas non dice la hestoria por cuál razón ni cómo comenzó guerra de amos a dos después, ca antes que entrasen en tierra de promisión eran muy amigos; así que se llamaban uno a otro sennor. E si aquel amor hobiese durado entr'ellos, fueran por todos tiempos honrados, e la cristiandad fuera por ende muy ensalzada» (p. 583a). El capítulo 209 narra el ataque de las huestes cristianas a la ciudad de San Juan de Acre, a donde llega primero el rey de Francia y aprieta el sitio antes de llegar el rey Ricardo. Cuando fallan los franceses dice la crónica, como lamentándose de los ingleses: «e el rey de Francia bien hobiera tomado la çibdad, si quisiese, mas atendía el rey de Inglaterra, por razón que eran compannones e hermanos en la romería, e de cuantas conquistas ficiesen, e por aquello atendía que hobiese su parte en el alegría de la conquista de la çibdad» (p. 585a). Se narra luego la intervención de la reina madre, doña Leonor, para evitar que Ricardo se case con la hermana del rey de Francia trayendo, en cambio, a doña Berenguela de Navarra. Quizás el hecho de su matrimonio con una princesa navarra explica que don Juan Manuel incluya al rey de Navarra en la ocasión que describe, cuando consta históricamente que no hubo ningún rey navarro en esta cruzada.

Las hazañas de Ricardo Corazón de León se centran luego en la toma de Chipre, cuyo emperador hostigaba a los cris-

---

muerte de Alfonso el Sabio. La obra francesa es a su vez traducción, amplificación y vulgarización géstica de una obra latina, *Belli Sacri Historia,* escrita por Guillermo, arzobispo de Tiro, que no pasa del año 1190.

tianos. Al llegar a Acre la encuentra, como ya dije, combatida por los franceses. Los dos soberanos chocan aquí, pues mientras el rey de Francia ha concedido una tregua para recibir parlamentarios de los sitiados, Ricardo ataca la ciudad, lo cual enardece al rey Felipe, quien a su vez quiere atacar a los ingleses. Escasamente logran disuadirlo sus nobles, pero deja luchando solo a su rival. Los dos reyes hacen luego la paz (cap. 220) y combaten la ciudad hasta que el enemigo pide parlamentar, esta vez con los dos reyes. La fogosidad típica del rey se manifiesta también en los momentos en que el intercambio de prisioneros va a tener lugar y los cristianos se dan cuenta de que el sultán Saladino los ha engañado. Allí, en mitad de los dos campos, manda Ricardo decapitar a todos los prisioneros moros, lo cual horroriza a Saladino, quien huye a Escalona (cap. 223). De allí en adelante crece la rivalidad, hasta el punto de que el rey de Francia, temiendo por su vida, sale para Roma y deja a los caballeros franceses al mando del duque de Borgoña, quien se queda en Acre y deja solo al rey Ricardo en su empresa de fortificar a Jaffa y Escalona. El momento crítico llega cuando informan al rey de Inglaterra que Jerusalén está sin fuerte guarnición y que es fácil conquistarla. Invita a los franceses de Acre, quienes al principio lo siguen, mas luego se regresan a su ciudad y Ricardo tiene que abandonar la empresa.

Estando Ricardo en Acre le llega la noticia de que el sultán ha sitiado a Jaffa. Se pone en marcha y para llegar más pronto se va con dos galeras ligeras por mar, mientras el grueso de sus hombres lo sigue por tierra. Al llegar, dice la crónica, como un eco lejano de la hazaña que ficticiamente narra don Juan Manuel: «E el Rey cuando sopo que los moros eran en el castiello, armose e salió a tierra, e tomó el escudo ante sí e una segur en la mano, e fue e entró en el castiello, e sus compannas, aquellos que fueron en las galeas en pos él, e tomó los cristianos, que estaban en el castiello atados ya, e mató cuantos moros eran dentro, e salió ende, e metió en alcance los de fuera, e fue en pos ellos fasta la hueste o estaba Saladín; e fue e subió en un otero que estaba cerca de la hueste con aquella poca yente que tenía» (p. 592b).

Todo lo que antecede es lo que informa la crónica. Lo menciono sin verificarlo históricamente, pues lo que interesa es conocer la probable fuente de información de don Juan Manuel acerca de esa cruzada. En esos ataques fogosos, en ese luchar solo del rey, ya está el campo abierto para adjudicarle el salto del templario y la escena que ficcionalmente describe tan artísticamente don Juan Manuel. Los detalles salientes, tal como la presencia del rey de Navarra, que no concuerda con la historia, la reticencia del lugar en donde pasa el hecho, la hazaña adjudicada, todo indica que el escritor no está haciendo historia, sino ficción y ello de una manera claramente intencional (38).

De «El salto del Templario» se hallan dos versiones, casi completamente exactas de Jacobo de Vitry (núm. 90) y en Thomas Wright (núm. 5) (39). Uno de los caballeros de la

---

(38) La figura del rey Ricardo de Inglaterra en los ejemplarios se mitifica subrayando su maldad hasta el punto de que ETIENNE DE BOURBON (núm. 248) cuenta que, enamorado de una monja, quiso saquear el monasterio y robarla si ésta no se le rendía voluntariamente. Al saber la religiosa que eran sus ojos los que habían hechizado al rey se los sacó y se los mandó en una bandeja. Este ejemplo se presenta inicialmente en las *Vitae Patrum* (MIGNE, *Latina,* vol. 74, p. 148) y en el *Pratum Spirituale* (MIGNE, *Griega,* vol. 87, p. 2911). En los *Additamenta* a la vida de San Bernardo (MIGNE, *Latina,* vol. 185, p. 1352) se adjudica a un rey de Inglaterra: «Quidam Anglorum rex nomine Willelmus». Para Odo de Cheriton (HERVIEUX, *op. cit.,* vol. IV, núm. 120) es un «rex Angliae» sin nombre y para JACOBO DE VITRY (núm. 57) «quidam princeps potens et dives». JACOBO DE CESSOLE, *Solatium Ludi Scachorum,* tratado 3.º, cap. 3.º (p. 82 de la versión italiana de Milán, 1829 y p. 102 de la versión inglesa de Caxton, 1474, impresa en Londres en 1883) y el *Alphabetum Narrationum,* núm. 136) conservan esta referencia indefinida, siendo ETIENNE DE BOURBON el único que adjudica la anécdota a Ricardo.

(39) Una versión diferente es la del salto de Gualterio traída por JACOBO DE VITRY (núm. 214), WRIGHT (núm. 49) y ETIENNE DE

famosa orden al verse asediado por los sarracenos se arroja con su caballo al mar por un precipicio para salvar el dinero de la orden que lleva encomendado. Milagrosamente el caballo lo saca a nado hasta la orilla y muere, pero se salvan el caballero y las monedas. Knust (p. 307) apuntó la analogía del tema con el salto del rey Ricardo; pero es fácil ver (si es que en verdad fue ésta la fuente de don Juan Manuel) la completa reelaboración de la anécdota. En *El Conde Lucanor* la escena queda trazada con verdadera maestría. A medida que narra el autor aparece la multitud de enemigos que cubre la playa, la estupefacción de los cristianos, Ricardo Corazón de León ya montado a caballo para el desembarque, el mensajero del rey de Francia que llega a su nave y sugiere dilaciones. Las palabras de respuesta del rey inglés van incorporadas en la narración con la cita indirecta y resumen todo el espíritu ferviente de la cruzada. Quedan cerradas vivamente con las siguientes líneas: «Et de que esta razón ovo dicha, acomendó el cuerpo et el alma a Dios et pidiol merçed quel acorriesse, et signóse del signo de la sancta Cruz, et mandó a los suyos quel' ayudassen. Et luego dio de las espuelas al cavallo, et saltó en la mar contra la ribera do estavan los moros» (p. 71). Hay un balance estilístico perfecto de tres grupos de dos cláusulas cada uno con la repetición de la conjunción copulativa *et* y destacando el último grupo por *et luego:* encomendó y pidió; signóse y mandó; dio de las espuelas y saltó al mar. Así, con una serie de acciones rápidas cierra y contrasta el *tempo* de la cita indirecta que constituye una oración o confesión pública no sólo de sus pecados, sino de su fe y que en cierta manera ha interrumpido los trazos vigorosos de toda la escena. Con una técnica semejante, las reflexiones sobre la

---

BOURBON (núm. 474), en la cual un fatuo se arroja al mar para demostrar a su amiga que la ama tanto que está dispuesto a correr por ella todos los peligros. La amante, al verlo ahogar en las olas, no lo sigue como se lo había prometido.

ayuda de Dios «que no quiere la muerte del pecador, etc.», van seguidas de la pronta reacción de los ingleses en ayuda de su señor y la rivalidad de los franceses y navarros que no pueden quedar avergonzados: «Et quando los (navarros et) franceses vieron esto, tovieron que les era mengua grande lo que ellos nunca solían sofrir.»

Del ejemplo latino hay aquí bien poco; quizá el «calcaribus urgens equum a rupe sublimi prosiluit cum equo in abissum mari. Equus vero sicut Domino placuit usque ad ripam illesum portavit». («taloneando el caballo se arrojó de un alto peñasco al abismo del mar con el caballo. Este, porque le plugo al Señor, lo sacó ileso hasta la orilla.») Sin embargo, no es de extrañar, porque don Juan Manuel, como lo he venido demostrando a lo largo de este estudio, reelabora en tal forma los temas que es difícil señalar fuentes inmediatas. Además, se trata de un ejemplo cuyas otras partes son supremamente originales. Don Juan Manuel ha colocado una figura histórica en un plano enteramente novelesco, haciéndola, sin embargo, enteramente central.

IV. Personajes árabes históricos: Poesía y didactismo

No han faltado las generalizaciones respecto a la «influencia árabe» en la obra de don Juan Manuel. En el siglo pasado el traductor francés de *El Conde Lucanor,* al tratar de los orígenes del apólogo español, dijo que los temas de los cuentos le llegaron a don Juan Manuel directamente de los árabes más bien que en traducciones latinas y afirmó que el único sello extranjero que aparece en su obra es el árabe (40). Las investigaciones posteriores han demostrado el peligro de jui-

(40) Adolphe de Puibusque, *Le Comte Lucanor. Apologues et fabliaux du XIV siècle* (París, 1854), p. 118.

cios tan tajantes y generalizadores y, sin embargo, se sigue escribiendo sobre la influencia árabe en los cuentos de *El Patronio,* sin delimitar ni definir dicha influencia (41). Afortunadamente, Daniel Devoto ha escrito una página que ojalá tengan en cuenta los críticos al acercarse al tema (42). La distinción que hace entre «cuento árabe», «cuento de origen árabe» y «cuento de ambiente árabe» me parece básica. A la primera categoría pertenecen las tradiciones históricas arábigas de recogen los ejemplos 30 y 41 y el cuento de la mora asustadiza (núm. 47): eran anécdotas de los árabes y narradas por ellos. Los «cuentos de origen árabe» son aquellos que sin ser de los moros se difundieron por su medio en Europa y pudieron llegar al escritor bien a través de los ejemplarios europeos, bien directamente de los textos orientales; tal el cuento ya estudiado de doña Truhana. Finalmente, «el ambiente árabe» de algunos ejemplos más que influencia de fuente es preferencia estética consciente de parte del escritor, como se verá más adelante, sobre todo en el ejemplo 35.

Teniendo en cuenta estas distinciones básicas analizo a continuación cuatro ejemplos de protagonistas árabes. Los de Alhaquem y Ramayquía tienen un toque poético arábigo andaluz que revela no sólo la procedencia árabe de la anécdota, sino más que todo en el ejemplo 30, el conocimiento que de la poesía arábigo-andaluza tenía el escritor. Los ejemplos 25 y 50, cuyo protagonista es Saladino, constituyen, en mi opinión, el núcleo didáctico de toda la obra.

Ejemplos 30 y 41.

Algunos historiadores de los árabes en España (Dozy,

(41) Un caso reciente es la tesis doctoral de SAMUEL ZIMMERMAN, *Arabic Influence in the Tales of El Conde Lucanor,* presentada en la Universidad de Florida en 1969.

(42) DANIEL DEVOTO, *op. cit.,* p. 433.

González Palencia y Sánchez Albornoz) (43) han dado como verdaderas las dos anécdotas del ejemplo 30 de don Juan Manuel sin apuntar que la fuente de donde toman su información, Abbad y al-Makkarí, sólo aducen la anécdota del barro y no hay referencia alguna a la de la nieve. Esta última nos ha llegado tan sólo, que yo sepa, por la pluma de don Juan Manuel (44). Las dos partes del ejemplo eran seguramente tradiciones orales en el siglo XIV y me parece aventurado especular si don Juan Manuel conocía o no las crónicas de Abbad o la historia de al-Makkarí. En aquellas la reina ve caminar a la gente por el barro y *Mutamid* hace pulverizar adobes y cubrir con ellos el patio central del palacio. Forman el barro humedeciendo los adobes con agua de rosas. En esta forma queda la anécdota reducida completamente a su esencia y la termina el cronista con estas palabras: «La hacía enfadar algunos días y ella juraba que nunca había tenido para con ella ningún detalle bueno y él decía: '¿ni el día del barro?'. Ella enrojecía y se disculpaba» (45). El Makkari (46) por su parte elabora más la anécdota: sólo menciona a Ramayquía cuando el rey ya se encuentra en el destierro y el recordarle el detalle

(43) REINHART PIETER ANNE DOZY, *Histoire des Musulmans d'Espagne jusqu'a la conquête de l'Andalousie par les Almoravides* (811-1110), (LEYDEN, 1932), vol. 3, p. 83-90, ANGEL GONZÁLEZ PALENCIA, *Historia de la Literatura arábigo-andaluza* (Barcelona, 1928), p. 77. CLAUDIO SÁNCHEZ ALBORNOZ, *La España musulmana según los autores islamitas y cristianos medievales* (Buenos Aires, Ateneo, 1946), tomo I, pp. 120-123.

(44) KNUST *(op. cit.*, p. 364) recuerda el caso de Abou Tachfin, el último rey de la dinastía Abd-el-Onadita, quien mandó construir un lago cerca de las murallas de la ciudad para satisfacer en alguna forma el deseo que tenía su esposa de ver barcos sobre una hermosa loma que a pesar de su belleza carecía de agua. No es justo especular que el monte adornado de barcos se transformara en sierra cubierta de nieve y de almendros.

(45) ABBAD, *Scriptorum Arabum loci de Abbadidis*, editi a R. Dozy (Leyden, 1846), vol. II, p. 152.

(46) AHMED IBN MOHAMMAD AL-MAKKARI, *The History of the Mohammedam Dynasties in Spain* trans. by Pascual de Gayangos (London, 1843), vol. II, p. 299.

del barro tiene lugar precisamente el día en que Mutamid pierde su libertad y su trono. El rey hace cubrir todos los pisos del palacio de una pasta espesa formada de ámbar, almizcle, alcanfor y agua de rosas. Finalmente, las mujeres que la reina ve están cerca de su palacio, vendiendo leche mientran andan con el barro hasta las rodillas.

Don Juan Manuel menciona el ámbar y el almizcle, pero en la tercera parte de su tríptico se acerca a la versión de Abbad. Lo importante es que recoge las dos anécdotas con una sensibilidad poética verdaderamente admirable. En primer lugar las presenta con un estribillo que las enmarca, relaciona y cierra en una forma que me atrevería a llamar zejelesca: la primera anécdota se estructura así. Fórmula: «Et quando Ramayquía la vio, començó a llorar. Et preguntó el rey por qué llorava» (p. 174). La respuesta de la reina es quejarse de la falta de libertad: «que por (que) nunca la dexava estar en tierra que viesse nieve». Viene luego la acción del esposo «por le fazer plazer». La segunda anécdota sigue exactamente la misma estructura y la variante en la respuesta de la caprichosa mujer, es más aparente que real («porque nunca podía estar a su guisa»), pues vuelve a quejarse de su falta de libertad. El final, que cierra la narración en tríptico, varía necesariamente un poco para relacionarlo todo con la moraleja del ejemplo y dar relieve a la reflexión final de Abenabet: «Començó a llorar. Et el rey preguntol por qué lo fazía. Et ella díxol que cómmo non lloraría, que nunca fiziera el rey cosa por le fazer plazer» (p. 175). El verbo «llorar» se ha cambiado en «hacer» y el deseo de libertad en anhelo de pruebas de amor. Esta simetría formal produce el efecto del estribillo del zejel y armoniza y relaciona las diferentes acciones, dándole al tríptico una unidad especial.

Es asimismo admirable el toque poético arábigo andaluz que contienen las anécdotas mismas. Los estudios de Emilio García Gómez sobre la poesía de la Andalucía árabe han demostrado que la esencia de dicha lírica se halla en la metáfora, en ese intercambio de objetos según el cual los remos de una galera son pestañas que se mueven sensuales y el río tocado por la brisa, una loriga. No importa si lo grande se compara con lo pequeño, o lo humilde con lo elevado y digno. Parece como si al tocar con la metáfora el objeto, éste quedara poetizado y transformado (47). Por eso Abenabet, el rey poeta, sabe poetizar las situaciones. Los almendros floridos son nieve que cubre la sierra de Córdoba y el barro puede ser mezcla de esencias y perfumes. Si don Juan Manuel estuviera interesado tan sólo en lo ejemplarizante de la anécdota se habría contentado quizás con el agua de rosas y los adobes. El escritor sabe entrar en el espíritu de la acción del rey y multiplica la enumeración de los perfumes y ungüentos: almizcle, ámbar, algalia; todos, raros y exóticos, sobre todo la algalia, que no menciona al-Makkarí. Aun la paja la transforma en caña de azúcar. Si en ello se buscara realidad, qué absurdo sería poner la afilada caña de azúcar bajo los pies delicados de la reina. La dulzura y el blancor del azúcar es lo poético, no lo duro de la caña. La transformación está operada y el vuelo imaginativo no halla más detalles; de allí ese dejar a la mente del lector que imagine o, más bien, que se anejene ante la consideración de perfumes, ungüentos y esencias: «tal lodo qual entendedes que podría seer». Se requiere una verdadera captación del ambiente poético árabe y del lirismo de las anécdotas del rey literato de Sevilla (48) para haberlas podido presentar conservándoles el espíritu poético de su protagonista. La forma y contenido están

---

(47) Emilio García Gómez, *Poemas arábigoandaluces* (Madrid, Austral, 1959). Cf. pp. 50 y ss.

(48) Al Makkarí, *op. cit.*, vol. II, p. 300, escribe: «Las historias del andaluz están llenas de alabanzas para este monarca». Al mu'tamed —dice Ibnu-l-kattá en su obra titulada *La mahu-l-malh* (agudezas), que es una biografía de los poetas andaluces— fue el más liberal, magnánimo y munífico de todos los jefes del Andaluz. Por esa razón su corte se convirtió en lugar de reunión de los eruditos

llenos de lirismo árabe en la narración de Patronio, un lirismo que no aparece en los cronistas árabes.

María Rosa Lida ha subrayado la tensión dramática y refinado desarrollo del ejemplo de Alhaquem y concluye diciendo: «Dudo que ninguna fuente, escrita ni oral, presentara la sencilla anécdota antes de llegar a manos de don Juan Manuel con tan sobrio y primoroso juego dramático, iniciado en la tensión sarcástica del primer sentido del dicho y resuelto en la armonía caballeresca del escarnio convertido en alabanza» (49). Sólo quiero añadir a su acertado comentario que los poemas arábigoandaluces de la corte de Alhaquem II son precisamente sobre cosas pequeñas, insignificantes o prosaicas. Chafar ben Utman al-Mushafi, visir de Alhaquem, tiene por ejemplo un poema al membrillo, vestido de narciso y con olor penetrante del almizcle, que recuerda el perfume de la amada; como ella, tiene duro el corazón (50).

La acción del rey, no comprendida por el vulgo, es precisamente una pequeñez, pero una pequeñez que refina la armonía y mejora la música. Ese «añadimiento del rey Alhaquem», aunque artístico y poético, se transforma en algo más grande e importante, no en la esfera de las armas o las leyes, sino nuevamente en el arte, en la bella mezquita de Córdoba.

La anécdota toda está llena de la misma esencia poética del ejemplo 30: objetos que se transforman en belleza; acciones de un rey literato y artista que cifra su grandeza en la mezquita más preciosa de España. Sin embargo, don Juan Manuel, que tan acertadamente transcribió el espíritu poético de las anécdotas de Abenabet, no lo capitaliza aquí a propósito, con el fin de subrayar más bien la grandeza del ideal caballeresco.

---

y su capital el sitio frecuentado por poetas y hombres de letras; tanto que nunca hubo un rey en cuya corte se juntara un tal número de personas eminentes.

(49) María Rosa Lida, *op. cit.*, p. 110.

(50) Cf. Emilio García Gómez, *op. cit.*, p. 96.

Así lo anota María Rosa Lida: «Para acentuar el contraste entre semejante ideal y la conducta de al-Haquem, don Juan Manuel tuvo a bien olvidar que, aunque pacífico, al-Haquem no era un rey holgazán y que el «estar en su casa viçioso» no era para «comer e folgar», sino para proseguir una quieta y asidua vida de estudio, famosa por su inmensa lectura y acopio de innumerables libros» (51).

El «añadimiento de Alhaquem» al albogón se convierte en el «añadimiento de Alhaquem» a la mezquita de Córdoba y el autor corona estas transformaciones diciendo: «Esta es la mayor et más complida et más noble mezquita que los moros havían en España, et loado a Dios, es agora eglesia et llámanla Sancta María de Córdoba, et offreçióla el sancto rey don Ferrando a Sancta María, quando ganó a Córdoba de los moros» (p. 205). Esa realidad cambiable que se va dignificando y engrandeciendo es esencialmente poética; pero como el escritor quiere enaltecer la importancia de lo caballeresco sobre lo meramente artístico desarrolla el ejemplo en tensión dramática más bien que con la exaltación lírica del cuento de Abenabet. Estudiadas así las dos anécdotas se ve la maestría con que el autor ha usado el material anecdótico que le brindaban las crónicas árabes orales o escritas.

Ejemplos 25 y 50.—*Saladino.*

Varios estudios sobre los mitos han demostrado que son algo esencial en las diferentes sociedades y desempeñan una función *sui generis* en la continuidad de la cultura. En ellos se ven reflejados los valores morales, el orden social y las creencias de cada sociedad y su función es encarnar, estabilizar y asegurar la continuidad de las normas esenciales de la misma. Por ello se mitifican los héroes y es ésta la función que desem-

(51) MARÍA ROSA LIDA, *op. cit.*, p. 110.

peña Saladino en las literaturas románicas, como lo ha estudiado ya con su lucidez acostumbrada Américo Castro (52).

Italia, Francia y España usan el tema de Saladino; pero cada nación a su manera, en puras invenciones, presenta procederes humanos del sultán que reflejan las virtudes que considera fundamentales: «Cada literatura, cada pueblo, verá en él el prototipo de las virtudes que le son más gratas (...). Las anécdotas acerca del proceder humano del Soldán fueron pretextos para una construcción literaria cuya razón de existir ha de buscarse en la disposición de vida —deseosa de expresarse— de ciertas gentes europeas (...). La figura de Saladino sirvió en realidad de medio expresivo a situaciones preexistentes que había interés en manifestar y que ganaban prestigio al ser encuadradas en el marco de una ilustre figura, lejana y ejemplar» (53). En Italia se ponen de relieve la sagacidad, la astucia y la agudeza de ingenio de Saladino lo mismo que la jerarquización estética de la vida social. En los textos franceses el personaje se presenta en conflictos jurídicos e intelectuales en los cuales hay una verdad absoluta que triunfa: es el Saladino francés de juicio lúcido en materia religiosa que al final de la vida se convierte y que lleno de atractivos triunfa sobre la misma reina de Francia como caballero y como varón. El Saladino de don Juan Manuel, en cambio, es un dador y receptor de sabios consejos, ejemplo de grandeza y de conducta moral que «gira sin embargo como satélite en torno a astros mayores que él» (54). El análisis de Castro es clave para

---

(52) AMÉRICO CASTRO, «Presencia del Sultán Saladino en las literaturas románicas», *Semblanzas y Estudios Españoles* (Princeton, 1956). Cf. MALINOWSKI. *Sir James Frazer Lectures,* ed. W.R. Dowson (London, 1932). Lord RAGLAN, *The Hero* (London, 1936), parte 2.ª. PETER N. DUNN «Theme and Myth in the Poema de Mio Cid», *Romania,* 83, pp. 348-369.

(53) AMÉRICO CASTRO, *op. cit.,* p. 21.

(54) AMÉRICO CASTRO, *op. cit.,* p. 42. Pero debo anotar que las ideas del prestigioso crítico son verdaderas para el caso concreto de Saladino; pero no pueden proyectarse más allá, en generaliza-

interpretar no sólo los dos ejemplos del sultán, sino el sentido didáctico total de *El Conde Lucanor.*

En el ejemplo 25, «De lo que contesçió al conde de Provençia, cómmo fue librado de la prisión por el consejo que le dio Saladín», se presenta al «omne» que los latinos denominaron *vir,* como la persona dotada de grandes cualidades y que por su grandeza de alma, carencia de defectos y entereza de carácter está lista para llevar a cabo gloriosas empresas. Ser «omne» cabal es la meta del libro todo de *Patronio,* ya que los consejos particulares de los demás ejemplos son especificaciones de lo que debe ser la conducta humana para que en realidad se merezca el título de «omne» (55).

El tema en su forma simplísima se halla en Valerio Máximo (libro 7, cap. 2, § 9) y está recogido en el *Libro de los exemplos* (§ 422, 375). Alguien consulta a Temístocles si es aconsejable casar a la única hija con un hombre bueno, pero pobre, más bien que darla en nupcias a uno rico cuya conducta se desconoce. Temístocles responde «que mejor era el ombre que ha menester dineros, que non el dinero que ha menester ombre». No hay la menor traza de versiones que se acerquen en

---

ciones, porque entonces se vuelven controvertibles al extenderse demasiado. Las culturas son complejas, cambiables y muchas veces contradictorias. La presencia de un solo mito aislado no define en realidad una cultura. Lo que Castro hizo sabiamente fue tan sólo subrayar un aspecto de las mismas.

(55) Jan Macpherson («Dios y el mundo —the didacticism of El Conde Lucanor», *Romance Philology,* 24 (1970), pp. 26-38) opina que la enseñanza del libro va dirigida tan sólo a los nobles y caballeros de la época «It is difficult to view the book, as the author suggets in the Preface that one should, as aimed at *gentes que non fueren muy letrados nin muy sabidores,* unless by this he means his peers; for Don Juan Manuel is interested only in his own *estado.* The teachings of *El Conde Lucanor* are tailor-made for the Spanish aristocrat.» Macpherson usa como base de su trabajo los ejemplos que María Rosa Lida ya había analizado en *La idea de la fama en la Edad Media castellana* (Méjico, Fondo de Cultura Económica, 1952), pp. 207-220. Hay que tener en cuenta que si se consideran tan sólo los 25 primeros ejemplos del libro, únicamente el 3, el 9 y el 15 podrían considerarse como exclusiva-

algo a la de don Juan Manuel y es posible que él creara toda la situación del cuento incorporando otra veta perdida del hijo o pariente que libra al cautivo. El tema aparece más tarde en el *Gesta Romanorum* (§ 14): un caballero peregrino cae prisionero y su hijo debe decidir entre ir a libertad a su padre o quedarse consolando a la madre, quien de tanto llorar la ausencia del esposo ha perdido la vista. Las razones para emprender el rescate del padre tienen mayor peso que las aducidas por la madre para retener al hijo a su lado. (Cf. Tubach, § 4.491).

Es notable la numeración de los dos ejemplos de Saladino en el libro: 25 y 50. Así la anécdota del conde de Provenza ocupa el centro de la obra y el ejemplo cincuenta, en mi opinión, llama la atención a este arreglo intencional. Dice Patronio en su larga introducción al cuento de la dueña fiel que es muy difícil conocer a los hombres de valía, quienes se han de revelar por su buen entendimiento y sus grandes obras. «Et estas son dos cosas: la una, quál es el omne en sí; la otra, que entendimiento ha. Et para saber quál es en sí, asse de mostrar en las obras que faze a Dios et al mundo» (p. 244). Es precisamente lo que resalta en cada uno de los tres personajes del ejemplo 25, los cuales se distinguen por la entereza de su carácter y la sabiduría de su entendimiento.

El Conde lo ha dejado todo para tomar parte en la cruzada; una vez cautivo su rica personalidad se gana la confianza y amistad del vencedor y manifiesta su buen entendimiento en los consejos que da al Sultán. Saladino, por su parte, es mu-

---

mente aplicables a la nobleza y, no obstante, los hombres de armas, de cualquier origen que fuesen, que tomaban parte en las empresas guerreras, podían apropiarse la lección. Todas las demás moralejas se refieren a la nobleza y al vulgo indistintamente. Los ideales guerreros de los cristianos en la España medieval tan felizmente expuestos por AMÉRICO CASTRO en su *Realidad Histórica de España* (Méjico, Porrúa, 1966) explican perfectamente ese código de virtudes que don Juan Manuel dedica a todas las gentes y que tienen tanto de caballeresco.

nífico con el prisionero. Una tradición europea recogida por Lecoy de la March cuenta que informado Saladino de los continuos lamentos de un caballero cautivo fue a verlo a la prisión y al informarle el prisionero que en su patria lejana todo era espacio no limitado ni por montañas ni por ríos, el Sultán le dijo: Os dejo en libertad, pues aquí no puedo daros una prisión que carezca de paredes (56).

Gaston Paris ha escrito: «La liberalidad era, como se sabe, mirada en la Edad Media, al menos por los poetas y por motivos fáciles de comprender, como la virtud por excelencia de los príncipes: también se la atribuía, y no sin motivo, a Saladino, a quien hizo tan famoso como por la misma razón lo había sido Alejandro» (57). Por eso, la generosidad del Sultán es objeto de más de un cuento que el erudito francés menciona en su trabajo. Uno de los prisioneros de Saladino, más importantes y que luego históricamente liberta, fue Hugo de Tabarie en 1178. (Cf. p. 290). Y este hecho histórico va luego novelizándose en los siglos siguientes. Así aparece la leyenda del Señor de Anglure, a quien el sultán deja marchar para que vaya a conseguir el dinero de su rescate; al volver a entregarse prisionero, pues no ha podido allegar la suma convenida, Saladino lo pone definitivamente en libertad, haciéndole ricos presentes. (Cf. p. 292). En el siglo XIV Bosone de Gubbio (58) narra como en España el caballero Hugo di Moncaro trata con gran cortesía a Saladino, que viaja de incógnito. El sultán le recompensa más tarde cuando Hugo cae en sus manos al ser derrotados los cristianos. El tema queda finalmente novelizado con la maestría de Boccaccio en el cuento de Messer Torello (*Decamerone*, X, 9).

---

(56) ETIENNE DE BOURBON, *op. cit.* Nota del editor de la p. 64.

(57) GASTON PARIS, «La légende de Saladin», *Journal des savants* (1893), p. 291.

(58) BOSONE DE GUBBIO, *Avventuroso ciciliano*, ed. de Nott, (Milano, 1833), p. 461-463. El relato se halla también en M. F. ZAMBRINI,

Así, pues, la conducta de Saladino con el conde de Provenza en el ejemplo de Patronio sigue la línea de la antigua tradición europea y por eso convierte al cautivo en su confidente y consejero. El sultán quiere, asimismo, ser generoso con el huésped desconocido; pero a diferencia del conde, su suegro, el joven no recibe regalos, sino que los ofrece. La sabiduría y buen entendimiento de Saladino se manifiestan en el famoso consejo y en saber escoger como «omne» al hidalgo virtuoso, prefiriéndolo a los hijos de reyes y de nobles. En esta forma don Juan Manuel sabe trazar vigorosamente la personalidad tanto del sultán como de su prisionero; personalidades que encarnan el ideal humano, pero que en cierta manera quedan eclipsadas por el joven hidalgo.

La integridad de carácter del pretendiente se muestra desde el primer momento. Ante la propuesta de matrimonio, si la recibe con incredulidad, lo que dice a la familia del Conde manifiesta cuán seguro está de sí mismo: «Et él respondió que bien entendía que el conde era más fijo dalgo et más rico et más onrado que él, pero que si él tan grant poder oviesse que bien tenía que toda muger sería bien casada con él, et que esto que fablavan con él, si lo dizían por non lo fazer, que tenía que le fazían muy grand tuerto et quel querían perder de balde» (p. 146). Don Juan Manuel, con gran acierto narrativo, crea el suspenso y casi hace creer al lector que quizás Saladino se ha equivocado en su elección, pues el joven sin dinero pide, como primera condición, que lo apoderen de todo el condado y de los bienes a él anejos. La noche de la boda deja a la esposa y anuncia que va a hacer algo, mas no revela en realidad de qué se trata. Este joven es sabio, tiene «buen entendimiento»; prepara la empresa hasta en sus últimos detalles: lenguaje, halcones, galeras en cada puerto, regalos que da y rehúsa recibir, omisión del beso a la mano del sultán para no

---

editor, *Libro di novelle antiche tratte da diversi testi* (Bologna, 1868), pp. 69-72.

quedar ligado por deberes de servidumbre y de lealtad. Así va revelando el buen entendimiento y su empresa toda manifiesta la grandeza de su alma, hasta fiarse por completo de la palabra de Saladino en la galera. Todo, en una palabra, está escogido y llevado por el autor con el fin de dar un cuadro completo del «omne» cabal y perfecto. Por eso es tan significativo que sea éste el ejemplo colocado precisamente en la mitad, en el mismo corazón del libro. Sus virtudes son caballerescas, muy propias de la España medieval; y al trazarlas el autor ha preferido al famoso sultán, quien con la palabra «omne» las condensa y cristaliza.

Al llegar al final de su obra, don Juan Manuel, que dejara sentado el ideal y que ha tratado minuciosamente las acciones humanas, se plantea un problema metafísico: ¿Cuál es la virtud o cualidad que puede regir al ser humano hacia su integridad moral y dirigir su entendimiento? ¿Qué motiva en realidad las buenas y grandes acciones y hace evitar al hombre aquello que sería una tacha de la propia personalidad? El alcance de su lección queda indicado en las palabras finales de Patronio: «Agora, señor conde Lucanor, vos he respondido a esta pregunta que me feziestes et con esta respuesta vos he respondido a çinquenta preguntas que me avedes fecho» (p. 253). La respuesta no es teológica, ni siquiera cristiana y pone en tela de juicio la bondad del hombre; pero es profundamente sincera. La vergüenza (o amor propio, en términos modernos) fuerza tanto represiva como dinámica puede motivar al mismo «Soldán de Babilonia» a obrar el bien y a refrenar los instintos más primarios.

El autor no pudo haber escogido un personaje ejemplar más adecuado para demostrar la veracidad de su lección: Saladino era objeto de variadas anécdotas en la Europa medieval, que ya estudiaron Fioravanti y, sobre todo, Gaston Paris (59),

(59) A. FIORAVANTI, *Il Saladino nelle Leggende francesi e italiane*

quien menciona el ejemplo de don Juan Manuel. Lo que no se ha resaltado todavía es el hecho de que el cuento de *El Conde Lucanor* viene a ser una especie de síntesis de las leyendas del sultán enamorado, del sultán viajero y de la hospitalidad violada y retribuida. La única veta que se excluye es la del Saladino cristiano, pues importaba a la ejemplaridad del cuento el que su protagonista fuese un infiel. Nótese que Saladino no es sultán de Egipto, sino de Babilonia, ciudad que en la tradición bíblica era la sede de toda corrupción y paganismo. Desde este punto de vista el ejemplo de Patronio es verdaderamente único en la literatura europea, tanto más cuanto que lleva a cabo la síntesis de las tradiciones con un arte estructural realmente acabado.

El ejemplo empieza con el tema de la violación de las leyes de la hospitalidad. En un antiguo poema francés compuesto en 1187, poco antes de la toma de Jerusalén (Cf. Gaston Paris, p. 285) se refiere que Saladino entra en la corte de Noradin y se convierte en amante de la esposa del sultán, a quien más tarde mata, casándose con la viuda y convirtiéndose así en señor de siete reinos. Historiadores serios mencionan el matrimonio de la viuda de Noradin con el famoso sultán, pero sólo el antiguo poema anota sus amores ilícitos que se derivan literariamente del pasaje bíblico de la mujer de Urías (2.º de Samuel XI). En la tercera parte de la obra de Jean d'Avesnes que prosifica un poema de mediados del siglo XIV (Cf. Gaston Paris, p. 286) se narra cómo la esposa de Felipe Augusto de Francia se enamora del sultán y esos amores que se inician en la corte misma del rey se continúan en Siria. Gaston Paris ha estudiado minuciosamente el episodio (pp. 434-437).

En los casos anteriores la mujer sucumbe en brazos del sultán. Sin embargo, existe otra veta que en España se refleja

---

del medioevo (Reggio-Calabria, 1891). GASTON PARIS, «La legende de Saladin», *Journal des savants* (1893), pp. 284-299; 354-365; 428-438; 486-498.

en el *Sendebar* o *El libro de los engannos et los asayamientos de las mujeres.* En esta versión la esposa, que parece consentir, se libra dando a leer al rey un libro cuyo primer capítulo trata del adulterio: «Diole un libro de su marido en que avia leyes e juysios de los rreyes, de como escarmentavan a las mugeres que fasían adulterio e dixo: «—Señor, ley por ese libro fasta que me afeyte»; e el rey abrio el libro e fallo en el primero capítulo como devia el adulterio ser defendido, *e ovo gran verguença,* e pesole mucho de lo quel quisiera faser» (60). Sin embargo, más importante es lo que relata la obra de Jean d'Avesnes ya mencionada. Al apoderarse Saladino de un castillo encuentra a doscientas damas refugiadas allí con la princesa de Antioquía. Se prenda de los encantos de esta última y «le pide que sea su dama y concubina, cosa que ella haría quizás de buen grado si fuera él cristiano y si ella no tuviese ya marido (...). Le responde con la mayor dulzura a Saladino, *recordándole la conducta que conviene a un príncipe tan alto* y diciéndole que él debe primero amar a Dios más que a otra cosa del mundo antes de requerir de amores a una dama cristiana; mezclando en sus excusas, que sin aquel amor de Dios nada puede ser llevado a buen fin. De la cual respuesta quedó Saladino muy contento» (61). Ya aquí se ve una tradición refe-

---

(60) Citado por ANGEL GONZÁLEZ PALENCIA, «La huella del león», *Revista de Filología Española,* 13 (1926), pp. 48 y 52. Aunque el tema central de «La huella del león» no se relaciona directamente con el ejemplo de don Juan Manuel (Cf. DANIEL DEVOTO). La porción citada revela la existencia de un tópico que sí interesa a mi propósito.

(61) Mi cita es traducción del texto francés que aduce GASTON PARIS (p. 433). Lo mismo que en la cita del Sendebar subrayé lo referente a la vergüenza, he subrayado en ésta la buena conducta, necesaria a todo gran príncipe. Ambos son elementos que aparecen en don Juan Manuel. El *tópico* tiene su expresión en Inglaterra en el cuento de Chaucer «The Franklin's Tale» en *The Canterbury Tales* (Baltimore: Penguin classics, 1969), pp. 426-451. El amante no es un rey y la esposa fiel pretende librarse prometiendo la entrega de su cuerpo el día en que Aurelio, el amante, haga desaparecer las rocas y acantilados de las costas de Bretaña.

rente a Saladino, en que la mujer con sus palabras y razonamientos despierta la conciencia del sultán, pero ni la condenación del adulterio por simples ordenanzas de los reyes, ni el amor a Dios que sólo afecta a unos pocos, tienen la sutileza sicológica de la vergüenza (amor propio) que en último *término* motiva la conducta del hombre. Don Juan Manuel, ya al comienzo de su cuento, funde en una las dos vetas de la tradición = el sultán que viola las leyes de la hospitalidad enamorándose de la esposa de su *anfitrión* y el sultán rechazado por la mujer honesta. La referencia al mal consejero (p. 245) crea un contraste irónico buscado con el Saladino sabio del ejemplo 25.

El autor establece luego una verdadera escaramuza sutil entre el sultán y la dueña que con lógica escolástica de premisas y *ergos* lleva al planteamiento del enigma ético. Lo hace con arte calculado y distribuye simétricamente el diálogo de los dos personajes. Se pueden distinguir en él dos partes: la declaración de amor y la promesa; separa estas dos partes con una cita directa que las relaciona lógicamente aduciendo dos tópicos: el poder del amor y la inconstancia del amante. He aquí su esquema:

Declaración de amor:

Saladino. «Le dixo que la amaba.»	*La dueña.* «Dio a entender que no entendía... et que siempre rogaría a Dios por él.»
«La amava más que a muger del mundo.»	«Teniágelo en merced non dando a entender que entendía otra razón.»

El pretendiente lo logra con ayuda de un mago ilusionista en los precisos momentos en que el marido vuelve al lado de su esposa. Por decisión de éste, Lady Dorigen cumple su palabra, pero Aurelio admirando la nobleza de los esposos no mancilla el honor de la dama. El mismo mago rehusa luego recibir la paga que el amante le había prometido.

«Qué vos yré más alongando? Saladín le ovo a dezir cómmo la amava.»

Cita directa: *La dueña:* «El amor no es en poder del omne.» Luego puede ser verdad que en realidad la ama.

Los hombres prometen todo y luego dejan abandonada a la mujer escarnecida.

Promesa:

Saladino. «Prometiéndole quel faría quanto ella quisiesse.»

«Reçelava quel pidía que non le fablasse más en aquel fecho.»

«Gelo prometió.»

Dueña. Debe prometer «ante quel faziesse fuerça nin escarnio».

«Non le demandaría esso (nin cosa que él my bien non pudiesse fazer).»

La adivinanza:

«Quál era la mejor cosa que omne podía aver en sí et que era madre et cabeça de todas las vondades.»

No hay duda de que este diálogo entre la dama y el sultán constituye la esencia misma del ejemplo y a su derredor gravita todo el resto de la narración. Es donde se caracterizan y toman vida los dos personajes y el autor enteramente consciente de su arte lo elabora y trabaja como si fueran las aristas talladas de un diamante al cual los demás elementos anecdóticos sirviesen de montaje. La triple declaración de amor y el contrapunto que le hace el no querer entender de la dama quedan condensados en los dos tópicos de la cita directa y se abren lógicamente a la promesa. Quítese o cámbiese cualquiera de los elementos de ese montaje artístico formal y la centralidad del diálogo queda totalmente desvirtuada y el interrogante de la dueña perdido en la abundante narración.

La pregunta de la dama abre la puerta al tema del sultán viajero y de la hospitalidad remunerada. Para integrar las peregrinaciones de Saladino, Patronio menciona lo inadecuado de las respuestas que le dan sus sabios. El autor no toma sin más un tema, sino que justifica su presencia en el cuento. Las tradiciones hablaban de los viajes del sultán disfrazado para examinar la religión de los cristianos, de la cual quedara descepcionado al observar la conducta de la corte romana; lo suponían recorriendo Europa con el fin de espiar personalmente la potencia de los guerreros cristianos que se aprestaban a la cruzada; o viajando a la Corte de Francia para sobreponerse al hado que había predicho su muerte a manos de Godofredo de Bouillon (62). Ya en esta serie de tradiciones aparece el tema de la hospitalidad remunerada y una de las más antiguas es la del caballero español Hugo de Moncaro que he citado más arriba. Decían que Saladino se disfrazaba de diversas maneras para no ser reconocido, mas don Juan Manuel es el único autor medieval que lo presenta graciosamente vestido de juglar. Nótese la huella de todas las diversas tradiciones en las siguientes líneas de *El Patronio:* «Et desconoçidamente passó la mar, et fue a la corte del Papa, do se ayuntan todos los christianos. Et preguntando por aquella razón, nunca falló quien le diesse recabdo. Dende, fue a casa del rey de Françia et a todos los reyes et nunca falló recabdo» (p. 248).

---

(62) Cf. Pío Rajna, «La novella Boccaccesca del Saladino e di messer Torello», *Romania*, VI (1877), p. 364. Gaston Paris, *op. cit.*, pp. 428 y ss.

Roma y Francia son precisamente los dos lugares mencionados en las leyendas del sultán viajero.

Cuando la dueña formula su pregunta el narrador da veladamente la respuesta a la misma, pues Saladino *por vergüenza* a faltar a su palabra empieza a buscar la solución. Esta especie de clave artísticamente velada se repite cuando el sultán siente tristeza de lo que ha prometido después de haber viajado durante meses por muchas tierras y lugares: «mas, porque él era tan buen omne, tenía quel era mengua si dexasse de saber aquello que avía començado» (p. 248). Estas son sutilezas artísticas del cuento de las que se precian los mismos autores modernos y que hacen al lector volver sobre sus pasos una vez que ha terminado su lectura.

El Saladino juglar y el escudero que regresa alegre de la caza de ciervos parecen a primera vista simples detalles narrativos secundarios. Sobre todo este último se podría tildar de nueva anécdota o aditamento propio de narraciones no depuradas artísticamente. Sin embargo, uno y otro se integran mutuamente e incorporan con armonía al tema de la hospitalidad remunerada, la cual crea un bello contraste con la hospitalidad violada del comienzo. El contento del escudero explica su invitación a los juglares para completar con el mester entretenido, el festín que van a tener en casa de su padre. «Et díxoles quél vinía muy alegre de su caça et para complir el alegría, que pues eran ellos muy buenos joglares, que fuessen con él essa noche» (p. 248). La negativa y premura de Saladino y sus dos compañeros da pie para que el escudero pueda ofrecerles los consejos del sabio anciano. Nótese que el tema de la alegría cumplida que repite el narrador tres veces hablando del escudero, preludia además la alegría final de Saladino al encontrar la solución de su problema.

También en medio de la narración, va resaltando la pregunta cuya respuesta buscan, cuando los juglares se la dicen al escudero, éste se la dice a su padre y, finalmente, Saladino la formula expresamente después del convite. Así la anécdota del escudero queda armónicamente integrada en el todo. El hecho de que al inverso de todas las otras tradiciones, no sea Saladino quien retribuya la pasada hospitalidad del caballero, sino que es éste quien reconoce al generoso sultán, recuerda necesariamente al conde de Provenza. El anciano que lo acoge le enseña la manera de evitar la deshonra de la otra familia que con tanta consideración lo había tratado. Parecía que sus palabras pudieran cerrar el cuento: «La mejor cosa que omne puede aver en sí, et que es madre et cabeça de todas las vondades, dígovos que ésta es la vergüença; et por vergüença suffre omne la muerte, que es la más grave cosa que puede seer, et por vergüença dexa omne de fazer todas las cosas que no le paresçen bien» (p. 250). Si al principio ha resaltado la inteligencia de la dueña, al final es ella quien mediante un silogismo irrebatible obliga a Saladino a poner en práctica el secreto descubierto. El sultán ha regresado resuelto a poseerla y en las dos citas directas finales de la dama se establecen las dos premisas que fuerzan al sultán a actuar la conclusión («Señor, vos avedes aquí dicho muy grandes dos verdades: la una, que sodes vos el mejor omne del mundo; la otra, que la vergüença es la mejor cosa que el omne puede aver en sí») (p. 251). Es un cuento de la estructura armónica realmente extraordinaria que como en un mosaico precioso acopla elementos dispares. Ningún otro cuento de *El Patronio* recoge y sincroniza con tanta perfección un mayor número de elementos ofrecidos por las tradiciones europeas.

Capítulo IV

Algunos aspectos estructurales

Al proponerme demostrar la extraordinaria originalidad que implican los cuentos de don Juan Manuel conocía de antemano la falta de fuentes precisas. Sin embargo, en los capítulos anteriores, con la ayuda de los relatos paralelos y siguiendo el método comparativo, se han podido subrayar aspectos valiosos de su creación literaria. Ya he mencionado aquí y allá algunas de las estructuras simétricas. Sobre todo en el cuento de doña Vascuñana. Por *estructura* entiendo el desarrollo formal del cuento, la distribución de sus partes, la concatenación ideológica dentro del mismo, la relación de significante y significado. Creo necesario sistematizar más claramente este aspecto del arte manuelino estudiando no sólo algunas estructuras simétricas, sino también aquellos casos en que la estructura narrativa depende de su aplicación tipológica.

I. Estructuras simétricas

Para el estudio de las estructuras simétricas he escogido tres ejemplos: 1.° El rey y los burladores que le hicieron un paño. 2.° El mancebo que casó con una mujer muy brava. 3.° El rey que quería probar a sus tres hijos. Se les ha adjudicado un origen oriental y aun específicamente árabe. No obstante, los relatos paralelos más antiguos son precisamente europeos y, sin descartar la posibilidad de una corriente oral árabe que inspirara a don Juan Manuel, me parece más plausible creer que estos ejemplos tienen un ambiente oriental o árabe querido más por preferencia artística del autor que por razón de su fuente de inspiración.

Con el siguiente paralelo de temas y formas espero demostrar un aspecto de la técnica narrativa del autor de *El Patronio* más bien que las fuentes de dichos ejemplos. No ha sido otro mi propósito a todo lo largo de este trabajo. La comparación es ingenua cuando sólo tiene como fin decir que esto viene o no viene de aquello. En cambio, cuando a través de ella se manifiestan las modalidades diversas y los instantes evolutivos de la creación literaria se convierte en un instrumento precioso de la crítica.

Ejemplo 32.—*El paño maravilloso.*

El material para el estudio de este cuento ha sido compilado y presentado sobre todo por Archer Taylor (1). Me interesan solamente los relatos anteriores a don Juan Manuel o inmediatamente posteriores. Dos son los que preceden a *El Conde Lucanor,* ambos europeos: la versión alemana de *Pfaffe Amis* anterior al 1236, aducida por Taylor y el fabliaux francés *Le Mantheau mal taillé* mencionado por Puibusque, al cual me referiré por separado. En la versión alemana Amis engaña a la corte parisina prometiendo pintar cuadros visibles solamente a los ojos de aquellos nacidos de legítimo matrimonio. Recibe adelantos secundarios y mientras el rey y la corte alaban las figuras que no ven, un loco, en su simplicidad, asegura que no ve nada y se descubre el fraude. En el siglo XV, posteriores

---

(1) ARCHER TAYLOR, «The Emperor's New Clothes», *Modern Philology* (1927), pp. 17-27. TAYLOR coloca erróneamente *El Conde Lucanor* en la primera mitad del siglo XV (Cf. p. 23).

a don Juan Manuel, están las versiones de *Los 40 visires* posiblemente inspirada en una fuente árabe desaparecida y la versión de un ejemplario franciscano escrito en Italia. En la primera se trata de un turbante invisible a los bastardos. Después de que el rey ha pretendido verlo, al quedar solo con dos de sus visires les revela que no ve el turbante y el engaño queda descubierto cuando ya el engañador se ha marchado con las ganancias. En el segundo se trata, lo mismo que en la versión alemana, de un pretendido pintor y a los bastardos se agregan los esposos engañados y los traidores. El personaje que revela la verdad es uno de los nobles, quien convencido de la honorabilidad de su esposa y de sus padres se ofrece a defender en el campo su honor y su nombre. Ante la entereza del caballero, los demás confiesan la verdad y se descubre el fraude.

Es menester, para más claridad, esquematizar las semejanzas y diferencias entre estas tres versiones y la forma en que se relacionan con *El Conde Lucanor:*

1.° Tienen lugar en la corte de un rey: Parisina (Amis), Turca (40 visires), indeterminada (ejemplario). Para don Juan Manuel es la corte de un rey árabe.

2.° Se trata de un estafador que recibe pagos por adelantado y se encierra o se oculta mientras pretende llevar a cabo la obra. Sólo en don Juan Manuel ese personaje único se transforma en tres engañadores, pues como veremos luego, el autor estructura trinariamente todo el desarrollo de su cuento.

3.° Rey y cortesanos pretenden ver lo que en realidad no existe. Sólo en don Juan Manuel la ilusión sale del palacio y afecta a la multitud. La persona misma del monarca es objeto del ridículo final por ir desnudo.

4.° Mientras las versiones alemana y turca, lo mismo que la de *El Patronio,* se contentan con mencionar al hijo natural, la forma más tardía del ejemplario agrega a los maridos engañados y a los cortesanos traidores.

5.º Los objetos varían, como varían los engañadores. Se trata de cuadros invisibles (alemana y ejemplario), de un turbante (turca) y de un paño del cual se le hace al rey un traje para la fiesta. Como en los dos últimos casos se trata de una tela, la traen al rey envuelta de una manera especial. Si la diferencia más obvia está en las pinturas y telas, no obstante, no la considero esencial, ya que la sustancia del cuento se halla en forzar a los espectadores a decir que ven lo que no existe con el fin de salvaguardar su reputación. Además en el paño de don Juan Manuel queda una huella de la versión de los pintores cuando se describen los bordados: «et vio los maestros que estavan texiendo et dizian: Esto es tal labor, et esto es tal ystoria, et esto es tal figura, et esto es tal color» (p. 180).

6.º Hay también una variante accidental en la persona que se atreve a decir la verdad: un loco (alemán), el negro caballerizo (don Juan Manuel), un noble (ejemplario), el rey mismo (turca).

Se puede concluir que estamos en presencia de un tema único: unos estafadores (pintores o tejedores) que engañan a un rey y a su corte diciéndoles que si no son bien nacidos no pueden ver un determinado objeto (cuadros, turbante, paño). Sin embargo, resaltan inmediatamente los detalles que don Juan Manuel ha agregado a este simple esquema: 1.º Si se trata de un rey moro es porque las leyes de esa nación, combinadas con el ofrecimiento de los estafadores, van a condicionar sicológicamente al monarca haciendo que su ambición se sobreponga a su prudencia. El hecho de que sea un rey moro es el único elemento árabe del cuento que, mirado en relación a los otros relatos, revela solamente una preferencia artística del escritor. Se trata de un detalle lleno de funcionalidad, resultado de un arte más maduro y de una técnica mucho más consciente e intencional. 2.º El engaño que en los demás relatos afecta solamente al grupo reducido del rey y su corte, adquiere en don Juan Manuel una fuerza irresistible que toca no sólo a la nobleza preocupada por sus títulos, sino a todas las gentes comunes que en la calle contemplan, sin decir palabra, al monarca desnudo. Proyecta así el ejemplo al corazón de todo hombre haciéndole ganar en proporción humana. Por eso, en aquel ámbito social completo tiene que ser el negro paria, que por su color y oficio se halla en el nivel más bajo, quien se atreve a decir y a sostener la verdad. 3.º Finalmente, la selección de un paño, como objeto en cuestión, da pie para que el escritor trace el cuadro tan lleno de humor del rey desnudo, cabalgando en el desfile de la fiesta («mas de tanto le avino bien que era verano», p. 181). Estos detalles cruciales que caracterizan el cuento de don Juan Manuel son de tal refinamiento que revelan ya un verdadero creador y dan al cuento su forma literaria acabada. Archer Taylor lo apuntó en los siguientes términos: «In this Juan Manuel has created what becomes the classical literary form of the tale, and its later history is almost wholly in the field of literature. The merit of Juan Manuel's invention lies in the dramatic utilization of the King's credulity to bring about the catastrophe; only in Juan Manuel and in the literary tradition dependent on him is this so cleverey brought about» (2).

Puibusque señaló otra posible analogía del cuento al citar el antiguo fabliaux francés de «Le mantheau mal taillé» (3).

---

(2) A. Taylor, *op. cit.*, p. 24: «En esto Juan Manuel ha creado lo que se convierte en la forma literaria del cuento, y cuya historia posterior queda casi totalmente en el campo de la literatura. El mérito de la invención de Juan Manuel está en la utilización dramática de la credulidad del rey para producir la catástrofe; sólo en Juan Manuel y en la tradición literaria que de él depende se resalta esto con tanta habilidad.»

(3) Legrand d'Aussy, *Fabliaux ou contes, fables et romans du XIIe et du XIIIe siècle,* traduits ou extraits par ... (París, 1829), vol. I, p. 126, 3.ª edición.

El rey Arturo quiere celebrar en Camelot una fiesta inolvidable para la cual convoca a todos los caballeros de su reino acompañados de sus damas. La maga Morgana, enemiga de la reina, envía un mensajero que obtiene del rey la promesa de hacer probar públicamente a todas las damas presentes un manto bordado a perfección. Después de que el monarca ha dado su palabra se revela que el manto encantado tiene la propiedad de demostrar las infidelidades y adulterios de damiselas y de damas, encogiéndose o alargándose misteriosamente al ser vestidos por ellas. La reina y su comitiva tienen que someterse a la humillante prueba y sólo al final se halla una damita a la cual le queda el manto a perfección. No hay duda de que existen coincidencias: tiene lugar en una corte y se trata de una prenda de vestir encantada que revela la infidelidad oculta de la mujer. Sin embargo, se mueve en un plano completamente distinto, de cuento de hadas en que lo mágico se une a lo real y en que los poderes ocultos turban al hombre. Su escenario es la corte legendaria del rey de Camelot (4). Resalta en el fabliaux la abundancia de lo simplemente anecdótico: los agasajos del rey a su huéspedes, la costumbre de no comer hasta que no ocurra algo extraordinario, la aparición y llegada del misterioso mensajero, la damita indispuesta y retirada que no ha podido acudir a la llamada del rey. El diálogo tiene la forma directa, pero se ejecuta de una manera elemental. La prolijidad repetitiva se hace fatigosa cuando enumera a las damas de gran reputación que van quedando anonadadas y las intervenciones de los azorados caba-

---

(4) Ya lo señaló PUIBUSQUE *(Le comte Lucanor, Apologues et fabliaux du XIVe siècle* [París, 1854], p. 361): El cuento de don Juan Manuel no se puede comparar a las diversas historias en las cuales la infidelidad de los hombres o de las mujeres queda denunciada por algún encantamiento; aquí no hay ningún sortilegio y el único medio empleado es el más natural del mundo, es la doble acción de pasiones y de intereses: la ambición y la credulidad de un príncipe, la adulación y mentira de los cortesanos, la franqueza brutal de un hombre del pueblo.»

lleros. Se nota fácilmente la acumulación amorfa de elementos sin equilibrio y aunque se intente es imposible construir un esquema formal que revele cierta armonía en la composición. Todo ello muestra una técnica más primitiva e ingenua. Como no hay una relación directa con el tema de don Juan Manuel hubiera podido ignorar en mi trabajo la mención del fabliaux. No obstante me ha parecido importante, pues se trata de un momento en la evolución del arte narrativo; una etapa en la cual lo simplemente anecdótico es lo central. La vergüenza de los personajes carece allí de perspectiva de profundidad, pues se presenta basada en el número de los que la sufren más bien que en su análisis interno. No se demuestra cómo ese sentimiento va ahondando en el corazón del hombre; cómo se combina en una forma compleja con otras pasiones (la ambición) o halla pasto abonado en las debilidades de carácter del personaje (la credulidad). Es esto lo que precisamente inmortaliza el cuento de don Juan Manuel y revela un momento artístico mucho más avanzado en la historia de las formas narrativas.

El cuento de Patronio presenta una estructura formal ternaria que es preciso analizar, pues esa forma escogida y seguida por el escritor es el esquema dentro del cual con tanta eficacia ha dramatizado la situación del rey hasta llegar a la catástrofe de su humillación pública. Comprendo el peligro de crear subjetivamente esquemas que parecerían depender, más que nada, de la imaginación del crítico. Sin embargo, en este caso las fórmulas verbales usadas y la distribución de los acontecimientos verifican su legitimidad.

La primera parte se caracteriza por la triple variante de una misma frase: que subraya la credulidad del rey: «Al rey plogo desto mucho (...). Desto plogo mucho al rey (...). Desto plogo al rey mucho» (p. 179). De esa manera se señalan específicamente los tres momentos de la acción inicial de los engañadores y la primera reacción del rey tan crédulo como ambicioso. Tiene buen cuidado de presentar desde el primer momento la esencia del engaño valiéndose del paralelismo reiterativo, un paralelismo por el cual la segunda frase repite en una forma negativa lo que ya se había dicho en la primera positivamente: «et señaladamente que fazían un paño que todo omne que fuesse (fijo) daquel padre que todos dizían que vería el paño; mas el que non fuesse fijo daquel padre que él tenía e que las gentes dizían, que non podría ver el paño. *Al rey plogo desto mucho*». Explica en seguida por qué la ambición del rey lo ciega al oír la proposición de los tejedores. En el segundo paso narrativo, que contrasta en brevedad con lo que precede y sigue, los burladores se curan en salud pidiendo que los mande encerrar hasta que el paño esté acabado: «Et ellos dixiéronle que porque viesse que non le querían engañar, que les mandasse çerrar en aquel palaçio fasta que el paño fuesse fecho. *Desto plogo mucho al rey.*» Finalmente en los días que siguen pretenden que han comenzado a trabajar y uno de ellos le informa al rey los progresos hechos, describe los bordados que adornan el paño y lo invita a ver la obra: «et que si fuesse la su merçed, que lo fuesse ver et que non entrasse con él omne del mundo. *Desto plogo al rey mucho*». Así se cierra esta primera parte, y con la petición de que sea sólo el rey quien vaya a ver el paño se motiva la desconfianza del monarca. Por eso va a encargar a varios miembros de su corte que lo vean (antes y después de verlo él mismo) dando pie para que el engaño se extienda y haga nuevas víctimas.

El cuento se va desarrollando como un drama lopesco en tres actos. Después de presentar el conflicto, desatar la ambición del rey y dar pie a las muestras de su credulidad, en el primer acto o etapa narrativa, hay una nueva fuerza que mueve la acción: la vergüenza, el miedo al qué dirán. Don Juan Manuel estructura igualmente en una forma ternaria obvia esta segunda parte, enmarca la visita del rey a los telares entre la del camarero y la del alguacil. Compárense, sobre todo, las visitas de estos últimos; una vez atrapado el camarero en el engaño agrega el narrador: «E después envió otro, et dixol esso mismo. Et desque todos los que el rey envió le dixieron que vieran el paño, fue el rey a lo ver» (p. 180). Asimismo, después de que ha ido el alguacil, dice: «Et otro día, envió el rey otro su privado et conteçiol commo al rey et a los otros. ¿Qué vos diré más? Desta guisa, et por este reçelo, fueron engañados el rey et quantos fueron en su tierra, ca ninguno non osava dezir que non veye el paño» (p. 181). Existe un esquema muy claro: 1) Camarero —otro— generalización; 2) Alguacil —«otro su privado»— generalización. Esta última generalización cierra la etapa narrativa con el «¿Qué vos diré más?».

Hay una especie de fatalidad dramática, de hado maligno que impide a todos revelar la verdad. Si envía el rey al camarero no le previene que lo desengañe («pero non le apercibió quel desengañasse» (p. 179). Antes de mandar a su alguacil, su ejecutor de justicia, a pesar de las sospechas que abriga el rey («pero que él estava con muy mala sospecha») comete también el error de contarle de antemano «Las marabillas et estrañezas que viera en aquel paño» predisponiendo así a su emisario a la mentira. El escritor ha sabido desarrollar en escenas sucesivas la tensión dramática hasta hacer que el engaño tome proporciones avasalladoras.

Con la tercera parte, el desenlace del cuento de don Juan Manuel sobrepasa en arte a los otros relatos paralelos. El escritor ha usado aquí probablemente otro cuento o ideado el final enteramente. Lo mismo que la primera parte, consta de una frase corta central («Et desque fue vestido tan bien commo avedes oydo, cavalgó para andar por la villa; mas de tanto le avino bien que era verano» p. 181) precedida de los preparativos a la fiesta y seguida de la reacción del público. Los preparativos tienen asimismo tres momentos o escenas: Los cortesanos le proponen al rey que haga confeccionar un traje del famoso paño para llevarlo en la fiesta; los engañadores toman las medidas y pretenden cortar el material; los engañadores visten al rey. También la reacción del público está distribuida en tres escenas o momentos, el segundo de los cuales es el más central: Presenta la reacción de *las gentes*, pone en cita directa las palabras del negro y finalmente la intervención de «otro» personaje indeterminado disipa el engaño, cuando ya los estafadores se han escapado.

La distribución simétrica ternaria tan clara da un maravilloso equilibrio narrativo al cuento y, a pesar de su aparente rigidez, no limita en modo alguno el desarrollo de la acción hasta llegar a su desenlace con las palabras del negro: «Señor, a mí non me enpeçe que me tengades por fijo de aquel padre que yo digo, nin de otro, et por ende, dígovos que yo so çiego, o vos desnuyo ydes» (p. 182). Como en la frase central de esta parte ha dicho que «cavalgó para andar por la villa» no sorprende que sea el pobre caballerizo quien se atreva a decir la verdad.

Hay en el cuento, como lo he apuntado, un verdadero desarrollo dramático en actos y escenas armónicas, sobre los que he insistido porque me parece que este aspecto estructural explica el éxito artístico del ejemplo y no se había capitalizado hasta ahora. Los críticos de todos los tiempos se han sorprendido ante la fuerza del relato, pero hacía falta ver en qué forma el continente y el contenido se armonizan para inmortalizar el cuento. Para más claridad agrego un esquema de las diversas partes:

1. Ambición del rey:

   a) Estafadores pueden hacer un paño especial,
   «Al rey plogo desto mucho».

b) Piden ser encerrados en un palacio,
«Desto plogo mucho al rey».

c) Informan progreso.
Describen bordados.
Invitan a verlo.
«Desto plogo al rey mucho».

2. Desconfianza del rey. Extensión del engaño:

a) Envía al camarero,
otro cortesano
generalización.

b) Va el rey se tiene por perdido
aprende a describir el paño,
empieza a alabarlo.

c) Envía al alguacil,
otro privado,
generalización que cierra el grupo narrativo.

3. Humillación del rey:

a) Cortesanos quieren que mande a hacer un traje de ese paño.
Estafadores pretenden medirlo y cortarlo.
Estafadores pretenden vestir al rey.

b) «Et desque fue vestido tan bien como avedes oydo, cavalgó para andar por la villa; mas de tanto le avino bien que era verano.»

c) Reacción de las gentes
del negro (cita directa)
de otro que oyó.
Los estafadores ya se han escapado.

Ejemplo 24.

Se le ha adjudicado a este cuento un origen árabe y nadie lo ha puesto en tela de juicio; tanto más cuanto que según Patronio se trata de un rey moro quien por ley puede dejar la corona a cualquiera de sus hijos sin tener que someterse a la regla de la primogenitura. González Palencia señaló como fuente la versión de «Los tres hijos del sultán» en *Las mil y una noches* mencionada por Chauvin (5). Tres hijos de un sultán quieren atraer la atención de su padre y fingen pelear. Le explican al rey que han reñido pues cada uno desea defender la preeminencia de su propio saber. El padre pone a prueba sus conocimientos de las piedras, del origen de los animales y del origen de los hombres respectivamente. El tercero de los hijos revela finalmente que el rey es hijo del cocinero de palacio. Antes de marcharse el monarca en peregrinación al Cairo vestido de derviche deja la corona al tercero de sus hijos. Lo único que asemeja esta versión al cuento de don Juan Manuel es el dejar la corona al tercero de los hijos y el tratarse de un sultán. Más que la prueba de los hijos el cuento pertenece al grupo de la naturaleza de las cosas (minerales, animales, hombres) y en esta forma aparece en la tradición española en el *Libro de los Exemplos,* § 314 (247).

Otra veta quizá más cercana al tema de la prueba de los tres hijos, aunque todavía distante de la versión tan original de don Juan Manuel, es la de los ejemplarios. La forma más antigua aparece en Jacobo de Vitry (núm. 123) y de él la toman la versión publicada por Thomas Wright *(Latin Stories* núm. 48), Juan de Bromyard *(Summa Praedicantium,* Poenitentia, 7, 77) y el *Recull de Eximplis* (§ 547). Carlomagno desea probar la docilidad de sus hijos al intentar meterles en

---

(5) VÍCTOR CHARLES CAUVIN, *Bibliographie des ouvrages arabes ou Relatifs aux arabes publiés dans L'Europe Chrétienne de 1810 a 1885* (Liege, 1903), vol. VII, § 439, p. 162.

la boca un trozo de manzana. El mayor, Gobaudus, rehusa someterse a tal humillación, en tanto que los otros dos, Ludovico y Lotario, aceptan inmediatamente la manzana y reciben como premio de su obediencia el reino de Francia y la Lotaringia, respectivamente. La moraleja central del ejemplo es el tardío arrepentimiento del primer hijo, quien al ver lo que sus hermanos han recibido ofrece abrir la boca mientras los cortesanos se burlan y dicen :«Muy tarde bostezó Gobaudus» (6). En vez de la obediencia, el romancero del Cid (7) presenta la prueba de la valentía y arrogancia cuando Diego Laínez somete a sus tres hijos al dolor y a la humillación de morderles un dedo. Sólo el Cid la pasa satisfactoriamente y recibe el encargo de vengar a su padre ofendido (8). Thomas Wright (núm. 34, p. 36) aduce otra versión: Un noble inglés pregunta antes de morir a sus hijos en qué ave, si ello fuera posible, se quisieran transmutar. El mayor prefiere el halcón, y recibe las tierras de Inglaterra, en donde sus desmanes serán puestos a raya por la gente pacífica y amante de la justicia. El segundo escoge el estornino, que se domestica fácilmente, y recibe el condado de Wales, en donde por su diplomacia triunfará entre la gente pendenciera. El tercero quiere ser un cisne de cuello largo, que da tiempo a que las cosas del corazón suban más despacio hacia la boca; no recibe ningún territorio, pues con su sabiduría no necesita tierras. Llega a ser el juez más importante del reino. La misma forma aparece en el *Scala Coeli*

(6) Quizá a esta línea pertenezca el ejemplo del *Scala coeli* (§ 783), en el cual un padre ofrece a sus dos hijos dos manzanas: una roja y hermosa por fuera, pero llena por dentro de gusanos. La otra, aparentemente descolorida, pero completamente sana. El ejemplo es más que todo una alegoría de los placeres del mundo y del trabajo de la salvación.

(7) DURÁN, *Romancero General*, BAE, vol. X, núm. 725. *Romancero Español* (Madrid, Aguilar, 1961), p. 394.

(8) Ya PUIBUSQUE *(op. cit.*, p. 301) señaló esta forma española del tópico, pero en vez de basarse en el romance que he citado se refiere al conocido drama de Guillén de Castro.

(§ 613), en donde no se usan los símbolos de las aves en los dos primeros hijos que desean ser el más fuerte y el más hermoso de los hombres, respectivamente. El tercero quiere tener un cuello largo como el de la grulla y es él quien recibe el reino.

Así se pudieran examinar otras variantes para llegar a la misma conclusión de que el cuento de Patronio es realmente único. El elemento común de todos estos relatos es que se trata por lo regular de un rey que prueba a sus tres hijos. La manera de la prueba y el premio que reciben varían, lo mismo que la moraleja o tema del ejemplo. Vuelvo a afirmar que el arabismo del relato de don Juan Manuel, más que debido a una fuente árabe, obedece a una preferencia artística, nada más. En mi opinión, se trata de un rey moro y se mencionan dos vestiduras árabes y las mezquitas de la villa, para localizar el cuento en el *campo del contrario* y hacer más aceptable el improperio final del infante a su padre: los reyes no son buenos cuando tienen gente, poder y riqueza y no ensanchan su reino en las conquistas.

La estructura formal del cuento sigue el mismo esquema de la prueba de las tres hijas de don Pero Ançurez en el cuento de doña Vascuñana. Hay tres tiempos, pero el segundo es un breve sumario del primero, y lo que importa es el contraste entre la actitud detallada del primero y del tercero. En el ejemplo 24 cada prueba empieza con la mención del tiempo: «Et quando vino a ocho o a dies días» —«Et a cabo de otros días» —«Et a cabo de otros días». Nótese que las dos últimas fórmulas son iguales, lo cual confirma el contraste central entre el hijo mayor y el hijo menor.

Ese contraste se lleva a cabo en tres tiempos: la ropa del rey — el caballo aperado — la visita a la ciudad. Los dos primeros tiempos son prolijamente presentados con el hijo mayor, y su falta de iniciativa se expresa con el ir y venir que implican estas palabras: «dixol el rey (...) El infante dijo al camarero (...) el camarero preguntó (...) el infante tornó al rey (...) el rey díxole (...) et él tornó al camarero (...) et el camarero le preguntó (...)». La forma narrativa descarnada es de una gran simpleza elemental, con la repetición del verbo *decir* y por eso precisamente retrata tan bien la poca inteligencia del infante. Repite la misma fórmula con el caballo, pero cierra de manera viva el grupo narrativo con una rápida enumeración: «et assi fizo por la siella et por el freno et por el espada et las espuellas; et por todo lo que avía mester para cavalgar, por cada cosa fue preguntar al rey» (p. 140). Estas sutilezas expresivas, este sentido de la proporción, esta conciencia de la relación significante—significado es algo propio de don Juan Manuel, es su estilo, es su cualidad de escritor que con toda seguridad no bebió en la fuente de la anécdota.

En el tercer infante va a hacer el contraste perfecto de los dos personajes y para ello varía la forma narrativa. Rápidamente contrasta cómo madruga el infante, cómo él mismo viste al rey después de preguntarle qué ropa quiere ponerse y cómo hace preparar el caballo para salir a la ciudad. Todo lo lleva con presteza hasta la visita a la ciudad. Además, nótese la contraposición de los verbos *guisar* y *hacer, poder* y *querer* en estas dos frases: 1.º «Desque todo fue *guisado* dixo el rey al infante que non *podía* cavalgar. 2.º Et desque todo fue *fecho* dixo el rey que non *quería* cavalgar». Los primeros verbos contrastan la eficiencia y los segundos indican cómo el rey no busca excusas con el hijo menor cuando cambia sus planes y decide no salir de paseo a la ciudad. Después de visitar la ciudad la respuesta breve y sumaria del primer hijo revela su limitación mental. «Et el infante dixole que bien le paresçía, sinon quel fazían muy grand roydo aquellos estrumentes» (p. 141). En cambio la prolijidad con que el hijo menor enumera lo que ha visto, subraya su capacidad de observación y todo culmina en su reproche final al padre sobre el poder desperdiciado.

Más que un tríptico hay aquí un díptico, un contrapunto

buscado armónicamente entre los dos hermanos y ejecutado en tres tiempos. Es, como ya lo apunté, la misma estructura de la prueba de las tres hermanas, pero aquí más elaborada y más compleja.

Ejemplo 35.

A causa de la importancia del drama de Shakespeare *The Taming of the Shrew,* se han estudiado exhaustivamente los relatos paralelos de este ejemplo (9). Creo necesario dar aquí un sumario de los relatos anteriores a don Juan Manuel distinguiendo dos grupos: el oriental y el europeo. La forma más antigua aparece en el *Gulistán o Jardín de Rosas,* libro escrito por el persa Sadi, que vivió en el siglo XIII. Narra cómo fue librado de la cautividad de los franceses, pero su libertador le entregó como esposa a su hija con una dote de cien monedas de oro. La muchacha era malhablada y malgeniada. Cierto día le dijo en forma hiriente: «¿No eres tú el que compró mi padre por diez monedas de oro?», y él respondió: «Sí, me libertó de la esclavitud de los francos pagando diez monedas de oro y me hizo, por otras cien, tu cautivo.» El tema del hombre que se casa con una mujer más rica está ya aquí y sobrevive en Persia unido al tema de la autoridad del marido que se establece desde el primer día de la boda. Sir John Malcolm recoge el tema persa en sus *Sketches of Persia,* pero no señala la fuente (10). Menciona el *Gulistán* sin citarlo y agrega el caso de Sadik Bej, que, a pesar de su nobleza de familia y gran valor, era muy pobre y no tenía más posesiones que su espada y su caballo. Se casó con una mujer muy rica y muy brava, lo que equivalía a entregársele como esclavo. Sin embargo, el mismo día de la boda, con su uni-

(9) Cf. DANIEL DEVOTO, *op. cit.*, pp. 426, 427.
(10) Sir JOHN MALCOLM, *Sketches of Persia* (London, 1861), pp. 170-173.

forme militar y con la espada a la cintura, entró en la alcoba de la novia. Esta no se movió, desdeñosa, y él, tomando el gato, le cortó la cabeza y arrojó las partes por la ventana, volviéndose luego hacia la mujer, que, alarmada, se levantó a servirlo. Ya en la tradición persa (lástima que no se sepa si es tardía) uno de los amigos que oye a Sadik Bej pretende hacer lo mismo y la mujer lo golpea diciéndole: «si hubieras matado el gato el día de la boda». Ya se encuentran aquí los tres temas que estructuran el cuento de don Juan Manuel: 1) Un joven pobre y de grandes cualidades que al carecer de dinero se casa con una mujer rica y de mal genio. 2) Inmediatamente después de la boda, al hallarse solo con la novia, mata un gato y la esposa, amedrentada, lo sirve. 3) Alguien quiere imitarlo, pero no lo logra, pues no ha sabido establecer su autoridad desde la primera noche de bodas.

En el grupo europeo está el fabliaux francés de *La dame que fu escoilliée* en Barbazán (vol. IV, p. 365) o de *La dame qui fut corrigée,* título más pudibundo de Legrand d'Aussy (vol. III, p. 187). Un noble dueño de un castillo tiene una hija muy bella, pero su esposa lo contradice en todo y tiraniza su vida. Cierto conde, a quien ha llegado la fama de la belleza de la muchacha, la conoce, se prenda de su hermosura, pero se da cuenta desde el primer momento de la situación de su futuro suegro. Al casarse se marcha inmediatamente con su nueva esposa y decide darle a entender desde un principio que él es amo y señor. De camino le corta la cabeza a dos mastines que no obedecen su orden de coger una liebre. Asimismo decapita su caballo, que tampoco obedece a su llamado. La esposa no acepta la lección y al llegar al castillo, en el banquete de bodas, hace que el cocinero siga sus órdenes en vez de las del conde. Pasada la comida, con un fuete el conde le saca un ojo al cocinero y lo destierra de sus posesiones y luego azota a la esposa rebelde, quien confiesa haber tratado de seguir los consejos de su madre. De allí en adelante lo sirve obsequiosa y obediente. Más tarde, en la primera visita de los suegros, el conde y su esposa rodean de cariño y consideración al padre y humillan a la madre. Cuando todos han salido del castillo de cacería, el conde, que se ha quedado con su suegra, la somete a una lección horrible, después de la cual la dama promete obedecer a su esposo y señor. El único elemento común con el Patronio es la muerte de los perros y el caballo para amedrentar a la novia. Está también el tema de la liberación del suegro, pero tratado en una forma completamente distinta.

La versión alemana del cuento (11) coincide con la francesa y las variantes son tan sólo anecdóticas y accidentales. El caballero y su novia montan ambos un mal caballo y el marido mata primero el halcón que lleva en la mano porque no se quiere apaciguar. Luego mata el perro y finalmente el caballo rendido de cansancio perece a sus manos. Como es caballero y necesita una cabalgadura, obliga a la novia amedrentada a que se deje poner la silla. Esta lo acepta todo y cuando ya no puede andar más, él la toma en sus brazos y así domada la conduce a las bodas. Don Juan Manuel estructura su cuento en la misma forma del ejemplo 32, como si fuera un drama en tres actos en el cual la amenaza de muerte (pasiva y activa) mueve a los personajes y capta la atención del lector. Las citas directas son aquí centrales. El arreglo del matrimonio se cierra con las palabras del padre de la novia: «Si con mi fija casase, que o sería muerto o le valdría más la muerte que la vida» (p. 189). Es como si cayera el telón en un momento de *clímax*. Las palabras del mancebo al perro, al gato y al caballo van creciendo en intensidad y extensión, lo mismo que las tres veces que luego habla a su esposa. Final-

---

(11) FRIEDRICH HEINRICH HAGEN, *Gesammtabenteuer* (Hundert altdentsche Erzählungen: Stadt und Dorfgeschichten Schwanke, Wundersagen un Legenden) (Stuttgart und Tübingen, 1850), vol. I, pp. 39-57.

mente, los dos momentos del desenlace se destacan por lo que dice la novia a los familiares y la suegra a su pobre marido. A medida que avanza la acción de este precioso drama va tomando relieve el cambio anímico de la novia que juzga primero loco a su marido, se da cuenta luego de que no habla en chanza y termina llena de pavor hasta el ir callada y obsecuente a la cama, acción de noche de bodas a la que se refiere así don Juan Manuel: «Assi passó el fecho entrellos aquella noche, que nunca ella fabló, mas fazía lo quel mandavan. Desque ovieron dormido una pieça, dixo él, etc.» (p. 191). La estructura se ve más claramente en el siguiente esquema alrededor de la idea central: *peligro de muerte.*

1. Arreglo del matrimonio:

a) Presentación de los personajes:

PARALELO ANTITÉTICO.

Un mancebo: «avía la buena voluntad et non avía el poder».

Una hija única: «cuanto aquel mançebo había de buenas maneras tanto las havía aquella fija del omne bueno malas et revesadas et por ende omne del mundo non quería casar con aquel diablo».

b) El mancebo y su padre:

— «pues le convinía a fazer vida menguada et lazidrada e yrse daquella tierra (...)».
— «quel parescía meior seso de catar algún casamiento».

GRADACIÓN SILOGÍSTICA.

— «que podría guisar que aquel omne bueno que avía aquella fija que gela diesse para él».

— «quel pedía por merced quel guisarse aquel casamiento».

c) Negociación de los dos padres. *(Peligro de muerte):*

ESTILO DIRECTO.

«Par dios amigo... si con mi fija casase que o sería muerto o le valdría más la muerte que la vida (...) mi mucho me plaze de la dar a vuestro fijo, o a quienquier que me la saque de casa.»

2. La noche de bodas:

a) Acotación escénica: costumbre de los moros.

b) La matanza:

GRADACIÓN EN INTENSIDAD Y EXTENSIÓN.

1. El perro: «cortol la cabeça, et las piernas, et los braços».
   «Perro: ¡danos agua a las manos!»

2. El gato: «Tomol por las piernas e dio con él a la pared».
   «Commo don falso traidor (...) si poco nin más conmigo porfías...»

3. El caballo: «cortol la cabeça».

   «Commo don caballo (...)».

   Si por vuestra mala ventura non fizierdes (...) et non ha cosa viva en el mundo (...).

«La muger... tovo que esto ya non se fazía por juego et ovo tan grand miedo.»

c) La mujer — Tres citas directas, que contrastan con el silencio de la esposa:

1. «Levantadvos et datme agua a las manos.»
2. «¡A! Commo gradesco a Dios (...) ca de otra guisa (...) esso oviera fecho a vos que a elos.»
3. «Con esta saña que ove esta noche non pude bien dormir».

3. Desenlace:

a) La esposa domada — Escena de los familiares a la puerta — señales de sangre — esposa sola — sorpresa de la cita directa:
«Locos traidores (...). Callad, sinon (...) todos somos muertos.»

b) El suegro que quiere hacer lo mismo y mata un gallo:
«A la fe don fulán, tarde vos acordastes ya vos non valdría nada si matássedes çient cavallos.»

Ya hice notar en otro lugar la importancia que en la narrativa de don Juan Manuel tienen las citas directas y es sobre todo en este cuento en donde van marcando el desarrollo anímico de los personajes y subrayando la disposición estructural. Nótese cómo resaltan en contraste con el estilo indirecto cuando el mancebo habla con su padre. Cómo proceden la acción para hacerla más horrorosa o cómo la siguen para cerrarla con vigor.

Faral hizo notar que en las preceptivas literarias de la Edad Media la disposición narrativa podía seguir el *ordo naturalis* o el *ordo artificialis.* Según que el asunto se presentara en el orden en que ocurrieron los acontecimientos o si, en lugar de empezar por el principio, se comenzaba *in media res* como lo hizo Virgilio en su «Eneida». La composición narrativa no era en realidad importante en las preceptivas literarias y muchas de las narraciones carecían totalmente de unidad y proporción. Faral explica esta despreocupación diciendo que se trataba de una literatura para ser escuchada, solamente, no para ser sometida al examen de un público lector que pudiera cómodamente juzgar el conjunto. Sin embargo, los autores medievales «sabían, por ejemplo, qué efectos se podían obtener por medio de la simetría de escenas formando con ellas dípticos o trípticos, por medio de una narración hábilmente suspendida o del entrelace de narraciones conducidas simultáneamente» (12). Todo ello, más que las reglas fijas de la poética, se dejaba a la ingeniosidad del escritor. Los tres ejemplos que he analizado demuestran esta ingeniosidad de don Juan Manuel y un aspecto de su arte variado y polifacético. Existe en sus narraciones cierta conciencia del desarrollo dramático que revela en el escritor una rica sensibilidad hacia nuevas formas y géneros que llegarían a florecer en los siglos siguientes.

II. Estructura de paralelo alegórico

Hay otro aspecto estructural que es necesario estudiar. En todos los ejemplos se encuentra la relación cuento-moraleja y, como ya se vio en el ejemplo IV, no siempre sigue en ésta la aplicación tradicional de los predicadores. Sin embargo, los ejemplos 48 y 49 difieren esencialmente de los demás en que la aplicación de los mismos no se hace en términos ge-

---

(12) Ils savaient, par exemple, quels effets on peut tirer de la symétrie de scènes formant diptyque ou triptyque, d'un récit habilement suspendu, de l'entrelacement de narrations conduites simultanément.» Edmond Faral, *Les arts poétiques du XIIe et du XIIIe siècle* (París, 1924), p. 60.

nerales, sino que cada uno de sus elementos tiene una aplicación precisa «espiritual» (para usar el término de don Juan Manuel, p. 239) y constituyen así paralelos alegóricos. Por tanto, la estructura del cuento depende en un todo de la aplicación espiritual que hace el autor. Y son esencialmente un paralelo entre anécdota y moraleja. Esta es su estructura fundamental y sin tenerla en cuenta es imposible valorarlos justamente.

Ejemplo 48.—*La prueba de los amigos.*

Como apunta Daniel Devoto *(op. cit.,* p. 455) se ha sumergido el ejemplo 48 en una «excesiva consideración erudita», ignorando la combinación de tres ejemplos diferentes: el del medio amigo, el del amigo entero y el de los tres amigos. En realidad existen dos ramas del tema de la prueba de los amigos; la una procedente del *Barlaam* y la otra de Pero Alfonso. La de éste es esencialmente anecdótica y la de aquél estrictamente alegórica. Don Juan Manuel usó las dos, pero dándole más importancia al paralelo «espiritual» y haciendo una fusión artística que han ignorado críticos como Battaglia y Scholberg (13) y por ello su juicio es poco favorable al cuento manuelino.

He aquí los elementos anecdóticos y su aplicación en el *Barlaam:*

(13) SALVATORE BATTAGLIA, «Dall'esempio alla novella», *Filología Romanza,* VII (Nápoles, 1960), pp. 29-38. KENNETH R. SCHOLBERG, «A Half-friend and a friend and a half», *Bulletin of Hispanic Studies,* 35 (1958), pp. 187-198. De este último dice DANIEL DEVOTO *(op. cit.,* p. 457) que es el estudio principal sobre el ejemplo 48, pero agrega: «La debilidad fundamental del artículo de SCHOLBERG reside en que no se ve claramente el alcance del cuento en los *tres amigos* y por ende la manera en que don Juan Manuel lo acerca al relato del medio amigo (...). El mismo reparo puede ponerse a la —por lo demás— fina comparación que hace SALVATORE BATTAGLIA (...) del *exemplum* en la *Disciplina clericalis* y en el *Lucanor.*»

Anécdota	Aplicación
1. Un hombre llevado ante el rey para dar cuenta de diez mil talentos busca la ayuda de sus amigos.	Nosotros seremos presentados ante el tribunal de Dios. ¿Quién nos ayudará entonces?
2. El primer amigo niega conocerlo. Tiene otros amigos con quienes entretenerse. Le da unos harapos para que los vista camino del patíbulo.	Las riquezas y bienes temporales sólo nos dejan la mortaja en la tumba.
3. El segundo amigo le promete compañía cuando sea llevado a la ejecución. Se volverá luego a sus asuntos.	La mujer, los hijos y parientes acompañan el ataúd al cementerio y retornan a seguir cuidando de sus cosas.
4. El tercer amigo, del cual no se ha cuidado, es el único que intercede ante el rey.	Las buenas obras y virtudes son lo único que acompaña al hombre más allá de la tumba.

La *Legenda aurea* (cap. 180, p. 816) tiene exactamente los mismos elementos y más tarde, en el siglo xv, Sánchez Vercial (*Libro de los enxemplos,* § 16) reproduce la anécdota traduciéndola casi literalmente del *Barlaam,* pero hace la aplicación en pocas líneas: «E estos dos amigos primeros son el mundo e los parientes, ca al tiempo de la muerte desamparan al ombre. El tercer amigo es los bienes que el ombre faze por amor de Dios que nunca lo desamparan» (p. 37 de la edición de Keller).

En la versión de Jacobo de Vitry (§ 120) el tercer amigo es Cristo, no las buenas obras, como preludiando la famosa controversia de la Reforma protestante y se repite exactamente en Thomas Wright, § 108: «Ponam animam meam pro anima tua, vitam meam pro liberatione tua (...). Tercius et vetus amicus est Christus qui pro liberatione nostra voluit in patibulo crucis suspendi.» («Daré mi alma como precio de tu alma y mi vida por tu libertad (...). El tercero y viejo amigo es Cristo que para nuestra salvación quiso ser suspendido en el patíbulo de la cruz»). Este cambio del famoso predicador francés perdura hasta el siglo XV y aparece en *The Alphabet of Tales* (§ 58) y el *Recull de Eximplis* (§ 51).

Hay otro grupo de variantes iniciadas por el predicador inglés Odo de Cheriton que precede en unos pocos años a Jacobo de Vitry (14). No se trata de una acusación ante el rey, sino de una prueba a la cual el joven somete a los amigos por consejo de su padre. Los tres amigos que ha ganado trabajando, dando regalos y rindiendo alabanzas respectivamente, le fallan a la hora de la prueba y simbolizan el mundo, la carne y el demonio. El amigo del padre se ofrece a morir en su lugar y es figura de Cristo. Estos cambios sobreviven también hasta el siglo XV y, cuando ya se ha divulgado en Inglaterra la anécdota de Pero Alfonso, la prueba de los tres amigos es el cerdo que el joven lleva a la espalda. Así aparece el ejemplo en el *Gesta Romanorum* (§ 129), aunque su aplicación alegórica se hace como en Jacobo de Vitry. El texto de Bromyard *(Amicitia,* XXI, art. I, VII) es único. Cita el *Barlaam*, pero incluye la prueba del cerdo, habla de la mortaja, la compañía hasta el patíbulo; y como el tercero amigo no ayuda sino que acusa, los tres amigos son seguidos de un cuarto que tipifica las buenas obras. Una mezcla de las diferentes versiones.

Todas estas variantes indican que, particularmente, la aplicación alegórica de la anécdota abría la puerta a la imaginación de los predicadores, restringida otras veces por la simple moraleja del ejemplo tradicional, y cada compilador agregaba elementos a discreción para hacer más teológicamente precisa

(14) Cf. HERVIEUX, *op. cit.*, vol. IV, edición de 1896, p. 394.

la aplicación espiritual. El *Scala coeli* (§ 60) muestra esa compleja elaboración teológica: «el cortesano es Dios padre. La corte son los bienes espirituales, los sacramentos de la Iglesia y las obras de misericordia. El hijo es el hombre que adhiriéndose al pecado se hace homicida de la imagen de Dios y así es condenado a muerte sin conocer el tiempo, el modo o el lugar. Como ha gastado todos los bienes con los tres amigos, a saber, el mundo, los parientes y el diablo, a ellos acude antes de morir y el primero, el mundo, le da sólo el sudario y le quita todos los honores y bienes temporales olvidado de todos los trabajos sufridos por causa suya. El segundo amigo, los parientes, lo acompañan hasta la sepultura después de la ejecución en el patíbulo. El tercer amigo, el diablo, retira la escalera, es decir, la esperanza, quitando la gloria prometida y dando la condenación eterna. El cuarto, que ha sido despreciado, es Cristo, quien lleno de benignidad y de misericordia se llega al pecador contrito encerrado en la cárcel del pecado y con sus cinco llagas se entrega para la redención y liberación de la muerte del acusado.»

En cambio, el ejemplo anecdótico de Pero Alfonso se esquematiza en los ejemplarios: *Alphabet of Tales* (§ 59), *Recull de Eximplis* (§ 52), Jacobo da Cessole (p. 80), *Speculum Laicorum* (§ 49) y se elabora únicamente en obras de carácter más literario: *Castigos y documentos* y *El caballero Zifar*.

Las siguientes conclusiones me parecen legítimas al terminar el precedente examen: 1.ª El amigo verdadero toma una importancia especial en los ejemplarios y tipifica a Cristo que da su vida para la redención del hombre. 2.ª Ya a comienzos del siglo XIII se trata de una necesidad fingida que abre la puerta a los elementos de la *Disciplina clericalis*. En esa forma el *Scala coeli*, libro contemporáneo de don Juan Manuel, que ya había traído la alegoría de los amigos, aduce en el número 69 el ejemplo de Pero Alfonso, pero lo interpreta también tipo-

lógicamente en los siguientes términos: «Pater est Deus, filius peccator cuius amici reputantur: mundus, caro, demonia quibus confundimur continue: sed verus amicus est Christus qui sepelivit peccata nostra et remittit.» («El padre es Dios; el hijo es el pecador cuyos amigos son: el mundo, la carne y los demonios que de continuo nos confunden. Pero el amigo verdadero es Cristo, que enterró y perdonó nuestros pecados.»)
3.ª La aplicación tipológica que quiere hacer cada autor condiciona los detalles de la parte anecdótica.

Battaglia, sobre todo, ignoró la importancia de esta veta alegórica que se manifiesta aún más claramente si se considera que don Juan Manuel colocó juntos estos dos únicos ejemplos en que cada una de las partes de la narración tiene su aplicación espiritual; lo mismo que en el *Barlaam,* en donde la prueba de los amigos va seguida inmediatamente del monarca, que después de un año de reinado es arrojado en una isla. Se hallan además colocados al final del *Patronio,* después de que el autor ha analizado todos los aspectos de la conducta humana. Aquí presenta la verdad suprema de la gratuita redención del hombre; por eso no es justo analizar el cuento desde el simple punto de vista de la realidad. Hay que subrayar que si la aplicación espiritual es central, la parte narrativa depende en sus elementos de dicha aplicación. Este principio fundamental no se le escapó a Scholberg *(op. cit.,* p. 192), pues escribe: «En *el Lucanor* el cuento todo ha sido rehecho cuidadosamente con una interpretación religiosa primordial en la mente del autor. Los nuevos elementos y cambios narrativos del cuento fueron conscientemente seleccionados para proporcionar una base a las conclusiones expresadas por *Patronio.* El cuento obtiene así las dimensiones de una parábola en la cual el significado simbólico eclipsa completamente el sentido literal (...). Sólo incluyendo lo que el autor denomina interpretación «espiritual» se vuelve significativo el ejemplo. Pues don Juan Manuel quiso sacrificar lo humanamente creíble para traer a su lector la verdad más imperecedera y elevada de la infinita compasión de Dios para con los pecadores». No se pueden ignorar los penetrantes apuntes tanto de Scholberg como de Battaglia respecto a la narración que don Juan Manuel toma de la *Disciplina clericalis,* pero no es justo valorar todo el ejemplo con el patrón de una sola de sus fuentes. Además de Pero Alfonso y el *Barlaam* don Juan Manuel tomó la prueba del medio amigo de los castigos y documentos del rey don Sancho (15).

Las amplificaciones del ejemplo de Patronio que podrían parecer verbosidad, especialmente si se comparan con el latín austero de la *Disciplina clericalis* obedecen a tres elementos que estructuran su anécdota. Dos de ellos precisan la moraleja del ejemplo y el tercero prepara la alegoría.

1.º El primero está enunciado en la consulta del conde al referirse a muchos amigos que le han ofrecido ayuda sin temer perder la vida y lo que poseen y le han prometido nunca separarse de él. Son, en realidad, dos ideas paralelas que va a reiterar una y otra vez Patronio y que el conde formula así: *a)* «Que por miedo de *perder los cuerpos nin lo que an,* que non dexarían de *fazer lo que me culpliesse; b)* Que *por cosa del mundo* que pudiesse acaesçer non se parterían de mí» (p. 235). Ahora bien, estas ideas, a veces las mismas palabras, se van a hallar en todas aquellas porciones en que el texto castellano expande el original latino. Los amigos que ha ganado el joven compartiendo sus haberes le dicen: «que *farían* por él todo *quantol cumpliesse* et que aventurarían por él *los cuerpos et quanto* en l'mundo *oviessen»* (p. 236). Cuando le asegura a su padre la fidelidad de diez de ellos lo hace en términos sinónimos de «perder los cuerpos», «cosa que pudiesse acaesçer» y «non se apartaríen de mí». «Que era cierto

(15) GAYANGOS, *Escritores en prosa anteriores al siglo XV* (Madrid, 1952), BAE, vol. 51, pp. 157, 158.

que por *miedo de muerte,* nin de *ningún reçelo,* que nunca lo *erraríen*» (ibd.). La razón por la cual los amigos no le ayudan es: «porque podrían *perder los cuerpos et lo que avían*» (p. 237). Y el medio amigo de su padre «dixol que con él non avía amor nin affazimiento porque se *deviesse tanto aventurar*». Se trata de un elemento estructural único de la versión de don Juan Manuel que desempeña una función especial: al repetir la promesa de los amigos del conde, a través del ejemplo recalcando las mismas palabras, hace más apremiante la necesidad de probarlos antes de exponerse al peligro, confiado en sus vanas palabras. Patronio, que saca primero la moraleja antes de hacer la aplicación tipológica, lo expresa así: «Et que los debe provar ante que se meta en grant periglo por su fuza et que sepa a quánto se *pararan por él* si fuere mester» (p. 239).

2.º Si el elemento anterior se revela en el lenguaje, ya que tiene por objeto repetir las palabras mentirosas de los falsos amigos, el segundo crea una situación sicológica de los dos personajes similar a la que se estudió en el ejemplo segundo del labrador, su hijo y el asno: El padre quiere darle una lección al hijo. A primera vista parece contradictorio que le aconseje al hijo el tener muchos amigos para luego admirarse de que tenga diez. Sin embargo, la anomalía desaparece si se tiene en cuenta esa intención inicial del padre que no existe en la versión de Pero Alfonso (16). Este elemento no es simple locuacidad, sino que se establece y se sostiene a través de la narración por una especie de germinación: Así como Patronio tiene que darle una lección al conde, así el padre tuvo que enseñarle a su hijo qué pocos son los verdaderos amigos. «El fijo començó a porfiar diziendo que era verdat

(16) De las versiones que he mencionado sólo la de ODO DE CHERITON incluye este elemento: «Homo quidam monuit filium sum ut faceret sibi amicos.» («Cierto hombre aconsejó a su hijo que hiciera amigos.»)

lo que él dizía de sus amigos. Desque el padre vio que tanto porfiaba el fijo, dixo que los provase en esta guisa» (p. 236). Cuán conscientemente introduce don Juan Manuel este elemento se revela además en el hecho de que, cuando el padre ve venir desilusionado a su hijo, cambia la máxima de la fuente latina: «Multi sunt dum numerantur amici, sed in necessitate pauci» («Son muchos los que se dicen amigos, pero en la necesidad son pocos») por la de la sabiduría de los ancianos: «dixol que bien podía ver ya que más saben los que mucho an visto et provado, que los que nunca passaron por las cosas» (p. 237).

3.º El tercer elemento (o mejor dicho, grupo de elementos) con el cual don Juan Manuel transforma la anécdota tradicional prepara en ella la dimensión tipológica del ejemplo. La versión de la *Disciplina clericalis* sólo menciona al medio amigo, en cambio el *Patronio* inspirado más en el *Barlaam* que en el ejemplo de *integro amico,* cuando el padre se admira de que en tan poco tiempo el joven haya podido conquistar tantos amigos ya anuncia que él no ha podido «aver más de un amigo et medio». Las palabras del joven al presentarse con el cerdo a la puerta de los que va a probar: «que non avía en l'mundo cosa quel pudiesse escapar de la muerte a él et a quantos sopiessen que sabían daquel fecho» sirven no sólo para hacer más difícil la prueba, sino que así tipifica mejor a los seglares que ni siquiera quieren escuchar la mención de la muerte, aunque en realidad no puedan escapar de ella. La manera como reaccionan algunos amigos: «que yrían rogar por él (...) que quando le levassen a la muerte, que non lo desampararían», también claramente adaptada del *Barlaam* prepara la aplicación al clero y a los familiares. Finalmente, como ya se hizo notar, sólo bajo esta luz alegórica se debe considerar la prueba del amigo entero que desconcertara a Battaglia.

La aplicación tipológica es perfecta y sólida en todos los

elementos anteriores. Donde falla quizás y destruye, a mi ver, la bella armonía del resto del ejemplo es en la prueba del medio amigo tomada de los *Castigos y documentos del rey don Sancho*. Allí servía su propósito: el ascenso público del medio amigo a amigo entero. En cambio aquí su aplicación tipológica a los santos ofendidos parece un poco traída por los pelos. No estamos ni en la época de la Reforma protestante ni en la de los iconoclastas desaparecidos en el siglo IX, cuando se hubiera podido hablar de ofensas contra los Santos. Sin embargo, es precisamente un período de la piedad cristiana en que se ponía su veneración aun por encima de la del Redentor y esto podría explicar el que sean ellos los ofendidos. Quizás sea también un eco de las controversias sobre la concepción inmaculada de María, cuyos paladines eran los dominicos, o sobre su Asunción a los cielos, tema sobre el cual don Juan Manuel escribió un tratado dirigido a fray Remón Malquefa. Pero son meras especulaciones que en mi opinión no logran borrar este lunar de la bella alegoría.

Ejemplo 49.—*El rey desterrado.*

La versión más antigua de este ejemplo es la del *Barlaam y Josafat* (Cap. XIV), de donde dicen expresamente tomarla Vicente de Beauvais *(Speculum morale,* lib. II. Dist. IV. Pars I, p. 708), el *Scala coeli* (§ 134), *La Legenda Aurea* (Cap. CLXXX, p. 817), el *Recull de Eximplis* (§ 578) y el *Libro de los enxemplos* (§ 366 [319]). Se encuentra también en Jacobo de Vitry (§ 9) y en el *Gesta Romanorum* (§ 224). La versión del *Barlaam* es la más extensa y todas las que de él se derivan insisten en el hecho de que el rey es siempre un extranjero que no sabe la costumbre del país. Este elemento es básico en el contexto del *Barlaam,* pues aparece en la narración un sabio consejero con el cual se identifica el tutor del joven príncipe: «en cuanto al buen consejero que reveló toda la verdad y enseñó al sagaz y sabio rey el camino de la salvación, entiende que ése soy yo, tu pobre y humilde siervo». Ahora bien, sólo la versión de don Juan Manuel omite el detalle de la ignorancia de las víctimas y así subraya sutilmente el descuido de los hombres que saben lo caduco de la existencia y viven, sin embargo, como si ésta nunca fuera a terminar. La ceguedad humana no la causan en *el Patronio* los demonios como pasa en el *Barlaam* y en la *Legenda aurea* cuando hacen la aplicación alegórica. Para don Juan Manuel, la locura del hombre es parte de su manera innata de ser.

Nótese la brevedad de la aplicación alegórica en los textos de Jacobo de Vitry: «et nos, qui post mortem non poterimus villicare, premittamus ante faciem nostram opera sancta conversationis et misericordie» («y nosotros, que después de la muerte no podremos gobernar, enviemos por delante las obras santas de nuestro comportamiento y misericordia»); de la *Scala coeli:* «Civitas est mundus: cives clerici: rex est homo: insula divinum iudicium»; del *Gesta Romanorum* y de la *Legenda aurea.* En cambio, don Juan Manuel crea un equilibrio perfecto entre la narración y su aplicación alegórica, dejando a un lado en aquélla la prolijidad del *Barlaam* y en ésta la presentación esquemática. Cuatro son los elementos que constituyen el paralelo tipológico:

1.º	Quel avían de fazer lo que a los otros.	1.º	Pues sodes çierto quel avedes a dexar et que vós avedes a parar desnuyo dél (del mundo).
2.º	Mandó (...) fazer (...) una morada (...) en que puso todas las cosas que eran menester.	2.º	Que tengades fecha morada en l'otro.
3.º	Et fizo la morada en lugar tan encubierto.	3.º	Et estas buenas obras fazetlas sin ufanía et sin vana gloria.

4.º Et dexó algunos amigos en aquella tierra.	4.º Otrosí, dexat acá tales amigos que lo que vós non pudierdes complir en vuestra vida, que lo cumplan ellos a pro de vuestra alma.

1.º El ser arrojado desnudo del mundo. 2.º El mandar a hacer una morada, símbolo de las buenas obras que nunca perecen y tienen un galardón. 3.º La morada la levanta en un lugar encubierto lo mismo que las buenas obras se han de hacer sin vanagloria. 4.º Los amigos que deja en el reino y que al partir el alma van a rogar por ella. Estos dos últimos elementos son enteramente exclusivos de don Juan Manuel y revelan de qué manera tan independiente sabe construir su paralelo y con cuánta conciencia lo estructura armónicamente sin prolijidad ni simplificación exagerada. En un paralelo tan breve y tan popular ha sabido poner en tres detalles su sello de originalidad. No son simples variantes, sino que cada uno de los cambios contribuye a la armonía del todo.

SEGUNDA PARTE

Textos de los relatos paralelos

ADVERTENCIA PRELIMINAR

Una edición bilingüe de los relatos paralelos hubiera sido ideal; mas, por varios motivos, no se ha podido llevar a cabo en esta ocasión. Para no limitar este precioso material a unos pocos eruditos publico aquí la traducción castellana de los textos, dejando intacto, sin embargo, el castellano medieval de Alfonso X el Sabio, de *El Caballero Zifar* y de *El Libro de los Exemplos*. Asimismo he respetado el catalán del *Recull de Eximplis:* después de todo se trata de una lengua hermana que nació y vive en la Península y es parte de nuestro pasado y de nuestro presente. Los textos latinos y griegos hubieran constituido un material arcano para la mayoría de los lectores en esta época en que la misma Iglesia Católica ha tenido que abolir la lengua litúrgica en su majestuoso culto. Al traducirlos, he preferido la literalidad a la elegancia, inmolando ésta para que el lector atento pueda apreciar la pobreza del léxico de los ejemplarios, lo limitado de sus recursos estilísticos, lo elemental del diálogo y la sintaxis de la lengua madre. He tratado de conservar los tiempos de los verbos, aun respetando los difíciles gerundios y las formas tan frecuentes del imperfecto de subjuntivo. Se trata, pues, de una traducción más literal que literaria; pero al leer estos textos descarnados, creo que se puede apreciar mejor el tesoro lingüístico de *El Patronio*.

Doy a continuación una breve reseña, por orden de antigüedad, de los ejemplarios y sermonarios manejados.

Alejandro Nequam, *De naturis rerum,* editado por Thomas Wright (London, Rolls Series, 1863). Fue compuesto a fines del siglo xii y sus ejemplos son de carácter enteramente profano.

Odo de Cheriton (en Hervieux, *Les Fabulistes Latines,* New York, 1970, edición facsímile de la de 1896). Odo nació en Inglaterra, mas parece haber hecho de Francia su patria adoptiva. Sus fábulas y parábolas datan de 1219-1221. Hay un manuscrito de sus sermones *(parabolae)* en El Escorial (Biblioteca Real, Ms. O. II y ff. 1-236) que data del siglo xiii.

Jacobo de Vitry, *Exempla or Illustrative Stories from the Sermones Vulgares,* editado por Thomas Frederick Crane (London, 1890). Monje agustino francés, predicador contra los albigenses, cardenal y, en 1239, patriarca de Jerusalén.

Cesario de Heisterbach, *Dialogus miraculorum,* editado por Joseph Strange (Cologne, 1851). Monje cisterciense. La obra, terminada en 1224, contiene un total de 746 narraciones diversas. Dos personajes, un novicio y un monje, discuten la vida de lucha del cristiano y las maneras de vencer al enemigo.

Vicente de Beauvais, *Speculum Quadruplex: Naturale, Historiale, Morale, Doctrinale* (Austria, 1964). Obra monumental típica suma del medioevo, quedó terminada a mediados del siglo xiii, unos catorce años antes de morir su autor (1264). Inmenso anecdotario que ilustra la enseñanza religiosa y moral.

Etienne de Bourbon, *Anecdotes historiques, légendes et apo-*

logues, ed. de Lecoy de la Marche (París, 1877). Su *Tractatus de diversis materiis praedicabilibus* constituye la primera colección de ejemplos propiamente dicha. Estos llegan a unos dos mil. Compuso la obra entre los años 1250 y 1261. Desgraciadamente, muchos de sus ejemplos no están todavía publicados. Su fuente principal fue Jacobo de Vitry.

GIACOPO DE VARAGGIO (JACOBO DE VORAGINE), *Legenda aurea, vulgo historia lombardica dicta.* Ad optimorum librorum fidem recensuit Dr. Johann Georg Theodor Graesse (Leipzig, 1850). Fraile dominico cuya vida fue estudiar, escribir, orar, predicar y enseñar. Rehusó el episcopado, pero al fin tuvo que aceptarlo. Murió en 1298. Su obra apareció a mediados del siglo y *legenda* quiere decir *lectura* que debe hacerse en determinados días.

Tabula Exemplorum, secundum ordinem alphabeti. Recueil d'exempla compilé en France à la fin du XIIIe siècle. Ed. J. Th. Welter (París, 1926). Muestra una marcada preocupación por los abusos del clero y de su crítica se salva la orden de San Francisco; por eso se ha creído que fue compuesta por un franciscano. La primera parte es un tratado de predicación popular que ofrecía a los frailes de la orden una síntesis de la teología dogmática y moral. La segunda parte contiene solamente *exempla.* Influyó grandemente en las colecciones posteriores: *Speculum Laicorum, Scala coeli,* Bromyard.

Speculum Laicorum, ed. por J. Th. Welter (París, 1914). Compuesto por un fraile mendicante, probablemente franciscano, en Inglaterra entre los años 1279 y 1292. Influyó en el *Gesta Romanorum* y en Bromyard. Hay una versión castellana: *El Espéculo de los legos.* Texto inédito del siglo XV, ed. por José María Mohedano Hernández (Madrid, CSIC, 1951).

ARNOLD DE LIEGE, *Alphabetum Narrationum.* He manejado la versión inglesa del siglo XV: *The Alphabet of Tales,* ed. por M. M. Banks. Early English Text Society (original series § 126, 127). (London, 1904). Algunos han creído que el autor es, más bien, Etienne de Besançon. Fue escrito entre los años 1297 y 1308. Creo que la colección catalana *Recull de eximplis e miracles, gestes et faules e altres ligendes ordenades per ABC,* tretes de un manuscrit en pergami del començament del segle XV, ed. A. Verdaguer (Barcelona, 1881), sigue muy de cerca la obra de Arnold de Liège.

GIACOPO DE CESSOLE, *Solacium Ludi Schaccorum* (Milano, 1829, London, 1883). Dominico del norte de Italia. El libro, anterior a 1325, fue muy popular en la segunda mitad del siglo XIV. El juego del ajedrez (nombre, forma, posición y movimiento de sus piezas) sirve para identificar y precisar los deberes de las diversas clases sociales y de los diferentes oficios.

JOHANNES GOBI, *Scala coeli,* ed. de Johannes Zaimer (Ulm, 1480). Algunos atribuyen la obra a Johannes Junior. Yo manejé una copia a máquina, hecha por Luella Carter de la universidad de Chicago en 1928 y ofrecida por ella al Profesor Thomas F. Crane, quien la legó, con el resto de sus libros, a la biblioteca de Cornell University. La obra fue escrita entre 1323 y 1330 y existen unos 20 manuscritos. Se hizo una edición en Sevilla en 1496, lo que prueba su popularidad en España.

Gesta Romanorum, ed. de Hermann Oesterley (Berlín, 1872). Compilación de origen inglés. Serie de ejemplos interpretados alegóricamente. Compuesta alrededor de 1345, la obra gozó de inmensa popularidad y se la usó para la edificación y entretenimiento más bien que como material de predicación.

JUAN DE BROMYARD, *Summa Praedicantium* (Antuerpiae, 1614). Su composición se coloca en Inglaterra entre los años 1360 y 1368. No existe una edición más reciente.

HEROLT, *Discipulus redivivus cum promptuario exemplorum* (Augustae Vindelicorum, 1728). Escrito hacia 1440 y contiene 867 ejemplos. Herolt era dominico.

Con frecuencia he citado dos colecciones importantes. He aquí su referencia bibliográfica:

THOMAS WRIGHT, *A Selection of Latin Stories* (London, The Percy Society, 1842).

JOSEPH KLAPPER, *Erzählungen des Mittelalters* (Breslau, 1914).

Finalmente, debo recordar los siguientes índices:

JOHN ESTE KELLER, *Motif-index of Medieval Spanish Exempla* (Tennessee University Press, 1949).

STITH THOMSON, *Motif-index of Folk Literature* (Indiana University Press, 1955).

FREDERICK C. TUBACH, *Index Exemplorum. A Handbook of Medieval Religious Tales*. Folklore Fellows Communications § 204 (Helsinki, 1969).

Exemplo 1

De lo que contesçió a un rey con un su privado.

1. *Barlaam y Josafat* (1).

Había en la corte un hombre eminente entre los cortesanos, de virtuosa vida y en la religión devoto. Pero mientras trabajaba en su salvación lo mejor que podía, lo hacía en secreto por temor al rey. Por lo cual, ciertos hombres, mirando con envidia su privanza con el rey, estudiaban la manera de mancillarle la reputación y sólo en esto pensaban.

Un día, cuando el rey salió de caza con sus guardias, este buen hombre fue en la comitiva porque así lo quiso el rey. Mientras caminaba solo, por divina providencia, según creo, halló a un hombre en un refugio, arrojado en el suelo y su pie dolorosamente triturado por una bestia salvaje. Al verlo pasar por allí, el herido lo importunó para que no siguiera su camino, sino que se compadeciera de su desgracia y lo llevara a su casa, añadiendo a esto: «Espero no ser hallado sin provecho o del todo inútil para ti.» Nuestro noble le dijo: «Por pura caridad te llevaré y te daré la ayuda que pueda. Pero, ¿qué

(1) La versión que presento está basada en el texto griego y su traducción inglesa de G. R. WOODWARD y H. MATTINGLY (Harvard University Press, 1967), pp. 36-45.

provecho dices que he de recibir de ti?» El pobre enfermo respondió: «Yo soy médico de las palabras. Si alguna vez en tu hablar o en tu conversación hallas que has herido o dañado a alguien, yo lo remediaré con medicinas apropiadas para que el mal no pase de allí.» El hombre devoto no prestó atención a sus palabras, mas en atención al mandamiento de la caridad ordenó que lo llevasen a su casa y a aquellos que lo atendían que no le escatimasen lo que necesitaba.

Pero las susodichas personas envidiosas y malignas, sacando a luz aquella impiedad que los torturaba hacía mucho tiempo, acusaron a este buen hombre ante el rey: que no sólo olvidaba su amistad con el rey y descuidaba la adoración de los dioses y se inclinaba al cristianismo, sino aún más, que estaba intrigando ambiciosamente en contra del poder del rey y estaba desviando al común de las gentes y robándose para sí todos los corazones. «Pero —dijeron— si queréis probar que nuestra acusación no carece de fundamento, llamadlo privadamente y para probarlo decid que deseáis dejar la religión de vuestros padres y la gloria del reino y haceros cristiano y poneros el hábito de los monjes a quienes antes habéis perseguido; habiendo, le diréis, encontrado pecado en vuestra conducta anterior.» Los autores de esta acusación villana en contra del cristiano conocían la ternura de su corazón y sabían que si oía estas palabras del rey le aconsejaría que, una vez hecha esta magnífica elección, no dilatara el cumplir sus buenas resoluciones. Así, ellos serían hallados veraces en sus acusaciones.

Pero el rey, no olvidando la gran bondad de su amigo para con él, pensó que estas acusaciones eran increíbles y falsas; y para no aceptarlas sin alguna prueba, se resolvió a hacer lo que le aconsejaran los acusadores. Así, llamó aparte al hombre y le dijo para ponerlo a prueba: «Amigo, tú conoces toda mi conducta pasada para con aquellos que se llaman monjes y para con los cristianos. Ahora me he arrepentido de ello y, estimando en poco lo presente, querría ser partícipe de aquella esperanza de que les he oído hablar, de cierto reino inmortal en la vida verdadera: porque lo presente queda en verdad cortado por la muerte. Y no de otra manera, pienso yo, puedo tener en ello éxito y no perder la meta sino haciéndome cristiano y diciéndole adiós a la gloria de mi reino y a todos los placeres y goces de la vida; y yendo a buscar a aquellos ermitaños y monjes dondequiera que estén, a los cuales he desterrado, me agregaré a su número. Y ahora, ¿qué dices a ésto? ¿Cuál es tu consejo? Dilo, te conjuro en nombre de la verdad, porque sé que eres el más veraz y sabio de todos los hombres.»

El benemérito varón, al oír esto, sin sospechar jamás la oculta trampa, se conmovió en su espíritu y, deshaciéndose en lágrimas, respondió con sencillez: «Oh rey, vivid para siempre: Buena y sabia es la decisión que habéis tomado. Aunque el reino de los cielos es difícil de encontrar, el hombre lo debe buscar con todas sus fuerzas, pues está escrito: 'El que busca, encontrará'. El gozo de la vida presente, aunque parezca dar deleite y dulzura, nos es arrebatado. En el mismo momento de su existir deja de ser y por nuestro gozo nos devuelve pena siete veces. Su alegría y su tristeza son más débiles que una sombra y como la estela de un barco que pasa por el mar o como un pájaro que vuela por el aire, pronto desaparece. Pero la esperanza de la vida venidera que predican los cristianos cierta es y segura de toda seguridad. Aunque en este mundo hay tribulación, aunque nuestro placer ahora dura poco y a la larga sólo nos depara castigo eterno sin salvación. Porque los placeres de esta vida son temporales, pero sus penas eternas; mientras que los trabajos de los cristianos son temporales, su premio y ganancia son inmortales. Por lo tanto, ha sido bien tomada la decisión del rey; que bueno es cambiar lo corruptible por lo eterno.»

El rey oyó estas palabras y se puso extremadamente airado; mas reprimió su ira y en ese instante no dijo palabra. Pero el otro, siendo perspicaz y de fácil ingenio, se dio cuenta de que el rey había recibido mal sus palabras y que arteramente lo estaba sondeando. Así, al llegar a casa, cayó en una gran tristeza y angustia. No hallaba cómo reconciliarse con el rey y escapar del peligro que pendía sobre su cabeza. Pero mientras estaba acostado y despierto toda la noche, vino a su memoria el hombre con el pie destrozado y lo hizo traer a su presencia y le dijo: «Recuerdo que dijiste que eras médico del lenguaje hiriente.» «Sí —dijo—, y si quieres te doy prueba de mi sabiduría.» El noble le respondió contándole acerca de su antigua amistad con el rey y de la confianza de que había gozado y de la trampa que se le había tendido en la última conversación con el rey; cómo le había dado una buena respuesta, pero el rey había recibido mal sus palabras y cómo por el cambio de su rostro se había revelado la ira que acechaba en su corazón.

El mendigo enfermo pensó y dijo: «Sabe, muy noble señor, que el rey ha dado cabida a la sospecha contra ti, de que tú le usurparás el reino y por eso habló como habló para sondearte. Levántate, por tanto, y córtate el cabello. Quítate estas tus finas vestiduras y ponte un sayal y al romper el día preséntate ante el rey; y cuando él te pregunte qué significa tu vestidura, respóndele: 'Tiene que yer con lo que me habéis comunicado ayer, ¡oh rey! He aquí que estoy listo a seguiros por el camino que deseáis emprender. Aunque el lujo es deseable y dulce lo pasajero, que Dios no permita que yo lo abrace después de que os hayáis ido. Aunque el camino de la virtud que estáis para emprender es difícil y áspero, en vuestra compañía lo hallaré fácil y placentero. Porque así como he participado en vuestra prosperidad, así ahora quiero tener parte en vuestros apuros. En lo venidero, lo mismo que en el pasado, pueda yo ser vuestro compañero'.» Nuestro noble señor, aprobando las palabras del enfermo, hizo como le decía. Cuando el rey lo vio y lo oyó, se alegró mucho y sin medida lo gratificó por su fidelidad. Vio que las acusaciones en contra de su consejero eran falsas y lo elevó a mayor honor y a gozar más de su confianza. Pero en contra de los monjes, otra vez se enfureció sin medida, declarando que esto era de su enseñanza, etc.

2. *El Libro de los Exemplos,* § 75 [4], p. 77 de la edición de Keller y p. 448 de la edición de Gayangos.

Un rey muy cruel con los christianos tenía en su servicio un ombre mucho bueno e discreto e era christiano e ascondidamente por themor del rrey. E este yendo a caça un dia, fallo un ombre que le avia derribado una bestia en tierra, e tenia el pie quebrado de la cayda, e rrogole que non le dexasse alli, ca le podria aprovechar por quanto el hera fisico de palabras. E aquel buen ombre, non por esto, mas por amor de Dios, levolo a su casa e fizo curar del en manera que sanasse. En tanto acaesçio que unos invidiossos e maliçiossos, queriendo fazer aqueste buen ombre caer en yra del rrey, acusaronlo que era christiano e que negava sus dioses. El rrey fue muy triste porque lo amava mucho; e para saber esto, llamolo en secreto e dixole:

—Amigo, bien sabes quantos males he fecho a christianos; agora yo me arrepiento dello, e menospreciando este mundo presente con esperança de aquel rreygno en el qual non ha muerte que ellos predican e yo desseo mucho alcançar la otra vida que es por venir; ca esta presente la muerte la destajara; e piensso que non puedo otra manera alcançarla salvo si fuere christiano, e rrenunciare la gloria deste mi rreyno e todos los otros plazeres e deleytes desta vida; e buscare los monjes e hermitaños que persegui injustamente ondequiera que los podiere fallar, e feziere mi vida con ellos. ¿Tu, que me dizes a aquesto? ¿Que consejo me das? Dime la verdat, ca te conosco verdadero e bueno sobre todos los ombres.

Quando el oyo esto, non pensando el engaño ascondido, con grand contriçion del coraçon e con lagrimas rrespondió:

—O sseñor rrey, bive para sienpre. Sano consejo e saludable fallaste; ca grave cosa es fallar el rreygno de los çielos, empero es de buscar con toda virtud; ca el que lo busca, fallalo. Los deleytes desta presente vida, sy agora son alegres e con deletaciones, empero deven de ser lançados porque el su ser es ninguna cosa, e lo que alegra después entristeçe siete veces mas; e los sus bienes son mas fracos que la sombra, e son como el camino de la nao que pasa por la mar, e commo el ave que vuela en el ayre, que luego desaparesce; e la esperança; de la vida por venir que predican los christianos es firme, stable, ahunque en este mundo han tribulaçion. Mas la nuestra que agora es alegre de breve tiempo non fallara synon penas e tormentos. E el trabajo de los christianos es temporal; e el gozo e compania que esperan es para siempre, pues endresça tu buena voluntad, ca mucho grand bien es trocar las cosas que fallescen por las que siempre han de durar.

E quando el rrey oyo esto, fue muy triste; empero callo la yra e non dixo cossa alguna al buen ombre. E el como era sabio e de sotil engenio, conoscio quel rrey oviera pessar de sus palabras e que por engaño lo temtara. E tornando a su casa, pensava por que manera podría atraher al rrey, e como escaparia del peligro que le estaba aparejado, e toda noche non dormio. Acordosse del ombre que trayera a su casa del pie quebrado, e llamolo e dixole:

—Mienbrame que me dixiste que eras fisico de palabras e procurador de los males.

E el dixo:

—Verdat es, e sy lo has mester, yo te mostrare luego mi arte.

E luego el buen ombre rrecontole todo el negocio como oviera gran amistad con el rrey, e confiava mucho el rrey del, e que con engaño le demandara consejo, e que bien mostro de dentro la yra. El pobre que dezia ser fisico de palabras, pensso entre ssi mesmo un poco, e dixo:

—Señor mio, sabe que el rrey tiene muy mala sospecha

de ty commo que querias tu tomar el rreyno, e lo que te dixo fue por te temptar e provar. E levantate de buena mañana e corta los tus cabellos e dexa estas vestiduras preciosas, e vistete celiçio, e de grand mañana vete para el rrey. E el te preguntara que quiere dezir este abito. Tu rresponde: «Señor, por lo que tu fablaste ayer, yo presto esto seguirte por la via que tu desseas andar; ca si los deleytes e alegrias son de amar, nunca usare dellos sin ti. La via de virtudes a que tu quieres yr, comoquiera que sea grave e aspera, a mi sera ligera e deleytossa e llana estando contigo. E assi commo fue compañero en los bienes, assi me averas en los trabajos por que sea parcionero en los bienes que estan por venir contigo. E aquel noble ombre esta *(sic)* e tomo bien las palabras de su enfermo fisico e fizolo anssy.

E quando el rrey vio el habito e oyo las palabras que le dixo, maravillose muy mucho, e entendio que era verdadera la amistança que con el avia e que era falssedat lo que contra el dexiera. E de alli adelante fizole mucha mas onrra e confio mucho mas del. E ovo saña de los monjes deziendo que ellos davan estas dotrinas por tirar a los ombres de los deleytes deste mundo.

3. JACOBO DE VORAGINE, *Legenda aurea* (cap. 180, p. 812). Cómo el ejemplo 215 del *Libro de los Exemplos* (p. 219 de Keller y p. 499 de Gayangos) es una traducción fiel de la *Legenda aurea,* publicó los dos textos paralelamente.

De Sanctis Barlaam et Josaphat.—*Eodem tempore erat cum rege vir quidam christianissimus sed occultus, qui inter nobiles regis principes primus erat. Hic cum aliquando cum rege ad*

Exemplo 215.—Con un rrey pagano bevia un cavallero que era muy fiel cristiano, ahunque encobiertamente, e entre todos los prinçipes del rrey el era el primero e mas açercado

venandum ivisset, hominem quemdam pauperem, pedem laesum a bestia habentem et in terra jacentem, invenit, a quo rogatur, ut se suscipere debeat, quia sibi in aliquo forsitam prodesse posset. Cui miles dixit: ego quidem te libenter suscipio, sed in quo utilis inveniaris, ignoro. Et ille dixit: ego homo medicus sum verborum; si enim aliquis in verbis laedatur, congruam scio adhibere medelam. Miles autem, quod ille dicebat, pro nihilo computavit, propter Deum tamen ipsum suscipiens ejus curam egit. Viri Tamen quidam invidi et malitiosi videntes, praedictum principem in tanta gratia esse regis, ipsum apud regem accusaverunt, quod non solum ad christianorum fidem declinasset, sed insuper regnum conabatur sibi surripere turbam sollicitans et sibi concilians. Sed si hoc inquiunt, ita

---

a el. Un dia, yendo a caça con el rrey, fallo a un ombre pobre que estaba ferido en el pie de una bestia, e yazia en tierra. E rrogole que le ploguiesse de lo rreçebir, que en alguna cosa por aventura lo podrie aprovechar. El cavallero le dixo: —Plazeme de te rreçebir, mas non se en que tu me puedas aprovechar. E el pobre dixo: —Yo soy fisico de palabras, ca si alguno resçibe daños en palabras, yo le se dar melezina convenible. El cavallero rreputo por nada lo que le dezie; enpero por amor de Dios rresçebiolo e fizolo sanar. Algunos cavalleros enbidiosos e maliciosos, veyendo que aquel prinçipe tenia tanta gracia con el rrey, que non solamente declinava a la fe de los cristianos, mas que se trabajava de le privar del rreyno, conmoviendo a los pueblos e atrayendolos assi, dixieron al rrey: —Señor, si tu quieres saber esto, llamalo en secreto e dile commo esta vida es muy breve e por ende que tu quieres dexar la gloria del rreyno e tomar el abito de los monjes, los quales fasta aqui tu has perseguido por ignorançia e non saber. E estonçe veras lo que te rrespondera. El rrey llamolo e dixole segund que los otros avian enformado. E el non sabiendo del

esse, o rex, scire desideras, ipsum secreto advoca et vitam hanc cito finiendam commemora et idcirco gloriam regni te velle derelinquere et monacorum habitum assumere asseras, quos tamen ignoranter hactenus fueras persecutus, et tunc videbis, quid tibi responderit. Quod cum rex omnia, ut illi suaserant fecisset, ille doli ignarus perfusis lacrymis propositum regis laudavit et vanitatem mundi rememorans quantocius hoc adimplendum consuluit. Quod rex audiens et verum esse, quod dixerant, credens, furore repletus est, nihil tamen sibi respondit, vir autem perpendens, quod rex graviter verba sua acceperat, tremens abscessit et medicum verborum se habere recolens omnia sibi narravit. Cui ille: notum sit tibi, quod rex suspicatur, ut propter hoc dixeris, quod ejus regnum velis invadere; surge igitur et comam tuam tonde et vestimenta abjiciens cilicium indue et summo diluculo ad regem ingredere, cumque rex, quid tibi hoc velit interrogaverit respondebis: Ecce, rex, paratus sum sequi te, nam etsi via per quam ire cupis difficilis sit,

---

engaño e de la maldat, llorando e con lagrimas alabo mucho el propósito del rrey, trayendole a memoria la vanidat deste mundo e que compliesse luego aquel buen proposito. El rrey quando oyo esto, creyendo ser verdat lo que le avien dicho los maliçiosos, fue turbado, empero non le rrespondio cosa alguna. E el prinçipe entendio commo el rrey a mala parte tomara lo que le avie dicho. E el, temeroso desto, partiosse del e acordosse commo tenye el fisico de palabras. E fue a el e dixole todo commo passara. E el rrespondió: —Sabes que el rrey ha sospecha por esto que le dixiste que le quieres tomar el rreyno. Ve e faz cortar tus cabellos e lança essas vestiduras preçiosas, e vistete de çiliçio e duelo, e de buena mañana entra al rrey. Et el preguntarte ha que quiere ser esto, e tu rresponde: «Señor, yo presto esto de seguirte, ahunque la via que tu quieres tomar es muy grave e trabajosa, estando contigo sera a mi legera e deleytosa. E assi commo me oviste conpañero *tecum tamen exsistenti facilis mihi erit; sicut enim socium me habuisti in prosperis sic habebis pariter in adversis; nunc igitur praesto sum, quid moraris? Quod cum ille per ordinem fecisset, rex obstupuit et falsarios arguens virum ampliore honore ditavit.*

---

en la vienandança, assi me averas en la adversidat e trabajo. Pues yo presto esto, ¿por que te tardas?» E el prinçipe fizo todo esto quel fisico le mando. E el rrey, quando esto vio, maravillosse e rreprehendio fuertemente a los falsarios que la avien acusado, e de alli adelante amolo mas e fizole muchas mas honrras.

* * *

Exemplo 2

De lo que contesçió a un omne bueno con su fijo.

1. *Tabula Exemplorum* (§ 265, p. 69).

Nota asimismo el ejemplo del hijo que le pidió al padre que le enseñara algo sabio. Respondió el padre: «Móntate en el asno.» Así lo hizo y el padre lo siguió por el barro. Entonces los caminantes se burlaban del padre porque siendo anciano, había hecho montar al joven. Después, en segundo lugar, subió el anciano; y entonces otros caminantes se burlaban porque hacía ir por el barro al tierno jovencito y él se había montado en el burro. Tercero, ambos se montaron en el asno. Entonces otros se burlaban porque estúpidamente mataban el asno. Entonces dijo el padre: por esto puedes ver que por cosa que en la vida hagas siempre serás reprendido.

2. *Scala coeli* (§ 745).

Refiere Jacobo de Vitry (2) que yendo uno al mercado con su asno los que lo veían murmuraban porque no montaba el asno; subiéndose, como hubiese caminado un poco, otros murmuraban porque él montaba el asno y el niño iba de a pie; bajándose puso al niño sobre el asno. Y como hubiesen caminado algo más, otros murmuraban diciendo que más bien ellos debían llevar al asno y no el asno a ellos. Entonces el padre dijo al hijo: «Hijo, aprende aquí la mejor lección: de cualquier modo que vayamos murmurarán las gentes y, por tanto, no cuides de sus palabras, sino tan sólo de que puedas en justicia hacer lo que te es útil.»

3. *Ulrich Boner* (3).

Un hombre iba con su hijo y su asno al mercado. El montaba, el hijo caminaba. La gente que vio que el hombre montaba y el muchacho iba al lado, dijo: «Es mejor que deje montar al muchacho y que él camine.» Y cuando el viejo oyó eso se bajó y dejó montar al hijo. Entonces dijo la gente: «El viejo debe estar loco dejando montar al muchacho.» Inmediatamente el viejo se montó en el asno con su hijo. Entonces dijo la gente: «Quieren matar el asno; el viejo debería montar y el muchacho ir al lado.» Entonces dijo el padre: «Caminaremos los dos; el asno debe tener un descanso.» Así caminaron al lado del asno desocupado. Entonces dijo la gente: «Ved cuán locos son; dejan que el asno camine desocupado.» A eso dijo el padre: «Carguemos el asno. Veamos qué va a decir la gente.» Lo colgaron de las patas amarrado a un palo

---

(2) Este ejemplo no se halla en la obra de JACOBO DE VITRY. Cf. K. GÖDEKE, «Asinus Vulgi», *Orient und Occident* (Göttingen, 1862), vol. I, p. 542.

(3) El texto que publico es traducción castellana de la versión alemana que aduce GÖDEKE *(op. cit.*, p. 535). La obra de BONER aparece en FRANZ PFEIFFER, *Der Edelstein von Ulrich Boner* (Leipzig,

y lo llevaron cargado. Entonces dijo la gente: «¡Dos hombres cargando un asno! Lo justo es que él los lleve. ¡Bien podemos ver que están locos!» Entonces el viejo habló así: «Podemos hacer lo que queramos. De cualquier manera que obremos siempre nos llamarán locos. Por tanto, yo te aconsejo que obres bien y correctamente. Quien obra bien, será feliz.» Casi nadie puede estar libre de culpa y sin ser criticado nadie puede vivir. Si uno quiere permanecer honrado a pesar de lo que diga la gente, uno no debe cambiar. Se debe hacer lo que le conviene a uno. El mundo está tan lleno de malicia que a pesar del bien que una persona haga no le reconocen ni la mitad. Mucha gente con ojos para ver es tan ciega y tan envenenada en su corazón que habla siempre de lo peor. Si uno quiere protegerse de esto, sea hombre o mujer, dé a Dios muchas gracias si sale librado sin el ridículo del mundo.

4. THOMAS WRIGHT, *Latin Stories* (§ 144, p. 129).

El viejo y el asno. Un ejemplo de cierto hombre que está incluido en los ejemplos, quien, porque las personas que lo encontraban lo condenaban por cabalgar él mientras dejaba que su tierno hijo lo siguiera, subió a su hijo en el asno. Cuando lo condenaron porque escogía al hijo que era ágil y podía correr bien y no a sí mismo, viejo y débil, ambos caminaron. Cuando aquellos a quienes encontraban los condenaron porque querían más al asno que al hijo o a sí mismo y le daban descanso, ambos se subieron en el asno. Cuando los condenaron porque casi mataban al pequeño animal con el peso, atando las patas del asno a un palo lo llevaron entre los dos. Cuando los creyeron locos el padre le dijo primero al hijo: «Hijo, por esto ves que en todo lo que hicieres serás condenado. (Mi consejo es que ignores tales juicios y hagas lo que creas más útil y

---

1844) y en J. G. SCHERZ, *Philosophia moralis Germanorum medii aevi specimina* (Argents, 1704-1710), I-XI, 4, fábula 49.

no dejes de hacer el bien por tales juicios.» Luego le dijo al asno: «Vete, vete, Baudewin...») (4).

5. *The Alphabet of Tales* (§ 765, p. 510).

Verbum. Verbo non est semper adherendum. Leemos como cierta vez un hombre tenía un asno y lo montó y un hijo pequeño que tenía lo seguía de a pie. Y hubo hombres que se los encontraron, entre los cuales unos dijeron: «Oh, qué tonto es este viejo campesino que se monta él mismo y deja que su hijo corra en el barro.» Y cuando pasaron, ambos se montaron. Entonces encontraron otra gente que dijo: «En verdad, estos dos están locos, porque van a matar el asno.» Y cuando pasaron, él y su hijo se bajaron y dejaron que el asno fuese solo. Entonces encontraron a otros hombres y dijeron: «Estos hombres son tontos, pues ambos van a pie y ninguno de ellos monta.» Entonces subió a su hijo y él mismo se fue a pie. Y entonces encontraron otra gente que dijo: «Mirad qué tonto es el viejo campesino; él mismo va a pie y deja montar a su hijo, quien camina mucho mejor de lo que él puede.» Y entonces él y su hijo levantaron el asno y lo llevaron y entonces encontraron ellos otros hombres que dijeron: «Mirad estos locos. Cómo llevan al asno que los debiera llevar a ellos.» Entonces descargó el asno y dijo a su hijo: «Mira, hijo; aquí puedes ver como por cualquier cosa que hagamos siempre nos culparán los hombres y hablarán de nosotros. Y, por tanto, no es conveniente fijarse en lo que dicen y así el hombre obrará bien.»

6. *Los Cuarenta Visires* (5).

---

(4) K. GÖDEKE *(op. cit.,* p. 537), opina que THOMAS WRIGHT da la versión de BROMYARD en la *Summa praedicantium* (Judicium humanum, 10, 22). Lo que BROMYARD agrega es lo que yo publico entre paréntesis.

(5) Publico aquí una traducción de la versión alemana que aduce K. GÖDEKE, *op. cit.,* p. 539.

Cuenta la tradición que una vez un viejo jardinero dejó que su hijo montara en un asno mientras él caminaba en el jardín. Algunas personas se lo encontraron y dijeron: «Mirad a este viejo chistoso que deja a su joven montar mientras él trota a su lado.» Cuando el viejo oyó esto lo hizo bajar y él se montó en el asno. Entonces notó que algunas personas lo miraban y decían: «Ved a este viejo injusto que deja caminar al niño inocente, mientras él trota aquí y allá en el asno.» Al oír esto, el viejo puso al muchacho en el asno detrás de él. Como otra vez lo viesen unas personas, dijeron: «Ved a este viejo enamorado que lleva al muchacho detrás de él.» Cuando el viejo oyó esto hizo sentar al chico enfrente de él en el asno. Unas personas otra vez observaron esto y dijeron: «Ved a este viejo corrompido que ha puesto al muchacho enfrente de él.» Cuando el viejo oyó también esto, ambos se bajaron del asno y fueron a pie y dejaron que el asno trotara delante de ellos, desocupado. Otra vez unas personas vieron esto y dijeron: «¡Oh, qué absurdo! El asno va desocupado y ellos se toman la molestia de caminar.» En definitiva, el viejo ya no pretendió apaciguar a la gente y ya nunca hizo con su hijo lo que la gente quería. La reina agregó a esto: «¡Oh rey! Os he recitado esta fábula para que reconozcáis que nadie está libre de las lenguas de la gente. Uno dice esto y el otro dice aquello.»

* * *

Exemplo 3

Del salto que fizo el rey Richalte de Inglaterra en la mar contra los moros.

I. Tema del ermitaño que quiere saber su puesto en el cielo.

1. *Mahabarata* (6).

Un ilustre brahmán llamado Kauçika, que estudiaba los libros sagrados y hacía penitencias fuertes, estaba una vez recitando los Vedas al pie de un árbol en cuya copa tenía su nido una grulla; ésta manchó con su estiércol al brahmán, el cual, enojado, la maldijo, y al punto cayó muerta. Muy pesaroso el brahmán de su cólera injusta, se apartó de allí y fuese a recoger limosna a la aldea. En una casa la dueña le mandó aguardar un poco, mientras ella limpiaba el cacharro para darle comida; pero he aquí que en esto llegó el amo, cansado, muerto de hambre; y la dueña, olvidándose del brahmán, sirvió al marido, disponiéndole el baño de pies, el enjuague, alargándole la silla, presentándole los manjares...; la mujer de los ojos negros adoraba a su marido como a un dios y no cesaba de ir y venir, atendiéndole en lo que necesitaba, ensimismada, sin pensar en otra cosa. Al fin reparó de nuevo en el brahmán y corrió a darle una limosna. El le preguntó: «¿Por qué me has hecho aguardar y no me has despedido?» Y la buena mujer, como si le viera encenderse en cólera, le respondió halagüeña: «Perdóname, maestro; mi esposo es mi más alta deidad, acaba de llegar fatigado y le he servido.» El mendigante no se calmaba: «Tú no has honrado al brahmán como debías, pues has preferido a tu marido; el mismo Indra venera a los brahmanes, ¿cuánto más no debe hacerlo un mortal? ¡Ah loca! ¿No has oído de los viejos que los brahmanes son iguales al dios del fuego y pueden hasta abrasar la tierra?» La mujer respondió: «No te irrites, santo penitente. ¿Qué castigo me envías con ese mirar airado? Jamás he despreciado a los sabios brahmanes, cuyo poder conozco: las ondas del mar fueron secadas por su ira, y aún dura el

(6) Publico la versión del cuento tomada de don RAMÓN MENÉNDEZ PIDAL, *Estudios literarios* (Madrid, Austral, 1968), pp. 14-18.

fuego que su indignación encendió en la selva de Dandaka. Pero yo me he consagrado al culto de mi esposo; éste es de todos los dioses mi más alto dios, y antepongo mis deberes para con él a todos los otros. Bien sé que la grulla ha sido abrasada por el fuego de tu ira; la ira es el peor de los enemigos del hombre y quien ha domado el amor y la cólera, quien estima a todos los hombres como a sí mismo, a éste reconocen los dioses por verdadero brahmán. Tú, aunque venerable, puro, ejercitado en el bien y consagrado al estudio, me parece que aún no conoces la virtud, en su verdadera esencia. Si conoces la más elevada virtud, vete a la ciudad de Mithila y busca al santo cazador Dharmavyadha; éste, respetuoso servidor de sus padres, dueño de sus sentidos, te hará conocer los sagrados deberes. Y perdona mi osadía en hablarte así, pues el que se esfuerza en la bondad respeta a la mujer.» El brahmán se humilló: «Tu reprensión ha curado mi enojo; bendita seas; iré donde me ordenas.» Y dando crédito al mandato por la prodigiosa revelación del caso de la grulla y cautivado por el dulce hablar de la buena esposa, se dirigió a Mithila, atravesando bosques, ríos y pueblos. Cuando llegó a la espléndida ciudad, tomó entre los brahmanes informes del cazador Dharmavyadha, le buscó y hallóle en el matadero vendiendo caza y carne de búfalo. El cazador, al ver al brahmán que se había puesto separado de los compradores, fue a él y lo saludó: «Bienvenido seas, venerable; soy un cazador. ¿En qué puedo servirte? Ya sé que te dijo la casta esposa: ¡Ve a Mithila! Sé toda la causa de tu viaje.» Y el brahmán quedóse asombrado de este segundo prodigio, parejo con el saber la mujer la muerte de la grulla. El cazador halló la estancia en el matadero indecorosa para el brahmán y le llevó a su casa. Allí, después de tomar asiento, habló el brahmán sobre el oficio de cazador, que, pues consiste en hacer daño a seres vivientes, es considerado en India como pecaminoso: «¡Qué ocupación la tuya! Me duelo muchísimo del espantoso oficio que tienes.»

El cazador respondió: «Esta profesión viene en mi familia de mi abuelo a mi padre y no me enoja proseguir en el oficio heredado; cumpliendo con el género de vida que ha dispuesto el Creador, sirvo respetuosamente a mis viejos padres, no abrigo rencores, doy la limosna que puedo, amparo al huésped y al sirviente, vivo yo con lo que me sobra, no desprecio a nadie ni murmuro de los poderosos. Lo que hago en esta encarnación es resultado de lo que hice en las anteriores. Repara que el mundo necesita igualmente las artes manuales, que son patrimonio de la casta de los çudras; la agricultura, que pertenece a la casta de los vaiçyas; la guerra, propia de los caballeros; la penitencia, los Vedas y la verdad que cultivan los brahmanes.» (Luego se entabla un largo coloquio acerca de la perfección moral entre el brahmán que interroga y el cazador que contesta; el cazador expone los misterios de la transmigración, del bien y del mal obrar, del alma del mundo y del alma individual; al fin el diálogo torna al asunto primero): «Mi oficio es, sin duda, horrible, pero es difícil escapar a la fuerza del destino, y el que cumple sus deberes hace desaparecer lo espantoso que éstos puedan llevar en sí mismos; yo cumplo mi deber sirviendo a todos la carne que necesitan para su alimento; hasta a los ermitaños se les permite comer carne; y además, ¿cuántos seres vivientes no aplasta el hombre con su pie al andar?» El brahmán, admirado de toda su doctrina, exclama: «Tu ciencia es celestial, ¡nada hay de los deberes que tú no conozcas!» El cazador le interrumpe: «Mira, ¡oh gran brahmán!, cuál es el deber a que yo debo tanta perfección; levanta y entra en el interior de mi casa.» El brahmán entra y ve una vivienda encantadora, llena de perfumes, lujosamente adornada; parecía el alcázar de los dioses. Allí estaban los padres del cazador sentados en hermosas sillas, envueltos en blancas vestiduras. El cazador al entrar se arrodilló ante ellos y los dos ancianos le bendecían: «Levanta, alza tú, el que mejor conoces los santos deberes; tu sumisa obediencia no nos falta nunca. ¡Dios te dé larga vida y la sabiduría más alta!» Luego el cazador dijo al brahmán: «Estos mis padres son para mí la más grande divinidad; como los treinta y tres dioses a cuyo frente está Indra merecen la veneración de todo el Universo, así merecen la mía estos dos ancianos a quienes dedico, como a los dioses, flores, frutos y otras ofrendas; ellos son para mí el fuego sagrado, el holocausto, los cuatro Vedas. Yo mismo lavo y seco sus pies, yo mismo les sirvo el alimento; hablo lo que a ellos contenta, evito lo que les disgusta; hasta lo prohibido hago si les agrada. Gracias al poder de la virtud, he alcanzado la mirada de vidente, y sé toda tu vida. Pues bien: yo deseo tu salud, ¡oh brahmán!, y te la quiero mostrar. Tú abandonaste a tu padre y a tu madre, dejaste la casa sin su licencia, para recitar los Vedas, y en esto has obrado mal: tus padres han cegado con la amargura que sienten por tu causa. Vuelve a recobrar su amor. Eres virtuoso, grande de alma, y el deber siempre es un gozo para ti; pero todo esto te es inútil. Mira que te aconsejo lo que es tu salvación. Ve sin tardanza a tu padre y a tu madre, sírvelos y venéralos; no conozco virtud más alta que ésta.» El brahmán, arrepentido, dijo: «Honraré, según dices, a mis padres. He sido salvado por ti cuando iba derecho al infierno. Dios te bendiga, que pocos hay que enseñan la virtud como tú. Pero esta superioridad tuya me hace creer que no eres un çudra como otro cualquiera de esta vil casta.» El virtuoso cazador le refirió entonces que el cuerpo que en la anterior existencia había revestido era un docto brahmán y cierto día andando a caza había herido por mala desgracia a un vidente, y éste le maldijo y le condenó a que renaciera del vientre de una mujer çudra y fuera un cruel cazador; pero aunque çudra, sería conocedor del deber, veneraría a sus padres, y por esta virtud lograría la perfección, poseería el recuerdo de las encarnaciones anteriores, alcanzaría el paraíso y en otra existencia posterior volvería a ser brahmán. Al oír tan estupendo caso, el brahmán peregrino consolaba al cazador: «Tú tienes un oficio horrible, pero luego llegarás a ser brahmán; el brahmán malo que merece el infierno es igual a un çudra, mientras el çudra que se afana por domar los sentidos debe ser considerado como un brahmán, pues lo es por sus obras.» El cazador le manifiesta que no necesita ningún consuelo, pues vive tranquilo; ambos se despidieron, y el brahmán mostró en adelante respetuosa obediencia a sus padres.

2. *San Antonio.* (MIGNE, *Latina,* vol. 73, p. 785).

Al beato Antonio, mientras oraba en su propia celda, le llegó una voz que le decía: «Antonio, aún no has llegado a la medida de santidad de un curtidor que vive en Alejandría.» Oyéndolo, se levantó el anciano por la mañana y cogiendo el báculo, vino rápido a la ciudad de Alejandría. Cuando llegó donde estaba el dicho hombre, éste, al ver a tan alto varón, se quedó admirado. Le dijo el anciano: «Refiéreme tus obras, pues por ti, dejado el desierto, aquí he venido.» Respondiéndole le dijo: «No sé que haya hecho yo jamás nada bueno; por eso, cuando por la mañana me levanto de mi cama antes de entregarme a mi trabajo, me digo que en toda esta ciudad, del menor al mayor, entrarán todos en el reino de Dios por sus méritos y sólo yo por mis pecados entraré en las penas del infierno. Y de esa verdad, por la mañana y antes de descansar por la tarde, estoy seguro en mi corazón.» Al oírlo el beato Antonio respondió: «En verdad, hijo, como buen trabajador del oro, quedándote en tu casa en paz has alcanzado el reino de Dios; yo, empero, al parecer sin discreción, he pasado todo mi tiempo en la soledad y no he alcanzado la medida de lo que me dices.»

3. *San Macario.* (MIGNE, *Latina,* vol. 73, pp. 1013 y 777).

Una vez, orando en su celda, al mismo Abad Macario le

llegó una voz que decía: «Macario, aún no has llegado a la medida de santidad de dos mujeres de la ciudad.» Levantándose el anciano por la mañana, tomó su vara de palma y empezó a dirigirse a la ciudad. Cuando llegó, encontró el lugar, llamó a la puerta. Una de ellas, saliendo, lo recibió en su casa. Cuando se sentó, las llamó a las dos y cuando vinieron se sentaron con él. Les dijo el anciano: «Por vosotras me he impuesto tanto trabajo; decidme ahora vuestras obras, cuáles y cómo son.» Y ellas dijeron: «Creednos que anoche la pasamos con nuestros maridos. ¿Qué obra buena podemos tener?» Pero el anciano les rogaba insatisfecho que le dijeran su buena obra. Entonces le dijeron: «Nosotras, en realidad, no vivimos conforme al mundo. Nos casamos con dos hombres hermanos según la carne. Hoy cumplimos quince años de habitar la misma casa y no creemos haber peleado entre nosotras ninguna vez, ni habernos dirigido palabras malas, sino que en paz y en concordia hemos pasado todo este tiempo. Nos vino el deseo de entrar ambas en un monasterio de monjas, y al pedírselo a nuestros maridos, no nos lo consintieron. Como no pudimos llevar a cabo ese designio, hicimos un pacto con Dios: que hasta la muerte nunca saldrá de nuestra boca una conversación mundana.» Al oír esto el Abad Macario dijo: «En verdad digo que ni a la virgen ni a la que tiene marido, ni al monje ni al seglar en particular, sino que a todos da Dios su Espíritu Santo según su estado.»

Los dos Padres y Eucaristo. (MIGNE, *Latina,* vol. 73, p. 1006).

Dos de los Padres le rogaban a Dios que les mostrase a qué grado de santidad habían llegado, y les llegó una voz que les decía: «En la villa que está en Egipto hay un seglar de nombre Eucaristo y su mujer se llama María. Todavía no habéis llegado al grado de santidad de los dos.» Levantándose aquellos dos ancianos fueron a esa villa. Preguntando encontraron la habitación del hombre aquel y de su mujer. Le dijeron a ésta: «¿Dónde está tu marido?» Y ella les dijo: «Es pastor de ovejas y las está apacentando.» Los introdujo en su casa. Cuando se hizo tarde, vino Eucaristo con las ovejas y viendo a aquellos ancianos, les preparó la mesa y puso agua en una palangana para lavarles los pies. Le dijeron: «No probaremos nada hasta que nos indiques qué obras haces.» Entonces Eucaristo les dijo con humildad: «Yo soy pastor de ovejas y ésta es mi esposa.» Aunque los dos ancianos perseveraban rogándole que se lo dijese todo, él no quería decírselo. Entonces le dijeron: «El Señor nos mandó a ti.» Al oír estas palabras, le dio temor y les dijo: «De nuestros padres recibimos estas ovejas y de lo que Dios me da de ellas hacemos tres porciones: una para los pobres, otra para recibir a los peregrinos y la tercera para nuestro uso. Desde que recibí a mi esposa, ni yo ni ella nos hemos manchado; ella es virgen y dormimos separados el uno del otro; y por la noche nos ponemos sacos de penitencia y de día usamos nuestros vestidos. Hasta ahora ningún hombre ha conocido esto.» Cuando aquellos Padres oyeron esto, se retiraron glorificando al Señor.

Versión del siglo XV. KLAPPER, § 5, p. 233.

De la concordia entre el marido y la mujer. Se lee en las vidas de los Padres que cierto ermitaño le rogó al Señor que se dignara mostrarle con quién debía ser premiado en el cielo; y le dijo el Señor que se fuera a la ciudad vecina y buscara a un hombre llamado Teotisco, quien con él debía ser premiado. Poniéndose inmediatamente en camino llegó a la casa de Teotisco, cuya esposa salió al encuentro del varón de Dios, recibiéndolo benignamente. Al preguntar por el señor de la casa, se le dijo que estaba en el campo, pues tenía unas ovejas que él apacentaba solo y que si iba hacia las ovejas lo encontraría. Como lo recibiera con benignidad y lo invitara a sentarse a la mesa, le dijo el ermitaño: «No comeré hasta que me digas la forma en que sirves a Dios.» Y él le dijo con sencillez: «Reverendo padre; sirvo a Dios a pesar de que soy rudo y no sé cómo servir a mi Creador.» Pero como el ermitaño preguntase insistentemente, dijo: «Ya que le place a Dios que os lo diga, he permanecido en virginidad con mi esposa desde la juventud hasta tener canas y jamás, hasta hoy, nos ha turbado la discordia; ni he injuriado a nadie con ninguna palabra. Del fruto de estas ovejas, una parte la gasto en los peregrinos y en los pobres; una segunda parte la doy a la Iglesia y sus ministros, y de la tercera parte, vivo con mi esposa y mi familia».

4. *San Pioterio y la monja.* (MIGNE, *Latina,* vol. 73, pp. 984 y 1140).

Narra San Basilio obispo que en cierto monasterio de mujeres hubo una monja que simulaba estar loca y poseída del demonio y así era tenida erróneamente por las demás, a tal punto que ni los alimentos tomaban con ella. Tal vida había ella elegido, que sin salir de la cocina, en ella prestaba todo su servicio y era, según el decir popular, el trapo de limpieza de toda la casa; y probaba cumplido en sí misma lo que leemos escrito en los libros santos: «Si alguno de vosotros —se dice— cree que es sabio en este mundo, hágase el loco, para hacerse sabio.» (I Cor. 3). Esta monja se amarraba en la cabeza una simple tela y así servía a las demás; en tanto que las otras monjas, rapada la cabeza, se cubrían con tocas. Ninguna de las cuarenta monjas jamás la pudo ver comer y nunca en su vida se sentó a la mesa. De ninguna recibió la más pequeña porción de pan, sino que parecía contenta con el solo alimento de las migas que limpiaba de la mesa y el agua del lavado de las ollas. A nadie injurió jamás; ninguna la oyó murmurar; y a nadie jamás le habló ni poco ni mucho. Precisamente cuando todas la golpeaban y vivía bajo la animosidad de todas y sufría sus maldiciones, se le apareció el ángel del Señor a San Pioterio, varón santísimo que vivía siempre en el desierto y estaba entonces sentado en un lugar llamado Porfirite y le dijo estas palabras: «¿Por qué te crees ser algo grande y santo viviendo en este lugar? ¿Quieres ver a una mujer más santa que tú? Vete al monasterio de monjas de Tabenesiota y hallarás allí a una de ellas que tiene en la cabeza una corona y comprueba cómo ella es mejor que tú. Mientras batalla sola día y noche contra tanta gente, su corazón nunca se aparta de Dios. Tú, empero, que resides en un lugar, solo, y no viajas a ninguna parte, vagas con el espíritu y los pensamientos por todas las ciudades.» Al punto se fue al sobredicho monasterio y les rogó a los superiores de los hermanos que lo introdujeran en el tramo reservado a las mujeres. Ellos, con gran confianza, lo hicieron entrar porque era no sólo hombre de vida muy de alabar, sino también avanzado en edad. Una vez entrado, quiso ver a todas las hermanas, entre las cuales la única que no veía era aquella por la cual había venido. Al fin dijo: «Traédmelas a todas —dijo—, pues me parece que falta una.» Le dicen: «Una loca tenemos allí dentro en la cocina.» (*Loca* llaman a la atormentada por el demonio.) Pero él dijo: «Mostrádmela a ella también para que yo la vea.» Al oírlo, empezaron a llamar a la sobredicha monja, la cual no quería oír, según creo, por cierto presentimiento o quizás por revelación divina. Le dicen: «El santo Pioterio desea verte.» Era un varón de gran fama y renombre. Cuando se la presentaron y vio que tenía la cabeza envuelta en una tela, se arrojó a sus pies diciendo: «¡Bendíceme!» Entonces ella también se arrojó a sus pies diciendo: «¡Bendíceme tú, señor!» Todas las hermanas se admiraron diciendo: «No queráis, oh santo Abad, sufrir tal injuria; ésta que ves es una fatua.» Y San Pioterio les dijo esto a todas:

«Vosotras sois las fatuas; ésta es Ama vuestra y mía (*Ama* llaman a la madre espiritual). Y pido a Dios que yo pueda ser hallado digno de ella el día del juicio.» Al oírlo, todas se postraron a sus pies, cada una confesándole sus varios pecados propios. Esta decía que lavando la mugre de las ollas se lo había echado encima. Otra recordaba que con frecuencia le había dado de puños. Aquélla se lamentaba amargamente de haberle llenado las narices de mostaza. Las demás referían haberle infligido también diversas injurias. El santo oró a Dios por todas ellas y salió. Después de pocos días, la monja, no sufriendo tanta glorificación, pues era venerada por las demás hermanas y creyéndose agobiada por las excusas de cada una, salió ocultamente de aquel monasterio y nadie pudo tener noticia a dónde se fue, en qué lugar se metió o qué fin tuvo.

Versión del siglo XV. Klapper, § 197, p. 401.

Un santo ermitaño que había vivido santamente en el desierto durante cuarenta años, le rogó al Señor que le mostrase a quién se parecería en el mérito. La voz divina le respondió: «Aún no has alcanzado el mérito de una mujer encargada de los baños en la ciudad.» Queriendo conocer el estado de esa mujer, se fue a la ciudad y la halló lavando a los enfermos, a los leprosos y sarnosos, alimentando a los hambrientos y ungiendo las cabezas inmundas; todo mientras oraba. Al llegar, la mujer lo recibió humilde y devotamente, lavándole los pies y esperando oír de él algo santo. Le dijo: «Padre santo, ¿por qué no nos enseñas algunas cosas con las cuales pueda el alma adelantar en la virtud?» El le dijo: «Yo vine a que tú me iluminaras.» Y ella: «¿Cómo podrás ser iluminado de mí, que soy una pobrecita encargada de los baños?» Ella lo trató muy bien; y por la tarde le dijo el ángel al ermitaño: «Duerme con ella en la misma cama para que sepas sus secretos.» Cuando se había acostado el ermitaño y ella creía que se había dormido, se postró en oración y uniéndose a ella el Señor, tomó su alma y rodeándola con sus brazos, decía: «Hermana mía, ven a mi jardín, paloma mía. Os conjuro, oh ángeles, que no la levantéis ni la despertéis hasta que ella misma quiera.» Y así se hizo: toda la noche se quedó el Señor con su amada. Al ver esto, el ermitaño dijo: «Ningún mérito tengo, pues nunca me pasaron tales cosas.» Al día siguiente se ocupó de los enfermos y de los débiles. Cuando él tuvo que recibir el alimento, rechazó la comida, porque la había visto tocar con sus manos las inmundicias de los sarnosos. Ella le presentó sus manos para que las oliera y de sus manos emanaba un olor semejante al olor de todas las esencias. Y dijo él: «Verdaderamente que en mi celda nunca sentí tal olor.» La noche siguiente, cuando ella se postró de nuevo en oración, el ermitaño vio a la santa Virgen que descendió como con el resplandor del sol y dijo: «Alégrate, hija mía y hermana mía. He venido para que converses conmigo hasta que respire el día y caigan las sombras.» Con ello el ermitaño volvió a aprender. La tercera noche, cuando se arrodilló en oración, vio el ermitaño que las oraciones de los santos y de toda la Iglesia se unían divinamente a sus oraciones y tanto alcanzaban, que muchas almas fueron libradas del purgatorio con su oración. Al tercer día, él le preguntó diligentemente acerca de su pasado, y por qué había merecido tales y tantos bienes, pero ella no se lo quiso contar. Entonces dijo el ermitaño: «Una voz divina me mandó que investigase tu santidad, y si no me lo cuentas todo, perderás todo tu mérito.» Entonces dijo ella: «Fui la hija dilectísima de cierto rey y como me diese cuenta de que todas las cosas son transitorias, desprecié el reino del mundo y toda su pompa. Dejando a mis padres, hui ocultamente y en este destierro, ya lo ves, he servido treinta años a los pobres. Lo que de mi trabajo pude obtener lo gasté con los pobres.» Y el ermitaño: «Dime algo de tus poderes.» Y ella dijo: «Cuando asisto a misa y el cuerpo de Cristo es elevado por el sacerdote, veo al hijo de la Virgen extendido en la cruz entre las manos del sacerdote. Y cuando consume el cuerpo de Cristo, él me consume a mí también. Y cuando dan la paz, a mí me la dan la Santa Virgen y San Juan. En tal forma me he santificado que no puedo ni pecar ni perder mi virginidad.» El dijo: «¡Oh, qué grande es la virtud y qué grande es la gracia!» El le contó a ella algo de su estado. «Pero, a mi ver —dijo el ermitaño— estas cosas son nada. Regresaré y nunca me gloriaré de mis méritos, pues todavía no he experimentado en mí ningún poder divino; mientras que tú, puesta en el siglo y sin ser quemada por el fuego, te has podido guardar y servir a Dios.»

5. *Tríptico de San Pafnucio.* (MIGNE, *Latina,* vol. 73, páginas 1170-1173).

El flautista. Pafnucio, anacoreta, después de muchas prácticas santas, le rogó a Dios que le mostrase a cuál de los santos que vivieron rectamente se asemejaría él. Apareciéndosele un ángel, le dijo: «Eres semejante al flautista que vive en esta ciudad.» Con diligencia se dirigió a él e inquirió de él su forma de vida e indagó todos los hechos de su vida. El le dijo la verdad: que era pecador, ebrio y fornicador y que no hacía mucho tiempo, antes de pasarse a ese lugar, había sido ladrón. Como cuidadosamente examinase qué cosa buena había hecho alguna vez, dijo que no tenía conciencia de haber hecho nada honesto, a no ser que, cuando llevaba vida de ladrón, libró a una virgen de Cristo que había sido llevada para satisfacer el vicio de los ladrones y por la noche él la condujo hasta una población. «También —dijo— hallé otra vez a una mujer hermosa que vagaba en el desierto, que huía de los ayudantes y cortesanos del presidente y de los senadores *(sic)* a causa de una deuda pública de su marido; ella lamentaba amargamente su error. Por esa causa fui movido hasta las lágrimas. Ella me dijo: 'No me preguntes más, ni examines más acerca de esta infeliz. Llévame a donde quieras como sierva. Como mi marido ha sido azotado con frecuencia durante dos años, a causa de esa deuda pública de trescientas monedas de oro y encerrado en una cárcel, tres de mis hijos amadísimos fueron vendidos y yo me he retirado, fugitiva, mudándome de lugar en lugar. Aun ahora, vagando por el desierto, hallada con frecuencia, he sido azotada frecuentemente. Ya hace tres días que no como nada en el desierto'. Yo me compadecí de ella —dijo el ladrón— y cuando la llevé a la cueva le di trescientas monedas de oro y la conduje hasta la ciudad y liberté a su marido y a sus hijos y los limpié de infamia y contumelia.» Le respondió Pafnucio: «En verdad que yo no tengo conciencia de una cosa semejante y tú has oído que soy célebre en el ejercicio de la santidad y no he pasado ociosa mi vida. El Señor me reveló acerca de ti y no eres en nada inferior a mí en lo que has hecho. Si, pues, oh hermano, Dios se cuida tanto de ti, no descuides tu alma temerariamente.» El flautista, arrojando al instante la flauta que tenía en las manos y cambiando la armonía de la música de la lira en melodía espiritual, siguió al santo varón al desierto. Después de vivir santamente durante tres años, se fue al cielo y descansó formando parte de los coros de los ángeles y de las jerarquías de los justos.

El preboste. Cuando hubo enviado a Dios al primero que se había ejercitado en las virtudes, se impuso una norma de vida más alta y cuidadosa y le rogó a Dios que le revelase a cuál de los santos se asemejaba. Otra vez le llegó la voz divina, diciendo: «Eres semejante al preboste del pueblo vecino.» Se fue a él prontamente y, al llamar a la puerta, salió el preboste, como era su costumbre, a recibir al huésped. Después de lavarle los pies y preparar la mesa, le rogó que comiera. Cuando inquirió acerca de sus acciones le dijo: «Cuéntame, oh hombre, la manera de vida tuya. Según Dios me lo ha mostrado has superado a muchos monjes.» Entonces él le dijo que era un pecador, indigno de compararse con los monjes. Cuando le instó a que contara, respondió el hombre y dijo: «No creo necesario narrar las cosas que yo hago, pero como dices que vienes de parte de Dios, referiré lo que recuerde. Ya hace treinta años que me separé de mi esposa, después de tener relaciones con ella sólo durante tres años y engendrado de ella tres hijos, los cuales me ayudan en mis quehaceres. Hasta hoy nunca he dejado de practicar la hospitalidad y ninguno de los compañeros míos se gloria de haber recibido a algún huésped antes de haberlo hecho yo. Ningún pobre ni ningún huésped ha salido de mi casa con las manos vacías y sin que haya sido reconfortado con una adecuada ración de alimento. Nunca vi a un pobre aquejado de infortunio, sin que yo le diera aquello que más pudiera darle gusto. No he recibido a nadie en juicio, acusado por mis hijos; ni los frutos ajenos han entrado en mi casa; ni hubo jamás disensión que yo no arreglara y pacificara; ni nadie ha tenido que increpar a mis hijos por haberse portado deshonestamente; ni mis rebaños han tocado los frutos ajenos; ni sembré yo primero mis campos, sino que, ofreciéndolos de común a todos, yo he tomado los que quedaban. Nunca permití que el pobre fuese oprimido por el poder del rico; ni a nadie he causado molestia en mi vida; ni juzgué nunca mal de nadie. Estas son las cosas que con la ayuda de Dios recuerdo haber hecho.» Cuando Pafnucio oyó las virtudes de este varón, le besó en la cabeza diciendo: «Bendígate desde Sión el Señor y contempla todos los días de tu vida los bienes de Jerusalén (Salmo 127). En todo esto has obrado rectamente, pero te falta una cosa que es la cabeza de las virtudes: el total conocimiento sabio de Dios, el cual no puedes conseguir sin esfuerzo, sólo cuando renuncias al mundo, recibes la cruz y sigues al Salvador.» Al oír esto, el preboste siguió al varón de Dios al monte, al instante, sin resistir su mandato. Cuando llegaron a un río, al no hallar una barca, le ordenó Pafnucio que cruzara el río a pie, cuando nadie entonces lo cruzaba a pie por ser profundo. Cuando lo pasaron con el agua hasta la cintura, lo estableció en cierto lugar. Cuando se separaron le rogó a Dios que aquel varón se sublimara sobre los hombres. Después de pasado poco tiempo vio su alma que era llevada por los ángeles que alababan a Dios y decían: «Bienaventurado aquel a quien elegiste y elevaste: habitará en tus atrios.» (Salmo 64). Y a los justos que respondían: «Paz grande para los que aman tu ley y no es para ellos causa de escándalo.» (Salmo 118). Y conoció entonces que el preboste había muerto.

El mercader. El abad Pafnucio continuó venerando a Dios en la oración y multiplicando los ayunos; y de nuevo oró le fuese revelado a quién se parecía. La voz divina le dijo de nuevo: «Eres semejante al mercader que busca perlas preciosas. Levántate y no te demores, pues te saldrá al paso el varón a quien te asemejas.» Cuando iba de camino vio a un varón, mercader alejandrino, piadoso y amante de Cristo, que descendía de la Tebaida Superior con cien naves, en un negocio de dos mil monedas de oro, el cual había distribuido a los pobres todas sus riquezas y mercancías. Con sus hijos, le llevaba al santo diez sacos de legumbres. «¿Qué es esto, amigo?» —le dijo Pafnucio—. Y él le respondió: «Son los frutos de mi comercio que se ofrecen a Dios en justa reparación.» «¿Para qué esto —le dijo Pafnucio—, si tú no llevas nuestro nombre de monje?» El le confesó que lo deseaba ardientemente. Respondió Pafnucio: «¿Hasta cuándo, pues, te ocupas de los negocios terrenales sin alcanzar los bienes celestiales? Debes dejar estas cosas a los otros y tú, adhiriéndote a las cosas que son más provechosas, sigue al Salvador, a quien llegarás en corto tiempo. Y el mercader, sin tardar, les mandó a sus hijos que repartieran lo demás a los pobres y él, cuando ascendió al monte y se encerró en el lugar en que los dos anteriores habían terminado su vida, perseveró en la oración. Pasado corto tiempo, dejado el cuerpo, fue hecho ciudadano del cielo. Después de enviarlo al cielo, Pafnucio también estaba para entregar su alma, pues no podía ejercitarse ya más. El ángel, asistiéndolo, le dijo: «Tú también, parte de aquí y ven, oh bienaventurado, a los tabernáculos de Dios. Han venido a recibirte primero los profetas. Esto no te lo declaré antes para que, enorgullecido, no fueses privado de tus méritos.» Como sólo sobreviviese un día más y, por divina revelación, llegasen a él unos presbíteros, les narró todo y entregó su alma. Viendo claramente los presbíteros que era recibido en la gloria de los justos y de los ángeles, alabaron a Dios.

Scala coeli, § 700.

Asimismo refiere Jerónimo que como cierto santo llevase por mucho tiempo la vida eremítica, oró a Dios que le revelara a quién se parecería en la vida eterna. Apareciéndosele un ángel, le dijo que se parecía a cierto músico que vivía en el pueblo vecino. Se dirigió a él e indagando sus actos le dijo: «Fui compañero de ladrones y no hice bien a nadie con excepción de una virgen raptada por mis compañeros, a la cual libré de corrupción y, guardándola, la devolví intacta a la casa de una mujer honesta. Me acuerdo de haber hecho otro bien: movido de misericordia le di trescientos sueldos a una mujer que vagaba en el desierto para que rescatase a su marido y a sus hijos, a quienes tenían en la cárcel.» Llevándose al músico al desierto, como éste muriese después de poco tiempo, vio que la misericordia divina lo elevaba al cielo. Por segunda vez oró el mismo ermitaño, para saber a quién se asemejaría en la gloria eterna. Le fue respondido que al preboste de la ciudad. Yendo a él, le oyó que en cuanto podía practicaba las obras de misericordia y añadió: «Recibí una bella esposa y después de tener los hijos, me he abstenido de tener la unión conyugal durante treinta años.» Llevándoselo también al desierto, como muriese después de poco tiempo, vio que la misericordia divina elevaba su alma al cielo. Por tercera vez oró para saber a quién se asemejaría en la gloria y le fue respondido que a cierto comerciante que tenía naves llenas de riquezas y de mercancías. Yendo a él, de parte de Dios, lo invitó a hacer penitencia y a recibir los beneficios de la misericordia de Dios. El cual, obedeciendo al instante, vendidas todas sus cosas y dadas a los pobres, lo siguió. Cuando murió, vio que la misericordia de Dios lo elevó al cielo. Entonces, por último, cuando el santo ermitaño se acercaba a la muerte, llamando a un sacerdote y a otros muchos, dijo: «Nadie, bien sea ladrón o meretriz, o mercader o publicano, debe ser despreciado; porque de todos estos Dios se ha elegido amigos; y la misericordia de Dios, en un abrir y cerrar de ojos, los hace santos y buenos.» Y una vez que lo hubo narrado todo, murió en paz.

6. *El ermitaño y el ladrón.*

a) Jacobo de Vitry, § 72, p. 32.

El ave evita las redes que están demasiado descubiertas. Sin embargo, el diablo, bajo la apariencia de bien, engaña a veces a las aves y a los religiosos para que, mortificándose demasiado, queden inútiles o presuman también de sí mismos, despreciando a los demás. Así leemos de cierto ermitaño, quien por largo tiempo había hecho áspera penitencia. Como viniese a él un ladrón que había robado y matado a muchos, hecha su confesión, no le quería aceptar al ermitaño ninguna penitencia, pues siempre había vivido de sus robos y rapiñas y no estaba acostumbrado ni a ayunar ni a hacer ninguna mortificación. Finalmente, el eremita obtuvo de él lo que pudo y le impuso que cada vez que viera por el camino alguna cruz, recitara arrodillado la oración dominical. El ladrón recibió esta sola penitencia y al separarse un poco de la celda del ermitaño vio a sus enemigos, cuyos parientes había matado y empezó a huir. Al huir, se le presentó una cruz erigida en el camino e inmediatamente, arrodillado, empezó a decir la oración dominical y a adorar la cruz, cuando hubiera podido evadirse si hubierra corrido de continuo. Prefirió morir más bien que omitir la penitencia que le habían impuesto. Cuando lo mataron los enemigos, el dicho ermitaño vio que los ángeles de Dios llevaban con gozo el alma del ladrón o, mejor dicho, del mártir y empezó a pensar llevado de gran presunción y a indignarse mucho y a dolerse de que por muchos años había hecho penitencia durísima y sin embargo el ladrón y homicida aquel, que nunca había hecho penitencia, lo había precedido en la gloria. Y empezó a ser agitado por el mal espíritu y, dejado el yermo, se fue al siglo, pues apostatando se entregó al diablo. El diablo, tomando posesión de él y temiendo que alguna vez se pudiera volver a la vida de penitencia, poniéndole un obstáculo en el camino lo hizo caer y, desnucado, fue sepultado en el infierno.

b) *Etienne de Bourbon,* § 26, p. 33.

Del temor del purgatorio venidero. De la acerbidad de la pena. También le oí al hermano Guillermo, prior de Besanzón, que como cierto capellán en Castro Novum de la diócesis de Lausana, llamado Guillermo, a quien recientemente se ha dado título de santo por los muchos milagros que se dice hizo por su medio el Señor, estuviera en su casa a orillas del gran lago, y cierto soldado que estaba con él le preguntase por qué se afligía y casi se mataba con los ayunos, cilicios y lágrimas, declaró que deseaba estar hasta el día del juicio en un fuego tan grande como el lago, con tal de estar seguro de que así podría evitar con toda su penitencia, tanto el fuego del infierno como el del purgatorio. Y refería cierto ejemplo de un ladrón que, huyendo de sus enemigos y viendo que no podía escapar, se postró ante la cruz diciendo que bien merecía la muerte porque había ofendido a Dios; por esto lloraba, se confesaba pecador y le rogaba a Dios que lo librara de sus pecados dando sus miembros al martirio. Cierto ermitaño vivía cerca y por muchos años había hecho penitencia, al cual le fue revelado que los ángeles con alabanzas llevaron al cielo el alma de aquel ladrón. El cual ermitaño no le dio gracias a Dios, sino que se indignó, diciéndose a sí mismo que, después de haberse entregado a todos los deseos, se arrepentiría de la misma manera al final y así le pasaría como al ladrón. Y como tornase al mundo, al cruzar el agua se cayó del puente, se hundió y fue arrojado por los demonios en el infierno. El mismo ejemplo del ladrón es narrado por el maestro Jacobo de Vitry.

c) *Herolt.*

Sermo 49 F, p. 506. *De la pasión del Señor.*

Es muy bueno que el hombre venere la pasión de Cristo al pasar ante la imagen del Crucificado. Esto se muestra en el ejemplo siguiente: Léese de cierto ermitaño, quien por mucho tiempo había llevado una vida áspera, como llegase a él un ladrón que por muchos años había robado a los hombres y perpetrado latrocinios, después de hacer su confesión no quería recibir del ermitaño ninguna penitencia, sino una muy breve. Finalmente el ermitaño le impuso que siempre que en el camino viese alguna cruz, poniéndose de rodillas, recitara la oración dominical. Y le dijo el ladrón: «De buen grado recibo esta penitencia.» Una vez recibida esta penitencia, cuando se había alejado un poco de la celda del crmitaño, vio a sus enemigos que lo perseguían porque había matado a un pariente de ellos. Viéndolos cercanos, comenzó a huir. Mientras huía, vio de repente una cruz levantada en el camino y así, arrodillándose, empezó a decir la oración dominical. Mientras hubiera podido huir, prefirió morir más bien que omitir la penitencia impuesta. Así le ofreció su vida a Dios y le recomendó su alma para que aceptara esa penitencia por todos sus pecados. Como de ese modo y en ese mismo lugar fuese asesinado por sus enemigos, vio entonces el ermitaño que los ángeles de Dios recibían el alma del ladrón y con gran gozo la conducían inmediatamente al cielo.

Sermo 151 H, p. 1134. *De las buenas obras y el mérito.*

Se lee el ejemplo de que cierto ladrón, doliéndose mucho de sus pecados y teniendo recta voluntad de enmendarse, le rogó a cierto ermitaño que lo recibiera en su compañía porque se proponía enmendar su vida y servir siempre a Dios; y el ermitaño no lo quiso y lo despreció en su corazón y lo dejó que se fuera desconsolado. Cuando el ladrón quiso construir para sí una ermita, el árbol que cortaba cayó de pronto y aplastó al ladrón, el cual murió con una vehemente contrición de corazón. Entonces el ermitaño vio como los santos ángeles vinieron y se llevaron al cielo el alma de ese ladrón y el ermitaño conmovido, dijo: «¿Para qué vivo aquí en el desierto? Aquel hombre malo fue ladrón y por su buena voluntad ya ascendió a los cielos; y yo he vivido tanto tiempo en el desierto y nunca he podido entrar en el cielo.» Y en su turbación dijo: «Me iré y también me haré ladrón y luego bien me salvaré al final como se salvó ese ladrón.» Y mientras se preparaba para perpetrar un latrocinio fue perseguido por los mercenarios de la ciudad y huyendo, cayó violentamente y expiró. Y vinieron los diablos y se llevaron su alma al infierno.

d) *Klapper,* § 117, p. 325.

De la penitencia o de la cruz. Se lee que cierto ladrón,

después de confesarle muchos pecados a un ermitaño, no quería hacer ninguna penitencia. Finalmente le dijo el ermitaño: «Podrías hacer esta penitencia: dondequiera que vayas, inclínate ante la cruz del Señor y di un Padrenuestro.» Recibiendo esta penitencia de buen grado se fue y sus enemigos lo perseguían. Y huyendo vio la cruz y acordándose de la penitencia, pensó que querría más bien que lo mataran antes que no cumplir su penitencia; y arrodillándose ante la cruz dijo el Padrenuestro y al momento los enemigos lo mataron. Viniendo entonces los ángeles del Señor se llevaron su alma a los gozos eternos. Al serle revelado esto al ermitaño, dijo: «Señor, yo que tanto te he servido y tú has premiado a este ladrón por tan poco. Me iré y haré como hizo ese ladrón y aun así obtendré el paraíso.» Cuando se iba lo despeñó el diablo y, rota la nuca, se llevó su alma al infierno.

e) *Fabliaux. De l'ermite qui se cassa le cou.* Extracto de LEGRAND D'AUSSY, *op. cit.*, p. 100.

Un ermitaño había construido su celda sobre una colina, cerca de un bosque en donde un ladrón se había establecido para destrozar a los caminantes; el hombre de Dios se lo encontró un día y le predicó con tanta fuerza que el bandido, echándose de rodillas, confesó sus faltas y pidió penitencia. El ermitaño le impuso nunca jamás mentir y prestar al prójimo todos los servicios que pudiera. El ladrón regresó a casa con el designio de cumplir este doble consejo. Pasando por el bosque vio a dos hombres desnudos a quienes habían despojado los otros ladrones y que estaban amarrados a un árbol con las manos a la espalda. Inmediatamente corrió a libertarlos; y mientras se acercaba a ellos, una rama le sacó un ojo; mas el dolor que le causaba su herida no le impidió acabar su buena obra y aun les dio, para cubrirlos, una parte de sus vestiduras. Unos instantes después se percató de un leproso, el cual, queriendo atravesar a caballo un río, había sido arrastrado por la corriente y estaba a punto de ahogarse. Nuestro penitente se arrojó a nado, lo llevó a la orilla, lo abrazó y le dio su bolsa. En este momento se presentaron tres caballeros armados: su hermano, pocos días antes, había sido asesinado por el ladrón y ellos lo buscaban para vengarse. Como según las señas que les habían dado ellos creyeron reconocerlo, le preguntaron con amenazas si era él el asesino del bosque. El, que se acordó que le habían recomendado nunca mentir, les respondió que sí. Al instante fue acuchillado. Murió perdonándoles su muerte y los ángeles descendieron del cielo con cantos de alegría para llevarse su alma. Esta pompa triunfal fue notada por el ermitaño, quien se escandalizó. «¡Ah, bueno —se dijo a sí mismo—, este bandido abominable es salvado con una o dos horas de penitencia! Después de una vida entera de asesinatos y de crímenes, algunas buenas obras le han sido suficientes. Por lo tanto, yo soy un tonto por haber venido a enterrar aquí mis mejores años, por haberme abstenido de todos los placeres, por haber ayunado, velado, llevado cilicio durante treinta años. Ya que Dios da su paraíso a tan buen precio, que sea ermitaño quien quiera, que yo renuncio a ello. Me quiero volver al mundo. Cuando me haya divertido allí bien y se acerque la muerte, pediré perdón y seré salvo como este ladrón.» Y diciendo así el solitario dio un puntapié a su celda para tumbarla, mas en su furor perdió el equilibrio, cayó rodando por la colina y, quebrándose la nuca, murió y fue llevado al infierno por los diablos.

7. *El ermitaño y el Papa San Gregorio.*

Legenda Aurea, cap. 46, § 8, p. 195.

En ese tiempo hubo un ermitaño, varón de gran virtud, que lo había dejado todo por Dios y nada poseía sino una gata a la cual contemplaba intensamente y alimentaba como cohabitadora en su regazo. Oró a Dios que se dignara mostrarle con quién debía esperar mansión en la futura remuneración él, que por amor no poseía nada de las riquezas de este siglo. Cierta noche le fue, por tanto, revelado que debía esperar mansión con Gregorio, el romano Pontífice. Pero él, acongojándose muchísimo, pensaba que la pobreza voluntaria le había servido de poco si es que con él iba a recibir remuneración el que abundaba en tantas riquezas mundanales. Así, pues, de día y de noche comparaba suspirando las riquezas de Gregorio y su pobreza. Otra noche oyó que el Señor le decía: «Como al rico no lo hace la posesión de las riquezas, sino su deseo desordenado, por qué te atreves a comparar tu pobreza con las riquezas de Gregorio, tú que demuestras amar a esa gata que tienes, palpándola a diario, más que él, tantas riquezas, las cuales no ama; sino que despreciándolas las distribuye, repartiéndolas a todos liberalmente.» Así, el solitario le dio gracias a Dios y el que pensaba que su mérito se rebajaba si era conferido a Gregorio, empezó a orar para que algún día mereciera recibir con él la misma mansión.

Recull de Eximplis, § 235, vol. I, p. 210.

Eximpli con haver riqueses e honors e no amar aquelles los qui les han es molt present cosa a nostre senyor Deu, segons ques recompte en la ligenda de sent Gregori. Divitias habere et non amare virtus est.—Un heremita per santedat havia lexades totes les sues riqueses per amor de Deu sino una gata que tenia ab si en lermitatge; e prega a Deu molt devotament que li mostras qui devia esser son companyo en la gloria de paradis, lo qual ach resposta del senyor de totes coses, que sent Gregori seria son companyo. De la qual resposta lermita ach gran tristor, dient a si matex: que poch li havia aprofitat que havia lexat tantes riqueses en lo mon, pus que sent

Gregori que era Papa, e havia tantes riqueses e tantes honors, havia esser egual dell en parays. E tentost lo Sanvador li aparech, e dix li: Con goses tu agollar la tua pobrea ab la riquesa de Gregori, que mes prees tu la gata que tens en la tua cella, que no fa ell totes les honors que ha ne posseex?

II. El rey Ricardo de Inglaterra en los ejemplarios.

1. *Etienne de Bourbon,* § 248, p. 211.

Oí que como entrase el rey Ricardo de Inglaterra en cierta abadía de monjas, vio allí a una monja joven y seducido por su belleza, le ordenó a la abadesa que se la mandara y que si no lo hacía él mismo destruiría la abadía y la sacaría violentamente. Al oírlo, dicha monja preguntó qué le había agradado en ella más que en las otras. Oyendo que eran sus ojos los que lo habían atrapado y queriendo, además, carecer del peligro de los ojos, se sacó los ojos y poniéndolos en un plato, se los mandó al dicho rey, pidiéndole que se considerase satisfecho. El, todo confuso, la dejó en paz.

2. *Scala coeli,* § 90.

Se lee que como entrase el rey de Inglaterra en cierto monasterio de monjas y viese allí a una monja muy bella, le dio como opción a la abadesa o quemar el monasterio u obtener a aquella a quien deseaba. Al oírlo la monja, rogó que le dijera qué era lo que en ella más le agradaba. Y oyendo que sus ojos lo habían atrapado, sacándoselos, se los mandó al rey en un plato diciendo: «Te envío las catapultas de corrupción, los jefes de los crímenes que hieren de más lejos y dañan más que muchos ejércitos.» Al escuchar esto el rey, confundido, hizo penitencia.

3. CESARIO DE HEISTERBACH, *Dialogus Miraculorum,* dist. 10, cap. 46.

Del rey Ricardo de Inglaterra y su peligro en el mar. En la primera expedición a Jerusalén, Ricardo, rey de los ingleses, se hizo a la mar con multitud de peregrinos y grandes tropas. Cierto día, a la hora del crepúsculo, se levantó en el mar una potentísima tempestad, tal que las naves batidas por el huracán e impulsadas por la fuerza del viento amenazaban a todos de muerte. El rey, lo mismo que los demás, viendo ante sus ojos la muerte, clamó toda aquella noche: «Oh, ¿cuándo llegará la hora en que los monjes grises acostumbran levantarse a alabar a Dios? Les he hecho tantos bienes que no dudo que tan pronto empiecen a orar por mí, el Señor se fijará en nosotros.» Fe admirable del rey. El Señor que dice: «Si tenéis fe del tamaño del grano de mostaza, le diréis a este monte muévete aquí y se moverá», premió la fe del rey con un milagro evidente. Pues cerca de la hora octava, por la noche, a tiempo de los maitines, al levantarse los monjes, se despertó el Señor con sus oraciones y levantándose con su poder, increpó los vientos y el mar y vino gran calma, tanto que todos se admiraron del súbito cambio del mar. Al regresar el rey, honró mucho más a la orden a causa de este milagro, dotando algunas casas con limosnas o construyendo otras nuevas.

III. EL SALTO DEL TEMPLARIO.

Jacobo de Vitry, § 90, p. 41 (Cf. THOMAS WRIGHT, § 5, p. 9).

Oí de cierto templario que en los principios de la orden, cuando todavía eran pobres y muy fervientes en lo religioso, viniendo de la ciudad de Tiro a llevar el dinero y las limosnas recibidas de la ciudad de Ancona, llegó a un lugar que desde aquel tiempo se llama *El salto del Templario.* Como le hiciesen los sarracenos una emboscada a aquel noble caballero en un lugar en donde por una parte tenía la cima de una escarpada roca y por la otra, abajo, quedaba el mar profundísimo, cuando los sarracenos por delante y por detrás lo asediaban en una senda estrechísima y no podía volverse a ninguna parte, él, con una gran confianza en el Señor, para librar de los impíos la limosna, taloneando el caballo se arrojó del alto peñasco al abismo del mar con el caballo. El caballo, por voluntad del Señor, lo llevó ileso hasta la orilla; pero tan pronto como vino a tierra se reventó por la mitad, pues al saltar se golpeó fuertemente en las olas marinas. Así, el soldado de Cristo regresó a pie con el dinero a la ciudad de Tiro. El puso su esperanza sólo en Dios y por eso el mismo Dios lo libró.

* * *

Exemplo 4

De lo que dixo un genovés a su alma quando se ovo de morir.

1. *Jacobo de Vitry,* § 170, p. 72.

Cierto prestamista muy rico, cuando ya principiaba a sufrir en la agonía, comenzó a entristecerse y a dolerse y a rogar a su alma que se quedara porque la premiaría bien. Le prometía oro y plata y las delicias de este mundo si quisiera quedarse con él. De otro modo, no daría por ella ni un denario ni una módica limosna. Finalmente, viendo que no la podía retener, muy bravo e indignado dijo: «Yo te preparé buena posada, con muchas riquezas; ya que eres tan fatua y miserable que no quieres descansar en buen albergue, sepárate de mí, yo te encomiendo a todos los demonios que están en el infierno.»

Y poco después entregó su espíritu en manos de los demonios y fue sepultado en el infierno.

Alphabet of Tales, § 791, p. 526.

Jacobo de Vitry cuenta cómo una vez había un usurero que yacía en dolores de muerte y empezó a estar triste y acongojado y rogó a su alma permanecer en el cuerpo, que él proveería; y le prometió oro y plata y todos los deleites de este mundo, pues de otra manera no le daría ni el valor de una vestidura rota. Como al fin vio que su alma no habitaría en el cuerpo, sino que no obstante moriría, se puso muy bravo y dijo a su alma: «¡Tú, alma! Yo, de seguro, te había preparado una buena morada. Pero como eres tan loca y no te quieres quedar, yo te entrego a todos los diablos del infierno.» Y así murió y fue enterrado en el infierno.

Recull de Eximplis, § 698, vol. II, p. 297.

Eximpli de J. logrer de les paraules males e mundanes quell deya con se dech morir, segons que recompte Jacme de Vitriach. Usurarius invite moritur. Un hom logrer stant en la hora de la mort comença haver gran tristor en si matex, e ab dolor pregava a la sua anima que no volgues exir del cors, e que li donaria molt aur e molt argent, e tots los delits del mon; en altra manera que no daria per ella una malla. E quant conech que la anima li volia exir del cors, dix ab gran fellonia: ¡O la mia anima, con bon alberch e bona posada te havie apparellat! mas pusque ten folla est que no vols romanir ab mi, jot acoman a tots los diables dinfern. E dites aquelles paraules tentost mori, e la sua anima ana als inferns.

2. *Etienne de Bourbon,* § 59, p. 63.

También oí que un usurero, mientras sufría en la agonía, hizo llevar a su presencia vasos de oro y de plata, prometiéndole a su alma esos vasos y mucho más, como campos y casa y otras cosas si todavía se quedaba con él. Y como lo aquejase más el dolor de la enfermedad, dijo: «Ya que no quieres vivir conmigo, te entrego al diablo.» Y diciendo esto, expiró.

§ 411, p. 359. Muerte tenebrosa mata al avaro. En dolor y tristeza han muerto, por lo regular, los ricos, cuando son arrancados violentamente de las cosas amadas. Oí en los sermones que al sufrir cierto rico cercano a la muerte le decía a su propia alma: «Oh alma mía, ¿por qué me quieres dejar? He aquí que para ti adquirí tantas cosas bellas, tantas viñas, campos, prados y así lo demás; y estoy listo a adquirirte mucho más y mejor si todavía te quedas.» Y como ni así cesara el dolor, sino que lo agobiara, se hizo llevar a su presencia vasos preciosos de plata y de oro que mucho solían deleitarlo con su vista y decía: «Mira que si te quedas, tendrás estas cosas y aún más.» Y como ni así cesase, sino que lo urgiera el dolor, dijo: «Pues no quieres quedarte, te entrego al diablo.» Y diciendo esto con dolor entregó su alma a los demonios.

BROMYARD, *Summa Praedicantium,* Avaritia 27, art. 12, 49.

Así profirió sus palabras y mostró su condenación un avaro del cual se cuenta en esta forma: Como sintiese que le amenazaba la muerte, dulcemente le rogó a su alma que permaneciera con él y así se lo hizo rogar a sus amigos, por amor. Pero como no se sintiese mejor, sino mucho peor, se hizo traer una gran suma de dinero, ofreciéndose a sí mismo todas las cosas a condición de que se quedara el alma. Luego, con el mismo propósito, trajo todas las joyas preciosas y los vasos de oro y plata. Pero como la enfermedad no cediese ni con ruegos ni con pagos, enumeró todas las predichas cosas a ella ofrecidas, añadiendo: «Oh alma, todo esto te daré; y muchas cosas para ti adquiriré, como adquirí éstas, si quieres permanecer.» Finalmente, viendo que no quería acceder, dijo: «Porque no te quieres ni quedar por todos esos bienes ni tenerlo todo, ándate a los mil demonios y que ellos te tengan donde no poseas ningún bien.» Y así desesperando, el miserable murió, demostrando la causa de su condenación.

3. *Herolt,* Sermo 118 D, p. 931, 932.

Se lee que cierto rey de Francia, sufriendo hacia su muerte y desahuciado por los médicos hizo llamar a todos los príncipes y prelados, diciendo: «He aquí que yo fui riquísimo, noble, poderosísimo. Con todas mis riquezas y poder y con todos mis amigos no puedo arrancar de la muerte el curso de esta enfermedad, ni por un día ni por una hora. ¿De qué, pues, valen todas estas cosas temporales?» Y diciendo esto, movía a los circunstantes al llanto. Por eso Humberto, en el tratado de los siete temores, dice que cierto usurero, mientras sufría en la agonía, hizo preparar ante sí vasos de oro y plata prometiéndoselos al alma y mucho más, a saber, campos y casas y muchas otras cosas si se quedaba todavía con él. Y como lo aquejase más el dolor de la enfermedad, dijo: «Ya que no quieres habitar conmigo, te encomiendo al diablo.» Y diciendo esto, expiró.

4. *Scala coeli,* § 456.

Un rico, sufriendo en la agonía, hizo llevar ante sí una infinita multitud de florines, vasos de oro y de plata y joyas preciosísimas. Le decía a su alma: «Oh alma, estas cosas son tuyas; no las quieras dejar; para que en ellas te deleitaras las adquirí.» Como a pesar de estas palabras la enfermedad no lo dejaba, sino que crecía, dijo: «Riquezas falaces. Por qué me dejáis cuando yo os conseguí con gran trabajo y os custodié con tanta diligencia. Ya que no queréis ser mías, sed del diablo.» Entonces los demonios recibiéndolo con todos sus florines, vasos y riquezas suyas se lo llevaron al infierno.

* * *

Exemplo 5

De lo que contesçió a un raposo con un cuervo que tenie un pedaço de queso en el pico.

1. *Fedro* (7).

Al que le gusta gloriarse con palabras dolosas, el tardío arrepentimiento le causa torpes penas. Cuando un cuervo quería comer un queso que robara de una ventana, sentado en un árbol alto, lo vio la zorra, quien empezó finalmente a hablar así: «¡Oh cuervo! ¡Qué nitidez tienen tus alas y cuánta belleza poseen tu cuerpo y tu cara! Si tuvieras voz, ningún ave sería mejor que tú.» Y él, estúpido, como quisiese ostentar su voz, soltó el queso de la boca y prontamente lo agarró la astuta zorra con ávidos dientes. Sólo entonces se compungió la engañada estupidez del cuervo. Con esto se prueba cuanto vale el ingenio y que la sabiduría siempre prevalece con la virtud.

2. *Babrio.*

Un cuervo que tenía en la boca un pedazo de queso, estaba posado muy alto. Una zorra astuta que codiciaba el queso engañó al pájaro con las siguientes palabras: «Don cuervo, tus alas son bellas; brillantes y agudos tus ojos; tu cuello, una

---

(7) Tanto esta fábula de FEDRO como la que le sigue de BABRIO son traducciones del texto publicado en *Babrius and Phaedrus*

maravilla de admirar. Ostentas la pechuga del águila y con tus garras a todas las demás aves puedes dominar. Eres un pájaro tan famoso, ay; y no obstante, mudo y sin palabras.» Al oír esta alabanza el corazón del cuervo se hinchó de orgullo y dejando caer el queso de la boca gritó con toda su fuerza: «¡Co! ¡Co!». La zorra, astuta, se abalanzó sobre el queso y apuntó burlona: «Al parecer no eras mudo; tienes en verdad voz. ¡Todo lo tienes, don cuervo, excepto sesos!»

3. *Walter el Inglés.* (HERVIEUX, *op. cit.*, vol. II, p. 322).

Mientras la zorra tiene hambre, el cuervo se dirige a un árbol, llevando el cuervo alimento en la boca. Al hablar la zorra, se queda quieto: «Cuervo, de apariencia tan bella (lit. buen mozo de belleza); te emparentas a la blancura del cisne; si agradas con el canto, agradas más que ninguna ave.» Cree el ave y le agradan los preludios de la lengua pintoresca. Mientras canta, para agradar, se le cae el queso de la boca. La zorra lo goza. Se levanta la tristeza en el cuervo.

4. *Rómulo Anglico.* (HERVIEUX, *op. cit.*, vol. II, p. 574).

El cuervo pérfidamente se había robado un queso grande en la villa y, vuelto al bosque, se sentó en lo alto de una encina y repetía alegres graznidos. Aconteció, empero, que oyéndolo una zorra, se acercó al árbol en que se aposentaba para ver qué quería el cuervo con tantos graznidos. Viéndolo así exultante con el queso, lo saludó benévola y le dijo: «En toda mi vida no vi un ave semejante a ti en belleza, porque tus plumas brillan más que la cola del pavo real y tus ojos irradian como estrellas; y ¿quién pudiera describir la gracia de tu pico?

(The Loeb Classical Library, Harvard Univ. Press, 1965), pp. 206 y 97, respectivamente.

Si además fuera tu voz dulce y sonora, no veo cómo podría hallarse ningún ave semejante a ti que fuera engalanada de tanta belleza». Engañado, pues, el cuervo con estas alabanzas de la zorra, para poder agradarla y merecer más amplias alabanzas, empezó a cantar olvidado del queso que tenía en el pico. Por tanto, al soltar el queso del pico, éste, mal guardado, cayó abajo y vino en poder de la zorra. Moraleja: Así suele acontecer a los hombres leves y menos prudentes que abren sus oídos y desean las vanas alabanzas; mientras menos lo advierten caen seducidos en su propio daño.

5. *Jacobo de Vitry,* § 91, p. 42.

El no buscar la alabanza de los hombres lo ejemplifica el cuervo, el cual tenía en la boca un queso y la zorra, que llaman *renard,* comenzó a alabarlo porque sabía cantar bien y porque su padre, mientras vivía, era alabado por todas las aves a causa de lo ameno de su canto. Le empezó a rogar al cuervo que cantara, pues a ella le gustaba mucho su canto. Entonces el cuervo, vanagloriándose con sus alabanzas, empezó a tratar de abrir la boca y a cantar en alta voz, de modo que se le cayó de la boca el queso. El *renard,* tomando posesión de lo que deseaba, lo agarró y se retiró. Así, muchos que buscan su gloria, cuando se exaltan vanamente con las alabanzas, pierden la gracia de Dios que les había sido dada.

6. *Scala coeli,* § 33.

La adulación nos causa muchos males y lo primero es que es engañosa. Por eso se cuenta en la fábula que el cuervo estaba una vez en un árbol y tenía en el pico un pedazo de carne o un queso. Acercándosele la zorra le dijo aduladora: «Yo tengo grandes amistades y familiaridad con todos y oí que entre las demás aves sois vos quien mejor cantáis y por eso ojalá os placiera que yo oiga vuestra voz para que pueda dar un verdadero testimonio.» El, escuchándola, empezó a clamar, soltando el pedazo de carne. Aquélla, agarrándolo, se lo comió y dijo: «Señor, es verdad que hacía mucho tiempo no oía una voz que me fuera más grata.» El cuervo es el noble; la zorra, el bufón y el adulador; el pedazo de carne, los bienes temporales para obtener los cuales se traman engaños y mentiras.

7. *Thomas Wright,* § 14, p. 144.

Un cuervo había robado recientemente un queso y deseando comerlo, buscaba un lugar elevado; pero la zorra estaba por allí cerca; y queriendo defraudar al cuervo, decía estas palabras: «¡Oh bellísimo cuervo! ¿Quién se comparará contigo en la clase de tus plumas? Si sólo se te hubiera dado la modulación de la voz con la cual se deleita la mente, entre las aves ninguna se compararía a ti.» El cuervo, queriendo lanzar su famosa voz y olvidado pronto del queso, empezó a cantar. Se acerca la zorra alerta a esperar el queso y cuando se cae lo coge y se retira a saciarse con él. Cuando el cuervo vio robado su queso, se lamentó de ser burlado. Esto se dirige a los fatuos que con la adulación caen fácilmente y quisieran haber evitado el engaño. Después de que has perdido tus bienes todos, dime de qué te sirvió el llanto cuando lloraste. Si hubieses sido prudente, te habrías precavido del engaño y no habrías perdido, engañado, te digo, lo que perdiste con el fraude.

8. *Bromyard,* Gloria II, art. 4, 15, p. 337.

La gloria es una ladrona engañosa que despoja de lo que se tiene y priva de lo que se tendría, a la manera de la zorra de la cual se cuenta en las fábulas de Esopo que, teniendo el cuervo sobre un árbol un queso en el pico, lo alabó de muchas maneras y especialmente su canto, para quitarle el queso al abrir el pico. El cuervo, vanagloriándose, abrió el pico y perdió tanto el queso como la alabanza del canto. Así, muchos, mientras son exaltados en lo exterior con las alabanzas e interiormente son tocados por la vanagloria, abren la boca vanagloriándose y pierden el fruto de la humildad que tienen ante Dios.

* * *

Exemplo 6

De lo que contesçió a la glondrina con las otras aves quando vio sembrar el lino.

1. *Walter el Inglés.* (Hervieux, *op. cit.,* vol. II, p. 325).

Para que el lino salga de la semilla del lino la tierra nutre la semilla, pero la golondrina trata de amedrentar a las aves. «En este campo esta semilla nos amenaza con malas redes. Creed que esta semilla es esparcida para vuestros males.» La turba huye de las admoniciones sanas y arguye que son vanos los temores. Brota la semilla de la tierra y verdea la yerba. De nuevo amonesta la golondrina que amenazan peligros; de nuevo ríen las aves. La golondrina aplaca al hombre y habitando con los hombres, los aplaca con su amigable canto, pues los dardos previstos suelen herir menos. Ya se cosecha el lino; ya se hacen las redes; ya el hombre engaña las aves; ya el ave consciente se culpa a sí misma. Aquel que desprecia el consejo útil, recibe el inútil; el que está demasiado seguro, con razón sufre las redes.

2. *Rómulo de Nilant.* (Hervieux, *op. cit.,* vol. II, p. 524).

De la golondrina que aconseja a las demás aves y de su

consejo saludable por ellas despreciado. Con la siguiente fábula claramente se entiende que a todo aquel que no oye el buen consejo del sabio, le llegará la hora de dolerse de ello sin que de nada le aproveche. Hace mucho tiempo vieron todas las aves preparar y esparcir la semilla del lino y lo tuvieron en poco y no previeron el peligro que de allí en adelante les amenazaba con aquella acción. Las fábulas narran que la golondrina lo comprendió y así se dirigió a las demás aves: «¿Acaso no comprendéis que esto se convertirá en vuestro daño, si esa siembra llega a madurar? Por lo tanto, recibid ahora mi saludable consejo: lleguémonos todas y comamos esa semilla nociva del lino para que no llegue a ser nuestra destrucción. Si crece, los hombres harán con él redes para nuestra captura; pero si es arrancado viviremos más seguras.» Como todas se burlaban y despreciaban el consejo de la golondrina, la golondrina, ella sola, se volvió a los hombres e hizo la paz con ellos de tal modo que con seguridad pudiera vivir entre ellos y construir su nido donde quiera entre las vigas y consiguió lo que pedía. Mas las demás aves, que así despreciaron el consejo saludable, fueron con frecuencia cogidas en las redes.

3. *Rómulo Anglico.* (HERVIEUX, *op. cit.,* vol. II, p. 577).

La golondrina. Como primero viese la golondrina sembrar el lino, conociendo el futuro peligro para los pájaros, les dijo: «Sin demora obremos para que estas nuevas semillas queden devastadas, porque si hacen progreso nos traerán daño a todas nosotras.» Las aves, menos previsoras de lo porvenir, despreciaron el consejo de la golondrina. Lo cual visto, la golondrina convocó a su especie y firmó la paz con los hombres. Estos eran los términos de dicha paz: que ninguna de las partes pensara en dañar a la otra y que las golondrinas, en prueba de su familiaridad con el hombre, harían los nidos en sus casas. Al tiempo de la cosecha, como ya el lino estuviese maduro, los hombres lo recogieron y, sacando hilos de allí, vinieron a las redes. Y he aquí el peligro que previó la prudente golondrina: en efecto, con las redes caen las aves en el cautiverio y la muerte. Moraleja: Es bueno seguir el consejo; es más útil el consejo sano en el campamento que una fortificación quebrantada.

4. *Jacobo de Vitry,* § 101, p. 47.

Por tanto, hay que precaverse y poner remedio a ejemplo de la golondrina, la cual, estando con las demás aves, cierto campesino sembró en grande la semilla del lino, y ella les dijo: «Venid y comamos esa semilla, porque de ello nos podría venir mal.» Pero las aves comenzaron a reírse de ella y a decir: «¿En qué puede este poquito de semilla dañarnos?» Y a ellas la golondrina: «Porque no me queréis creer, no me quedaré con vosotras en el campo, sino que me haré a la amistad de algún hombre bueno en cuya casa pueda hacer el nido y vivir.» Pasando el tiempo, la semilla echada en el campo creció como lino y recogido el lino de él se hizo la red en la cual cayeron las aves descuidadas que no quisieron obedecer los consejos de la golondrina.

5. *Thomas Wright,* § 18 del apendix, p. 147.

Recientemente la bandada de aves se había congregado y vieron sembrar la semilla del lino. El grupo insensato no le da importancia y se expone a sentir el propio daño en ese lino. Entonces la golondrina astuta comenzó a amonestarlas para que se quisieran precaver de las trampas del lino. «Arránquese el lino —dijo—, pues ciertamente puede dañarnos mucho y traernos males.» Entonces cada una de las aves se burlaba de la golondrina y no se daba cuenta de su valioso consejo. Ella, sabedora de la trampa, se precavió del daño y refugiándose en los techos se cobijó entre los humanos. Ruega insistente con piadosas demandas a los hombres que la dejen habitar en sus casas, diciendo que no quiere huir de las trampas *(sic)* y ellos le conceden que haga el nido donde quiera. La historia enseña que la turba de los estúpidos desprecia la ciencia de los jurisperitos y cuando quedan cogidos en la trampa de dolores, se lamentan entonces de haber despreciado los consejos de los buenos.

6. *Bromyard,* Consilium, cap. 11, art. 6, 20, p. 150.

(Al ver que sus señores no se corrigen, sus consejeros los deben abandonar.) A ejemplo de las golondrinas que, según las fábulas, dejaron la compañía de las aves para hacer su nido y vivir en las casas de los hombres, porque no quisieron seguir su consejo y destruir el lino en flor antes de que de él hiciesen redes para capturar las aves. Así abandonen a los que no quieren seguir los consejos para evitar las redes del demonio.

* * *

Exemplo 7

De lo que contesçió a una muger quel dizien Doña Truhaña.

1. *Panchatantra* (8).

Vivía en cierto lugar un brahmán cuyo nombre era Svabava Kripana, que quiere decir «Mísero de nacimiento». Había recogido cierta cantidad de arroz mendigando y después de haber

(8) Los relatos del *Panchatantra,* del *Hitopadesa,* la versión árabe de ABDALLAH IBN ALMOKAFFA y la versión griega del *Stefanites kai Ichnnelates,* los tomo del trabajo de MAX MULLER, «On the

comido de él, llenó una olla con lo que le sobraba. Colgó la olla de una estaca en la pared, puso su cama debajo y mirándola atentamente toda la noche, pensaba: «Ah, esa olla está en verdad llena de arroz hasta los bordes. Ahora bien, si hubiera una carestía yo con seguridad recibiría por ella cien rupias. Con esto compraré un par de cabras. Tendrán cabritos cada seis meses y así tendré todo un rebaño de cabras. Entonces con las cabras compraré vacas. Tan pronto como hayan parido, venderé los terneros. Entonces con las vacas compraré búfalos; con los búfalos, yeguas. Cuando las yeguas tengan potros, tendré muchos caballos y cuando los venda, oro en cantidad. Con ese oro conseguiré una casa de cuatro tramos y entonces un brahmán vendrá a mi casa y me dará a su hermosa hija con una gran dote. Ella tendrá un hijo y yo lo llamaré Somasarmán. Cuando tenga edad suficiente para ser montado en las rodillas de su padre, me sentaré con un libro al fondo del establo y mientras estoy leyendo, el niño me verá, saltará de las faldas de su madre y correrá hacia mí para que lo monte en mis rodillas. Vendrá entonces demasiado cerca a los cascos del caballo y yo, lleno de ira, llamaré a mi esposa: '¡Coge al niño! ¡Cógelo!' Pero ella, distraída por alguna tarea doméstica, no me oye. Entonces me levanto y le doy tal golpe con el pie...» Mientras esto pensaba dio un puntapié y quebró la olla. Todo el arroz le cayó encima y lo dejó bien blanco. Por eso yo digo: El que hace planes locos para el futuro, quedará todo blanco, como el padre de Somasarmán.

2. *Hitopadesa, i. e. Consejo Saludable.*

En el pueblo de Devikotta vivía un brahmán de nombre Davasarmán. En la fiesta del gran equinoccio recibió un plato

---

Migration of Fables», *The Contemporary Review*, XIV (1870), pp. 542 y siguientes.

lleno de arroz. Lo tomó, fue a la tienda de un alfarero que estaba llena de objetos de alfarería y, agobiado por el calor, se acostó en un rincón y empezó a adormecerse. Para proteger su plato de arroz, conservó una vara en la mano y empezó a pensar: «Ahora, si vendo este plato de arroz recibiré diez *kapardakas*. Entonces, allí mismo compraré ollas y platos y después de haber acrecentado mi capital una y otra vez, compraré y venderé nueces y trajes hasta que me haga enormemente rico. Entonces me casaré con cuatro esposas y a la más joven y más bonita de las cuatro la haré mi preferida. Entonces las otras esposas se pondrán tan bravas que comenzarán a pelear. Pero montaré en gran cólera y tomaré la vara y les daré sus buenos azotes...» Mientras decía esto arrojó su vara. El plato de arroz se hizo pedazos y muchas de las ollas de la tienda también se quebraron. El alfarero, al oír el ruido, corrió a la tienda y cuando vio sus ollas rotas le dio al brahmán una buena reprimenda y lo sacó de su tienda. Por eso digo yo: El que se alegra con planes para el futuro, se llenará de tristeza, como el brahmán que rompió las ollas.

3. *Versión árabe de Abdallah ibn Almokaffa.*

Un hombre religioso tenía el hábito de recibir cada día en la casa de un comerciante cierta cantidad de manteca y miel de la cual, después de haber comido lo que quería, ponía el resto en una jarra que colgaba de un clavo en un rincón del cuarto esperando que algún día la jarra quedara llena. Ahora bien, mientras un día estaba recostado en su cama, con una vara en la mano y la jarra colgada arriba, sobre su cabeza, pensó acerca del alto precio de la manteca y de la miel y se dijo a sí mismo: «Venderé lo que hay en la jarra y compraré con el dinero que obtenga diez cabras, las cuales producirán, cada una de ellas, un cabrito cada cinco meses; además del producto de los cabritos, tan pronto como vayan quedando preñadas no tardará mucho en haber un gran rebaño.» Continuó haciendo sus cálculos y halló que a este paso, en el curso de dos años, tendría más de cuatrocientas cabras. «Al expirar este período compraré —se dijo— cien reses negras en la proporción de un toro o una vaca por cada cuatro cabras. Entonces compraré tierra y contrataré hombres que la aren con animales y la volveré de cultivo de tal forma que en cinco años habré allegado, sin duda, una gran fortuna con la renta de la leche que den las vacas y el fruto de mi tierra. Mi preocupación siguiente será edificar una casa magnífica y contratar un buen número de siervos, hombres y mujeres, y cuando me haya establecido completamente, me casaré con la mujer más bella que pueda encontrar, la cual, a su debido tiempo, será madre y me dará un heredero de mis posesiones. A medida que éste avance en edad recibirá los mejores maestros que se puedan conocer y si los progresos que hace son como yo razonablemente espero, me daré por bien pagado de los trabajos y gastos que por él he pasado; pero si por el contrario, él frustra mis esperanzas, la vara que aquí tengo será el instrumento que usaré para hacerle sentir el disgusto de su padre injustamente ofendido.» A estas palabras levantó de pronto la mano en que tenía la vara hacia la jarra y la quebró, derramando su contenido sobre su cabeza y su cara.

4. *Stefanites kai Ichnelates.*

Se dice que un mendigo guardaba miel y manteca en una jarra cerca del lugar donde dormía. Una noche se puso a pensar él solo así: «Venderé esta miel y manteca por cualquier pequeña suma; con ella compraré diez cabras, las cuales en diez meses producirán otras tantas. En cinco años llegarán a las cuatrocientas. Con ellas compraré cien vacas, con las cuales cultivaré alguna tierra. De lo que reciba de los terneros y de las cosechas, me enriqueceré en cinco años y edificaré una casa de cuatro tramos adornada de oro; y compraré toda clase de siervos; y me casaré con una mujer que me dará un hijo, al cual llamaré Belleza. Será un varoncito y yo lo educaré perfectamente; y si lo noto perezoso, le daré tales azotes con esta vara...» Cuando dijo esto cogió una vara que estaba allí cerca, le pegó a la jarra, la rompió y la miel y la leche *(sic)* le corrieron por la barba.

5. JUAN DE CAPUA, *Directorium Humanae Vitae* (HERVIEUX, *op. cit.*, vol. V, p. 635).

Ejemplo de los que hablan consigo mismos. Le dijo la mujer al ermitaño: Se dice que hubo una vez un ermitaño en el palacio de un rey al cual el rey un día, para socorrerlo, le dio una hogaza y una jarra llena de miel. Se comió la hogaza y guardó su miel en la jarra colgada encima de su cabeza, hasta que estuviera casi totalmente llena. La miel era en esos días, sin duda, muy cara. Un día, levantando la cabeza, mientras estaba acostado en su lecho, miró la jarra de miel suspendida sobre su cabeza y recordó la gran carestía de la miel y se dijo, razonando del siguiente modo: «Cuando esta jarra esté llena, la venderé por un talento de oro, con el cual compraré diez ovejas. Cuando éstas queden preñadas, darán hijos y resultará el número veinte. Después, multiplicándose con sus hijos, en el curso de cuatro años las ovejas serán, sin duda, cuatrocientas. Entonces, con cada cuatro ovejas compraré una vaca gordísima y luego un toro; y compraré tierra y las vacas y los hijos se multiplicarán y dedicaré los machos al cultivo de la tierra. Además de lo que reciba de las hembras, de la leche y de la lana, al pasar otros cinco años se multiplicarán tanto que tendré riquezas y grandes posesiones productoras. Y me construiré grandes casas y me compraré siervos y siervas. Entonces, de los más nobles de la tierra tomaré una buena mujer y cuando tengamos relaciones concebirá y me dará a luz un hijo bueno y encantador. Con buena suerte y el beneplácito de Dios, crecerá prudentemente en ciencia y virtud y con él dejaré un buen renombre eternamente después de mi muerte. Y le enseñaré mi doctrina y si se resiste, lo castigaré y le pegaré con este bastón para corregirlo.» Y levantando el bastón como para pegar con él, le dio a la jarra de miel y la quebró. Y en ese momento se le derramó la miel por la cabeza y por la cara. Y el ermitaño quedó confuso y atontado. Te he narrado esta parábola para que no hables de las cosas que no conoces en absoluto o de las cuales dudas o estás incierto.

6. *Versión castellana. Calila e Digna* (ed. de KELLER, p. 252).

Dizen que un rrelioso avia lymosna de casa de un ombre rrico, de pan e manteca e de miel e de otras cosas. E comia el pan e lo al condesava, e ponia la miel e la manteca en una olla fasta que la fyncho, e tenie la olla colgada en su casa. E vino tienpo que encareçio la miel e la manteca, e el rreligioso fablo consigo mismo, estando asentado un dia: «Vendere quanto esta en esta olla por tantos maravedis, e comprare con ellos diez cabras; e empreñarse an e paryran a cabo de çinco meses.» Desy fizo cuenta fasta çinco años e fallo que montavan fasta quatroçientas cabras. «E desy venderlas he, e con el preçio dellas conprare çien vacas, por cada quatro cabeças una vaca, e avere symiente e sembrare con los bueyes, e aprovecharme he de los bezerros e de las fenbras e de la leche e manteca, e de las mieses avre gran aver; e labrare muy nobles casas, e comprare syervos e syervas, e esto fecho, casarme he con un muger muy rrica e fermosa e de gran lugar, e enpreñarla he de fijo varon, e naçera conplido de sus mienbros. E criarlo he commo a fijo de rrey, e castigarlo he con esta vara synon quisiere ser bueno e obediente.» E el deziendo esto, alço la vara que tenia en la mano e ferio en la olla que estava colgada ençima del e quebrola, e cayole la myel e la manteca sobre su cabeça. E tu, onbre bueno, non quieras desear e asmar lo que non sabes que ha de ser.

7. *Jacobo de Vitry,* § 51, p. 20.

Por la mañana, sin embargo, los monjes daban todo al olvido a semejanza de cierta vieja que mientras llevaba al mercado leche en un cántaro de barro, empezó a pensar por el camino cómo podría hacerse rica. Teniendo en cuenta que por su leche podía recibir tres óbolos, empezó a pensar que con esos tres óbolos podría comprar una pollita y la criaría hasta que se hiciera gallina; de cuyos huevos obtendría muchos pollos. Al vender éstos, compraría un puerco, el cual, alimentado y engordado, se vendería y con ello compraría un potrico. Lo alimentaría hasta que estuviese apto para ser montado. Y comenzó a decirse a sí misma: «Montaré ese caballo y lo llevaré al potrero y le diré ei, io, io.» Cuando pensaba esto, empezó a mover los pies y como si tuviera espuelas en los pies, comenzó a mover los talones y a aplaudir de alegría con las manos. Así que con el movimiento de los pies y el aplauso de las manos, se quebró el cántaro y, derramada la leche por el suelo, nada halló en sus manos; y si antes era pobre fue después mucho más pobre. Muchos, en efecto, proponen muchas cosas y nada hacen.

8. *Etienne de Bourbon,* § 271, p. 226.

Oí también que como a una criada le diese su señora leche el día domingo, aquélla la llevaba en la cabeza a la ciudad para venderla. Mientras iba cerca del vallado empezó a pensar que con el precio de la leche compraría una gallina que le daría muchos pollos. Después de lo cual vendería las gallinas y compraría cerditos. Cuando estuvieran grandes los vendería y los cambiaría por ovejas y éstas por bueyes. Y así enriquecida, poco a poco, se comprometería en matrimonio con algún noble. Y como se gloriase pensando con cuánto honor sería llevada a caballo hasta su novio, como si acicateara el caballo con las espuelas, golpeó el suelo con el pie diciéndole al caballo: ¡ío, ío! Se le resbaló el pie y cayó en el vallado y se le quebró la olla y se le derramó la leche; y así lo perdió todo; lo que esperaba conseguir y lo que había conseguido.

9. *Dialogus creaturarum,* diálogo 100, p. 223.

Una señora le dio a su criada leche para que la vendiera. La llevaba a la ciudad y cerca del vallado, comenzó a pensar que con el precio de la leche compraría una gallina que le daría pollos, los cuales vendería, una vez crecidos, y compraría cerditos, que cambiaría por ovejas, y éstas, por bueyes. Así enriquecida se casaría con un noble, y se sintió orgullosa. Mientras se gloriaba y pensaba con cuánto honor sería conducida a aquel señor en su caballo, diciendo ío, ío, empezó a golpear la tierra con el pie como si acicatease el caballo con las espuelas. Pero se le resbaló entonces el pie y se cayó en el vallado, derramando la leche. Así no obtuvo lo que esperaba obtener.

* * *

Exemplo 9

De lo que contesçió a los dos cavallos con el león.

1. *Gesta Romanorum,* § 133, p. 487.

De la amistad espiritual. Había un rey que tenía dos perros conejeros, los cuales, cuando estaban atados juntos, se amaban mutuamente, pero cuando los soltaban, el uno quería devorar al otro. Viendo esto el rey, se dolía grandemente porque cuando quería jugar con ellos y cazar soltándolos, peleaban y no atendían al juego. El rey buscaba consejo acerca de esto y se le dijo que debía traer un lobo fuerte y cruel y dejar pelear a uno de los perros contra él; que cuando el perro estuviera casi vencido por la fiera, enviara contra ella al otro perro; que cuando el primer perro se viera así auxiliado, después de esto se amarían siempre mutuamente. Lo cual así se hizo y cuando el lobo casi vencía y el perro casi estaba vencido, el otro perro lo defendió y mató al lobo. Desde entonces se amaron los perros, tanto amarrados como sueltos.

2. *Bromyard,* pars. 3, art. 9, 29.

Dos perros que peleaban entre sí, al ver al lobo que venía contra ellos, dejaron la riña que entre sí tenían y atacaron al lobo de común acuerdo. Teniendo esto presente, como refiere Julius Sextus *(Stratagematon,* lib. 1, tit. X), Scorillus, Jefe de los dacios, calmó una pelea en el ejército mostrándoles dos perros que peleaban entre sí ante los cuales hizo correr un lobo, al cual como vieron dejando la pelea entre ellos lo siguieron de común acuerdo. «Así —dijo— haced vosotros contra los romanos.»

* * *

Exemplo 11

De lo que contesçió a un Deán de Sanctiago con Don Yllán, el grand maestro de Toledo.

I. TEMA DE LA INGRATITUD DEL DISCÍPULO PARA CON SU MAESTRO.

1. *Etienne de Bourbon,* § 412, p. 359.

El avaro es ciego. Semejante a Sedecías, a quien Nabucodonosor dejó ciego en Réblata, que quiere decir «Multa habens» y señala la multitud de bienes temporales con los que se enceguecen los ricos para que no vean lo que hay que hacer. Oí que cierto gran maestro en literatura tenía un discípulo de noble alcurnia el cual con frecuencia decía ante el maestro que los obispos de Francia eran ciegos porque no llamaban para una prebenda eclesiástica a su maestro, tan buen clérico. Cuando lo hicieron obispo al discípulo llamó a sus sobrinos para los beneficios eclesiásticos, ignorando al maestro. Por tanto, como estuviese en una procesión, a la luz del día, le salió al encuentro el maestro con dos antorchas encendidas y como preguntase el obispo el por qué de esto: «Señor, lo he hecho así para repeler de vos la ceguedad que veíais en los otros, que no me llamaban; habéis cambiado tanto desde la adquisición del honor y las riquezas, que no veis en vos, siendo rico, lo que pobre veíais en los otros antes del episcopado» (9).

2. *Thomas Wright,* § 73, p. 67.

De Roberto de Chartres. El maestro Roberto de Chartres tenía en París un amigo y clérigo que dijo que todos los obispos de Francia eran ciegos porque no le daban a su maestro, tan buen clérigo, alguna pensión, pues era pobre. Ese discípulo fue después hecho obispo y así se volvió ciego como los demás y se olvidó de su maestro. Como cierto día viniese a París, le salió al paso su maestro llevando en las manos dos

(9) La versión de VICENTE DE BEAUVAIS *(Speculum Morale,* lib. 3, pars 7, dist. 2: De avaritia) es exactamente igual a la de ETIENNE DE BOURBON. He aquí la única diferencia: V. DE B.: «(caecitatem) quam, *contraxisti* ex acquisitione honoris et divitiarum...» E. DE B.: «*tantum transistis* ex acquisicione honoris et diviciarum...».

cirios encendidos. Cuando el obispo le preguntó la razón de aquello respondió el maestro: «Señor, quiero que veáis, porque sois ciego como los demás obispos.»

3. *Abstemii Fabulae* (Citado por KNUST, *op. cit.*, p. 330).

Se cuenta de un varón que se llegó a un cardenal acabado de nombrar para felicitarlo. Cierto hombre, tan gracioso como bien educado, oyendo que un amigo suyo había sido elevado a la dignidad de cardenal, fue a él para felicitarlo; el cual, hinchado por los honores, disimulando conocer al viejo amigo, preguntaba quién era. Este, como era tan inclinado a bromear, «He venido a compadecerte —dijo— a ti y a los otros que llegan a estos honores. Tan pronto como obtenéis estas dignidades, perdéis en tal forma la vista y el oído y los otros sentidos que ya no conocéis a los viejos amigos».

II. TEMA DE LA ILUSIÓN MÁGICA CON LA CUAL EL MAESTRO DA UNA LECCIÓN A SU DISCÍPULO.

1. *Tabula Exemplorum,* § 68, p. 22.

Sabe que cierto nigromante tenía un discípulo que le prometía muchos bienes. Queriendo probar si así lo haría, por un encantamiento le hizo ver que lo elegían emperador. Como allegase muchas tierras que no tenían señores, le rogaba su maestro que se acordase de él y que le diera alguna tierra. Al momento le respondió que no sabía quién era. Entonces le dijo: «Yo soy el que os di todas estas cosas y ved que todo os lo quito.» Y desvanecido el encantamiento, se encontró pobre. Así dicen muchos que si tuvieran riquezas, muchas cosas harían por Dios; pero cuando tienen iglesias o prebendas o riquezas de cualquier clase, entonces nada quieren hacer por Cristo y Cristo, entonces, al fin les quita todo y, con frecuencia, la vida.

2. *Scala coeli,* § 72.

Se cuenta en el libro de los dones del Espíritu Santo que cierto hombre tuvo un discípulo muy amado a quien había obligado a gratitud con las muchas enseñanzas y servicios. Dijo el discípulo al maestro: «Si fuera rico, os haría infinitos beneficios.» Para probarlo, el maestro le hizo sentir por medio de cierta magia que era emperador y el maestro le rogaba que le cumpliese lo prometido porque muchos beneficios estaban vacantes. Pero el discípulo negaba conocerlo y le dijo el maestro: «Yo soy aquel que os dio todo esto y he aquí que ahora os lo quito todo.» Y, desaparecido el encanto, quedó desnudo. El maestro es Dios; el discípulo es el rico, quien cuando está en la pobreza, promete y propone hacer cosas maravillosas por Dios. Conseguidos los grados de honor y las riquezas, ni conoce a los pobres de Cristo. Por lo tanto, Dios, que dio y da todo a todos, finalmente los despoja con la muerte.

3. *Bromyard* (Divitiae, 11, art. 6, 19).

Como ocurrió a cierto nigromante y a su discípulo. Este discípulo (como narran las historias), cuando era pobre le prometió muchas cosas a su maestro si le acaeciese hacerse rico. Por una ilusión del maestro, que quiso probar su voluntad, fue hecho casi emperador con muchas tierras y riquezas a la mano; así le parecía. Al venir el maestro a pedirle algo, nada le quiso dar, sino que lo despreció. Retirada la ilusión, lo apartó de sí por ingrato. Así, muchos en la pobreza le prometen a Dios y a sus amigos; porque hay un proverbio que dice que nunca hay un hombre tan generoso con el caballo como el que no lo tiene.

(Honor, 4, art. 2, 9). A algunos les pasa que en la pobreza prometían tener gran gratitud, tanto para con Dios como para con los hombres y como podían, lo demostraban con las obras.

Pero al ser honrados fueron ingratos para con ambos (Dios y los hombres). A ellos puede Dios con justicia permitir que les pase como a cierto nigromante con su discípulo, del cual dice el cuento que muchas cosas le prometía a su maestro cuando nada tenía y el maestro tanto hizo con sus encantamientos que le hizo ver que era un gran señor, ante el cual viniendo fue vilipendiado como si no lo conociera. Retirado el medio con que fue exaltado, lo volvió al estado de pobreza en que lo había encontrado.

4. *Herolt* (Citado por Knust, *op. cit.*, p. 331).

Se cuenta que cierto nigromante tenía un discípulo que le prometía muchos bienes. Como quisiese probar si así lo haría, por un encantamiento le hizo ver que lo elegían emperador constantinopolitano y que vinieron a él primero unos mensajeros y después unos soldados que se lo llevaron y lo hicieron emperador y le ofrendaban sus tierras. Como allegase muchas tierras que no tenían señores (así le parecía) le rogó su maestro que se acordara de la promesa, dándole alguna de aquellas tierras. Como le dijera que no sabía quién era, replicó: «Yo soy el que os di todo esto y os lo quito.» Y desvanecido el encantamiento, se encontró pobre. Así hace Cristo con los ricos...

III. Tradición acerca de la nigromancia en Toledo.

1. *Cesario de Heisterbach* (vol. I, p. 279).

A mí me contó Godescalco de Volmuntsteine, monje nuestro de grata memoria, algo que no debo callar. Como cierto día le rogase el mencionado Felipe que le contara algo de su maravillosa arte, él respondió: «Yo os diré algo muy admirable que pasó verdaderamente en mis tiempos en Toledo.

Estudiaban en esa ciudad muchos estudiantes de diversas regiones el arte de la nigromancia. Ciertos jóvenes de Suevia y de Bavaria, oyendo algo estupendo e increíble a su maestro y queriendo probar si era verdad, le dijeron: 'Maestro, queremos que aquello que nos enseñas nos lo muestres ante nuestros ojos para que saquemos algún fruto de nuestro estudio'. El los rechazó y ellos no lo aceptaron porque la gente de esa nación es admirable y así, a una hora conveniente, los llevó al campo y con una espada hizo un círculo alrededor de ellos, amonestándoles, bajo peligro de muerte, que se apretaran dentro del círculo y les mandó que no dieran a nadie nada ni recibieran de lo que les ofreciesen. Separándose un poco de ellos convocó a los demonios con sus cantos. Pronto se le presentan en forma de soldados armados decentemente y haciendo juegos militares alrededor de los jóvenes. Ya simulaban un ataque, ya extendían las lanzas y espadas contra ellos asediándolos de todos modos para atraerlos fuera del círculo. Y como así nada obtuvieran, transformándose en bellas doncellas, conducían bailes alrededor de ellos, invitando a los jóvenes con diversas contorsiones. Uno de los estudiantes eligió la de forma más bella entre todas las bailarinas. Ella, cada vez que pasaba bailando, le ofrecía un anillo de oro sugiriéndole interiormente y por fuera inflamándolo en amor con el movimiento de su cuerpo. Hizo esto muchas veces y vencido el joven, sacó fuera del círculo un dedo hacia el anillo y ella inmediatamente lo sacó por el dedo y nunca apareció. Cogida la presa, la reunión de malignos se vuelve un torbellino. Hay clamor y estrépito entre los discípulos; acude el maestro y todos indagan acerca del rapto de su compañero. El maestro les respondió: «Yo no tengo la culpa. Vosotros me obligásteis. Yo os lo predije. Ya no lo veréis más.» Y ellos a él: «Si no nos lo devuelves, te mataremos.» Temiendo por su vida y sabiendo que los bávaros son furiosos, respondió: «Yo lo intentaré si es que acaso hay esperanza para él.» Y llamando al príncipe de los demonios, trayéndole a la memoria sus fieles servicios, le dijo que si el joven no era devuelto se vilipendiaría mucho su ciencia y que sus discípulos lo matarían. El diablo, compadecido, le respondió: «Mañana celebraré un consejo en tu favor en tal lugar. Preséntate y tendré mucho gusto en que lo puedas recuperar de algún modo por una sentencia favorable.» ¿Qué más? El consejo de malignos se reúne por mandato del príncipe. El maestro se queja por la violencia hecha al discípulo y el adversario le responde: «Señor —le dice—, no le hice ningún daño ni violencia. Fue desobediente a su maestro y no guardó la ley del círculo.» Discutiendo ellos de este modo, el diablo le pidió sentencia a cierto demonio que tenía al lado, diciendo: «Oliverio, siempre fuiste curial y a nadie recibes en contra de la justicia. Resuelve la causa de este litigio.» El respondió: «Juzgo que se ha de devolver el joven a su maestro.» Inmediatamente volviéndose al adversario dijo: «Devuélvelo porque le fuiste muy gravoso.» Los demás asintieron a la sentencia y al mandato del juez, el escolar es traído del infierno en ese mismo momento y es restituido a su maestro. Se disuelve el consejo y el maestro retorna la presa robada a los discípulos. Su cara estaba tan macilenta y pálida, el color tan cambiado que parecía que en ese momento salía resucitado del sepulcro. Les contó a los compañeros lo visto en el infierno y les dijo cuán contraria a Dios y cuán execrada por El era la ciencia de la nigromancia. Y lo hizo más con su ejemplo que con sus palabras, pues dejando el lugar se hizo monje en uno de nuestros monasterios». (Cf. *The Alphabet of Tales,* § 562 y *Recull de Eximplis,* § 493.)

2. *Recull de Eximplis,* § 519.

Miracle e eximpli com es perdicio de la anima apendre a saber la art de nigromancia, segons que recompte Cesar. Scientia nigromançie est mors anime.—Dos jovens aprenien lart de nigromancia en Toledo; e la un dells volent se morir promete a laltre que sil lexassen que abans de vint dies fossen passats, ell li aparech, e dixli que era dampnat per tal con aprengue la dita art e sciencia de nigromancia; e apres dixli amigablement que non usas de la dita art, que certifich vos que siu feya que perdria la anima. E tentost, dites aquestes paraules desparech; e laltre scola decontinent se parti de la dita ciutat de Toledo per gran devocio, e ab contricio de sos peccats mense en lorde de Cistell (10).

* * *

Exemplo 13

De lo que conteşçió a un omne que tomava perdizes.

1. *Rómulo Vindobonense* (Hervieux, *op. cit.*, vol. II, página 448).

Si no nos bastamos a nosotros mismos, nos ayudamos de otros y no se nos desprecia. En otras palabras: no se debe ignorar en manera alguna el consejo del sabio. En la época del verano, mientras aves de diversas especies se alegraban y residían en sus nidos ocultos por el follaje, vieron un cazador de ojos irritados que ponía sus cañas y metía la paja para untarla de liga. Aquellas aves, ignorantes y simplonas, comenzaron así a hablar entre sí: «¡Qué misericordioso es este hombre que vemos, que por su mucha bondad derrama lá-

(10) Se halla también en el *Alphabet of Tales*, § 700. En Cesario, de donde lo toman, la aparición ocurre en el momento en que el amigo reza los salmos por el alma del difunto ante una estatua de la Virgen. Más que el tema de estos ejemplos, lo que interesa es que sea Toledo la sede de la nigromancia. Véase también el *Scala coeli*, § 371. El *Liber Exemplorum*, § 38, menciona a un mago español, quien convoca a los demonios.

grimas de sus ojos cada vez que nos mira!» Un ave de aquellas, más astuta y que había experimentado todas las trampas del cazador, dicen que dijo así: «¡Ay! Huid simples e inocentes aves y libraos de este engaño. Por ello os aconsejo que desperecéis las plumas de las alas y os elevéis por el aire prontamente con libre vuelo. Pues si queréis saber lo que pasa atended y ved sus acciones; como a las que ha cogido en su trampa, muertas del agarrón o ahogadas, las pone en el morral.» Esta fábula enseña que muchos se pueden librar del peligro por el consejo de uno solo.

2. *Rómulo de Nilant* (HERVIEUX, *op. cit.,* vol. II, p. 542).

La siguiente fábula nos amonesta que de ningún modo debemos despreciar el consejo del sabio. Hace mucho tiempo en época de primavera, cuando las aves de diversas especies se regocijaban pacíficamente en sus nidos, vieron a cierto cazador de ojos irritados que tendía las redes, las trampas y la liga. Y comentaron con simpleza entre ellas: «¡Oh! Qué hombre tan compasivo vemos ante nosotros y cuán amable y misericordiosamente nos prepara el camino. De sus ojos manan incesantes lágrimas a causa de su gran bondad y misericordia cada vez que nos mira, compadecido de nosotras.» Una de ellas, más astuta que las demás y más experta en las muchas trampas del cazador, corrigiendo a las demás, les dijo: «¡Ay! Huid simples e inocentes aves y libraos de este engaño. Yo os aconsejo que sin pereza, con el vuelo de vuestras alas, os elevéis por el aire; y si os queréis quedar aquí más tiempo, miradlo y cautamente observadlo, cómo a las que agarra con engaño, muertas o ahogadas, al instante las va poniendo en el morral.»

3. *Rómulo Anglico* (HERVIEUX, *op. cit.,* vol. II, p. 620).

Hubo en un campo una gran aglomeración de aves y se

asentaron por todas partes. Al verlo, el cazador preparó sus redes para cogerlas. Les pareció a las aves que aquel hombre lo hacía por ellas, para prepararles el camino. Dijéronse también: «Nunca vimos hombre más amable y misericordioso. Cuánto se compadece de nuestra miseria y nos prepara el camino; y cuando nos mira, llora de compasión.» Tenía, en efecto, los ojos irritados y lagrimosos y por eso pensaban que tenía lágrimas de piedad. Entonces una, instruida en los muchos peligros, pues con frecuencia había evitado trampas y redes, increpó a las otras con estas palabras: «¡Míseras y despreocupadas! Hombres escondidos que con cuidado podéis ver, ya van a arrojar sobre nosotras las redes y si no os retiráis pronto os arrojarán al morral.» Moraleja: Hay que venerar y guardar los consejos del sabio que mucho ha visto y experimentado. Frecuentemente con el consejo de uno se han salvado muchos y, despreciando el consejo saludable, muchos perecieron.

4. *Odo de Cheriton* (HERVIEUX, *op. cit.*, vol. IV, p. 184).

De los ojos llorosos del calvo y las perdices. Un calvo que tenía los ojos llorosos mataba perdices. Y una dijo: «¡Qué bueno y qué santo es este hombre!» Y dijo otra: «¿Por qué lo llamas bueno?» Y respondió: «¿No ves cómo llora?» Y respondió la otra: «¿No ves cómo nos mata? ¡Malditas sean sus lágrimas, pues llorando nos pierde!» Así muchos obispos, prelados, magnates, según parece, oran bien, dan limosnas, lloran; pero despojan y hacen perecer a los simples y a los súbditos. ¡Malditas sean las oraciones y lágrimas de esos tales!

* * *

Exemplo 14

Del miraglo que fizo sancto Domingo quando predicó sobre el logrero.

1. *Etienne de Bourbon,* § 413.

El avaro es «descorazonado»... pues no tiene corazón ni para el Señor ni para la oración, sino en una bolsa o en un arca: no lo tiene consigo, sino afuera. Oí que cierto gran rico que mucho se había apegado al mundo ni al morir pudo ser inducido a dejar las cosas que injustamente poseía o que gastase algo de ello por Dios; y que volviese su corazón al Señor para arrepentirse de lo hecho. Murió así, lejos de su patria. Cuando sus amigos abrieron su cuerpo para sacarle las entrañas y llevar su cuerpo a su tierra, no hallaron en él el corazón. Cuando abrieron el arca en donde estaban sus tesoros lo hallaron sangriento sobre su dinero. Le oí este ejemplo a cierto religioso predicador en un sermón.

Klapper, § 159.

En la ciudad de Aquisgrán, como se debiera preparar cierto cadáver, extraídas las vísceras no se halló en él el corazón. Y admirados, empiezan a preguntarle a un sabio si era posible que existiera sin corazón. El dijo que no. «Pero, como dice el Señor en el Evangelio: Ubi est thesaurus tuus, ibi est et cor tuum, buscadlo, por tanto, donde está su dinero; allí, quizás, encontraréis su corazón.» ¡Cosa admirable! Cuando buscaron el corazón suyo en el arca, cerca del dinero, lo encontraron fresco y fuerte.

2. *Etienne de Bourbon,* § 421.

Otros mueren blasfemando y entregándose al diablo, como

ya lo he dicho. Otros, sufriendo gran tormento en la muerte, como aquel de quien ya dije que yo vi en la iglesia de la Santa Virgen de París, el cual de repente se volvió negro y se hinchó y, según se dice, fue consumido por aquel fuego infernal. (Se refiere al § 417). También leí en un libro de un antiguo hermano de la orden que, en Lombardía, Santo Domingo rogado por algunos visitó a cierto hombre de leyes, gran abogado y usurero, a quien estando gravemente enfermo rogó en presencia del sacerdote que mandase restituir lo obtenido con usura; el cual no quería obedecer, diciendo que los hijos e hijas no querrían abandonar a los pobres. Y se partió Santo Domingo con los otros y con el Cuerpo de Cristo. Los amigos quedaron confundidos: le rogaron que lo prometiera hasta que recibiera la comunión para no carecer de sepultura cristiana. Así lo hizo, creyendo engañarlos. Al irse los frailes, después de que recibió la comunión, empezó a clamar que estaba todo él encendido y que le habían puesto el infierno en la boca: «He aquí que ardo enteramente.» Y elevada la mano decía: «¡Ved cómo arde toda ella!» Y así de los otros miembros; y murió y fue consumido.

3. San Gregorio de Tour, *Libro de los Milagros* o *De Gloria Martirum,* cap. 106 (Migne, *Latina,* vol. 71, p. 798).

Oí algo que aconteció en las Galias hace muchos años. Cierta mujer, fingiendo religiosidad, se daba a los ayunos y permanecía en oración, pasaba vigilias de continuo y visitaba asiduamente los lugares santos simulando devoción. Viviendo así en la apariencia de una vida santa, recibía de muchos riquezas inmensas; todos los días reunía oro y lo que la devoción cristiana ofrendaba para redimir cautivos lo escondía en un lugar oculto; y lo que se daba para las necesidades de los menesterosos lo amontonaba para su provecho en bolsas de iniquidad. Cavando la mujer la tierra en medio de su celda, puso allí una olla inmensa y cuando se le daba algo lo escondía con diligencia, cerrando con una piedra encima para que a nadie se le revelara lo que estaba oculto. ¡Oh codicia digna de ser execrada tres y cuatro veces! ¡Defraudando de la luz a los hombres, los sumerges en las tinieblas! ¿Qué más? Cuando la olla se llenó de monedas le llegó a esta mujer el tiempo de partir y, al morir, Dios la sepultó en los infiernos. Después de sus exequias, los sacerdotes que habían asistido interrogaban a una niña que la acompañaba y le preguntaban qué había hecho con tanto dinero y si el tiempo vivido había sido suficiente para gastarlo. Pero ella respondió que nunca la había visto extender una mano de misericordia a ningún menesteroso y que ignoraba qué se había hecho del dinero dado. «Sólo sé una cosa —dijo—: que llevado a la celda, nunca lo vi volver a salir.» Al oír esto se admiraron los clérigos e indagaron con diligencia qué había ocurrido. Dando duros golpes en todo el pavimento, el lugar en que yacía el dinero oculto aumentó de sonido y resonando huecamente reveló lo que escondía y, al momento, removida la piedra, se encontró el montón de oro. Los clérigos, admirados de tan sutil perversidad, le contaron al obispo el hecho. Conmovido éste, ordenó que, abierto el sepulcro, se arrojase el dinero sobre el cuerpo exánime, diciendo: «Que sea para ti lo que amontonaste, que a los pobres de Cristo no les faltará de dónde se sustenten.» Sin demora, al llegar la primera quietud del tiempo nocturno, se oyen voces en el sepulcro, llanto e inmenso quejido y entre todas las voces resonaba, sobre todo, ésta: que ella, mísera e infeliz, se consumía con el incendio del oro. Finalmente, como por tres días resonaran esas voces al llegar la noche, al no soportarlo más la gente fueron al sacerdote. El, llegándose, ordenó remover la lápida del sepulcro; y, removida ésta, vio el oro que como si hubiera sido derretido en un horno se le metía a la mujer por la boca con una llama sulfurosa. Entonces el sacerdote oró al Señor que ya que su maldad había sido declarada a aquellas gentes, que el Señor mandara cesar el tormento del cuerpo. Cubierto el sepulcro se retiró y las voces de la mujer no se oyeron más. Ved cuán distante está la conducta celestial de la riqueza secular, etc.

* * *

Exemplo 15

De lo que conteşçió a Don Lorenzo Suárez sobre la çerca de Sevilla

Alfonso X el Sabio, *Primera Crónica General* (Madrid, 1906).

1. *Cap. 1107* (p. 760). Capítulo de las espolonadas que fizo don Llorenço Ssuarez con los moros por la pontezilla que esta sobre Guadeyra, et de la buena andança que y ovo.

Muchas vezes salien los moros de rebato por la puerta del alcaçar do es agora la Iuderia, et pasavan una ponteçilla que era y sobre Guadayra, et fazien sus espolonadas en la hueste, et matavan y muchos cristianos, et fazien y mucho danno. Quando don Llorenço Suarez sopo el danno que fazien los moros, en la hueste, que por aquella pontezilla pasavan, penso de commo feziesen un espolonada en ellos porque los podiesen escarmentar. Dixo a Garçi Perez de Vargas et a otros cavalleros que y estavan con el: «fagamos una espolonada en aquellos moros que vienen por aquella pontezilla aqui a la hueste tantas vezes, et recibimos dellos tan grant danno commo vedes; mas catad commo ninguno de nos non entre en la puente nin llegue a ella, que seer nos ye grant peligro, ca son los moros tantos que non los podriemos sofrir»; et esto dizie don Llorenço Suarez por provar a Garçi Perez de Vargas que serie lo que y farie; et del otra parte, entre la villa et la pontezilla, estava muy grant gentio de moros: bien fasta diez mill podrian ser. Et fezieronlo asi, et encobrieronse de los moros. Et los moros salieron a fazer su espolonada commo solien contra la hueste del rey don Fernando. Et quando don Lorenço Suarez, et los que con el eran, vieron tienpo, aguyjaron con ellos fasta entrada de la puente. Et alli se detovieron los moros. Don Lorenço Suarez fue ferir en los moros, mas los moros fueronse arrancando, et cayeron muchos dellos en ese rio de Guadayra; et don Llorenço fue feriendo et derribando en ellos fasta en la meytad de la puente, et tornose deziendo: «¡yo so don Lorenço!». E veniendose, paro mientes por Garçi Perez de Vargas, et nol vio; et torno la cabeça et vio que avie pasado la puente et estava del otra parte entre los moros en grant priesa, et avie ya derribado quatro cavalleros dellos. «Cavalleros —dixo don Llorenço Suarez— engannados nos a Garçi Perez. Vedes commo a pasada la pontezilla el; mas faramos oy entrar en tal logar en que avremos todos mester el ayudorio de Dios. Et porque me reçelava yo del, ove yo dicho que ninguno non entrase en la pontezilla. Pues asy es, et nol podemos ende tornar, vayamosle acorrer, que esto a fazer es; ca en otra guisa, mal nos estaria, sy a tan buen cavallero, commo es Garçi Perez, se oy perdiese por la nuestra mengua.» Et desque esto fue fablado, tornaron et fueron ferir en los moros que fallaron en la puente, et mataron muchos dellos. Et bolvieron los moros las espaldas contra la villa; et tamanna fue la priesa et el miedo que ovieron, que muchos dellos se dexaron caer en el rio de Guadayra. Et pasaron la pontezilla, et fueron asi con ellos, derribando et matando en ellos, fata la puerta del alcaçar; et muchos dellos que se metieron por el rio, et alli morieron muchos, et alli los entraron a matar. Et tamanna fue la mortandat que en ellos fezieron et tantos mataron, que mas fueron de tres mil moros los muertos. Et don Llorenço Suarez se torno con esta buena andança para la hueste, deziendo ante todos por plaça que nunca avie fallado cavallero que de ardideza le vençiese, sinon Garçi Perez de Vargas, et que el los feziera ser buenos aquel dia. Et devedes saber que, de aquel dia en adelante, nunca mas los moros que estavan en Ssevilla osaron fazer espolonada en la hueste del rey don Fernando; asi fincaron escarmentados de la grant mortandat que fezieron en ellos.

2. *Cap. 1084.* Capitulo de commo Garçi Perez de Vargas torno por la cofia a aquel logar o se le cayera.

Otro día después que el rey don Fernando fue posar a Tablada, mando a los cavalleros de su mesnada que fuesen guardar los erveros. Garçi Perez de Vargas, et otro cavallero que avie a yr con ellos, detovieronse en el real et non salieron tan ayna commo los otros; et en yendo en pos ellos, vieron ante sy por o avien a pasar en el camino ssiete cavalleros de moros. Et dixo el cavallero a Garçi Perez: «tornemosnos; non somos mas de dos». Et Garçi Perez dixo: «non lo fagamos; mas vayamos por nuestro camino derecho, ca nos non atendran». Et el cavallero dixo que lo non queria fazer: ca lo tenia por locura sy dos cavalleros que ellos eran, fuesen cometer de pasar por do estavan siete; et fuese aderredor del real por non ser conosçido, fasta que fue en su posada. El real do estava la tienda del rey era un poco en altura, et por o ellos yvan era llano; et el rey don Fernando ovolo a oio, et los que con el estavan, et vio de commo se tornava el un cavallero et que fuera el otro en su cavo; otrosi vio aquellos siete cavalleros de moros commo le estaban delante, teniendol el camino por do el avie a pasar; et mando quel fuesen acorrer. Don Llorenço Ssuarez que estava y con el rey, que avie visto a Garçi Perez quando saliera del real et conosçiol en las armas et sabie que el era, dixo al rey: «sennor, dexenle; que aquel cavallero, que finco en su cabo con aquellos moros, es Garçi Perez de Vargas, et para tantos commo ellos son non a mester ayuda; et sy los moros lo conosçieren en las armas, non lo osaran cometer, et sil cometieren, vos veredes oy las maravillas que el fara». Garçi Perez tomo las armas quel traye su escudero, et mandol que se parase en pos el et que se non moviese a ninguna parte, synon asy commo el fuesse que asy fuese el en pos el; et en alazando la capellina, cayosele la cofia en tierra et non la vio; et endereço por su camino derecho, et su escudero en pos el. Los moros connosçieronle en las armas commo era Garçi Perez, ca muchas vezes gelas vieran traer et bien las conosçien, et nol osaron cometer; mas fueron a par del, de la una parte et de la otra, faziendol cadamannas et sus abrochamientos una gran pieça; et quando vieron que se non bolvie a ninguna parte nin se querie desviar por cosa que ellos feziesen, synon que todavia yva por su camino derecho, tornaronsse et fueronse a parar en aquel logar o se le cayo la cofia. Quando Garçi Perez se vio desenbargado de aquellos moros, dio las armas a su escudero; et quando desenlazo la capellina et non fallo su cofia, pregunto al escudero por ella; et el escudero le dixo que non gela diera. Et desque fue çierto que se le avie caydo, tomo sus armas quel avie ya dadas, et dixol que pasase en pos el et que toviese oio por la cofia alli o se le cayera. Et el escudero, quando vio que se querie tornar por ella, dixol: «¡commo, don Garçi, por una cofia vos queredes tornar a tan grant peligro? et non tenedes que estades bien, quando tan sin danno vos partiestes de aquellos moros, sseyendo ellos siete cavalleros et vos uno solo, et queredes tornar a ellos por una cofia?» Et Garçi Perez le dixo: «non me fables en ellos, ca bien veyes que non he cabeça para andar sin cofia»; et esto dezie el porque era muy calvo, que non tenie cabellos de la meytad de la cabeça adelante; et tornose para aquel logar do ante tomara las armas. Don Llorenço Suarez quando lo vio tornar, dixo al rey: «vedes commo torna a los moros Garçi Perez, quando vio que los moros nol querien cometer? agora va el cometer a ellos; agora veredes las maravillas que el fara, que vos yo dezia, sil osaren atender». Los moros quando vieron tornar a Garçi Perez contra ellos tovieron que se querie conbater con ellos, et fueronse ende acogiendo que non se detovieron y mas. Quando Llorenço Suarez vio a los moros commo se acogien ante Garçi Perez, que nol osaron atender, dixo al rey: «Ssennor, vedes lo que vos yo dezia que nol osarien atender aquellos siete cavalleros de moros a Garçi Perez en su cabo? Sabet, sennor, quel connosçieron; catadlos commo se van acogiendo antel que nol osan atender. Yo so Llorenço Suarez, que conosco bien los buenos cavalleros desta hueste quales son.» Garçi Perez llego a aquel logar do se le cayera la cofia et fallola y, et mando a su escudero descender por ella; et tomola et sacodiola et diogela; et pusosela en la cabeça, et fuese ende para do andavan los erveros. Quando los que fueron guardar los erveros se tornaron para el real, pregunto don Llorenço Suarez a Garçi Perez, ante el rey, quien fuera aquel cavallero que con el saliera del real. Et Garçi Perez ovo ende grant enbargo, et pesol mucho porque don Llorenço Suarez gelo preguntara ante el rey, ca luego sopo que viera el rey et don Llorenço Suarez lo que a el aquel dia oviera contesçido; et el era tal omne et avie tal manera que nol plazie quando le retrayen algun buen fecho que el feziese; pero con gran verguença ovo a dezir que nol conosçie nin sabie quien fuera. Et don Llorenço Suarez ge lo pregunto depues muchas vezes quien fuera aquel cavallero, et siempre le dixo que nol conosçie et nunca del lo podieron saber, pero que lo conoscia el muy bien et lo veye cada dia en casa del rey; mas non querie que el cavallero perdiese por el su buena fama que ante avie, ante defendio al su escudero que por los ojos de la cabeça non dixiese que lo conosçia; et el escudero asi lo fizo, que nunca lo quiso dezir, pero que gelo preguntaron despues muchas vezes.

* * *

Exemplo 16

De la respuesta que dio el Conde Ferrant Gonsáles a Muño Laynez su pariente.

Alfonso X el Sabio, *Primera Crónica General,* cap. 696, p. 397 sig.

Pues que el rey don Sancho de Navarra fue muerto en la lid et los navarros vençudos, llego el conde de Tolosa et de Piteos que vinie en ayuda del rey; et quando sopo que el rey era muerto, ovo ende muy grand pesar, et dixo que el querie yr lidiar con los castellanos et vengar el rey don Sancho si pudiesse; et llegaronse luego todos los navarros a el. Quando el conde Fernand Conçalez sopo que el conde de Tolosa vinie sobrell con los navarros, mando luego mover contra alla. Mas los cavalleros fueron despagados dell porque siempre avien a andar armados et nunqua los dexava folgar, et dixieron: «Esta vida non es sinon para los peccados, ca siempre nos queremos semeiar a los de la hueste antigua que nunqua canssan de dia nin de noche. Et este nuestro Sennor semeia a Sathanas, et nos a los sus criados, que nunqua folgamos sinon quando sacamos almas de omnes. Et nin ha duelo de nos que soffrimos muy grand lazeria, nin de si mismo que es tan mal ferido. Ond a mester que aquello que vemos que nos estara bien, que ge lo digamos; et por la su loçania que non caya el et nos en grand yerro.» Esto dicho, escogieron un cavallero, que dizien Nunno Llayn, que dixiesse al conde aquello que avien acordado. Et Nunno Llayn fue, et dixo al conde assi: «Sennor, si lo vos por bien tovieredes, nos en esto acordamos aca todos: que estedes quedo fasta que sanedes et seades guarido, et non querades por mala cobdicia caer en grand yerro; ca non sabemos omne en el mundo que pudiesse durar la vida que nos fazemos; et la vuestra grand cobdicia vos faze olvidar lo que serie mesura. Et, sennor, las cosas non estan siempre en un estado, et deve omne aver mui grand seso en ell lidiar; si non puede perder por y todos sus buenos fechos. Onde a mester que folguedes vos et vuestras yentes fasta que seades sano dessa ferida que tenedes. Et entretanto yran llegando vuestras compannas, de que son aun muchos por venir, et despues yremos lidiar con el conde de Tolosa et vencer lemos, si Dios quisiere. Et non tengades, sennor, que vos esto dezimos por cobardia ninguna, mas porque vos querriemos guardar assi como a nuestras almas et a nuestros cuerpos.» Pues que Nunno Llayn ovo acabada su razon, respusol el conde desta guisa: «Don Nunno Llayn, buena razon avedes dicha et departiestes muy bien las cosas assi como son; mas pero non me semeia guisado de allongar nos esta lid, ca un dia que omne pierde, nunqua iamas puede tornar en el; et si nos tenemos buen tiempo et queremos atender otro, por ventura nunqua tal le cobraremos. Et ell omne que quiere estar vicioso et dormir et folgar, non quiere levar al deste mundo: et del omne tal como este muerense sus fechos el dia que el sale deste mundo. Et el viçioso et el lazrado amos an de morir, et non lo puede escusar ell uno nin ell otro; mas buenos fechos nunqua mueren, et siempre es en remembrança el qui los fizo. Todos los omnes que grandes fechos fizieron passaron por muchos trabaios, et non comieron quando quisieron nin cena nin yantar, et ovieron a olvidar los vicios deste mundo et de la carne. Non cuentan de Alexandre, las estorias nin los buenos omnes, los dias nin los annos, mas retraen et dizen dell los buenos fechos et las cavallerias que fizo; otrosi de Judas Machabeo, que fue obispo et buen cavallero darmas et muy grand lidiador et lidio muy bien et defendio muy bien de los enemigos el regno de Judea en quanto el visco; et otrossi de Carlos el emperador et de los otros muchos buenos varones, que por los sos fechos granados et buenos que fizieron seran ementados et contados fasta la fin del mundo. Et los que fueron malos et avoles et se echaron a los vicios del mundo, non fablan dellos mas que si non fuessen nasçidos. Et por ende a mester de catar en que despendemos nuestro tiempo, et contar los dias et los annos, ca los que se passan de balde nunqua los podremos cobrar.» Quando el conde Fernand Gonçalez ovo acabada su razon, tovieron todos que dixiera muy bien, et que aquello era lo meior, et dixieron que farien todo quanto les el mandasse et toviesse por bien.

* * *

Exemplo 18

De lo que contesçió a don Pero Meléndez de Valdés quando se le quebró la pierna.

1. *Scala Coeli,* § 713.

Se lee en el libro de los siete dones del Espíritu Santo que había un militar que tenía un escudero bueno y santo. Este fue acusado por sus enemigos de que era demasiado familiar con la esposa del militar. Y como el militar tenía un horno de hacer tejas y vidrio en el bosque, mandó una carta, por consentimiento y consejo del enemigo, al jefe de los hornos para que pusiera en el horno al primero que viniera a ellos de su casa. Finalmente, enviada la carta, muy por la mañana, el escudero acusado fue enviado, pero se detuvo en el camino según su costumbre y oyó misa. Finalmente, el enemigo, queriendo saber si la orden de su señor se había cumplido, con licencia del militar se acercó allí. Y como éste fue el primero y precedió al otro, fue echado al horno y quemado. El otro, empero, inocente, oyendo la misa y llegando último, fue salvado. El jefe del horno informó de lo hecho al señor por medio del escudero. Y viendo el juicio de Dios sobre el muerto, alabó a Dios y después amó mucho a su escudero.

2. *Bromyard* (Bonitas 4, art. 6, 17, p. 106).

Aquellos que no tienen ahora presente esa providencia de Dios murmuran: pero los que dan gracias, al final conocen la verdad. Como un pobre en Cranoto, ciudad de Francia, del cual se cuenta lo siguiente: Cada día, bien como ganancia, bien como limosna, solía reservar de los gastos del día un óbolo con el cual, cada noche, se contrataba hospedaje, siempre en el mismo lugar. Acaeció una vez que no tuvo el óbolo y así careció de aquel hospedaje, pues la hostelera no lo quiso recibir sin el óbolo. Ocurrió, por casualidad, que aquella noche todo aquel hostal se quemó con todos los hombres que allí estaban. Por la mañana, al verlo, el pobre daba gracias a Dios con las manos elevadas, diciendo: «Bendito sea Dios que me libró del óbolo, pues si hubiera tenido ese óbolo, con los demás me habría quemado.» Es muy de creer que por la tarde cuando carecía de hospedaje, murmuraba y se acongojaba porque no tenía el óbolo. Pero viendo el cuidado y providencia de Dios para con él en lo acaecido, porque lo había librado del óbolo y no se había quemado, daba gracias.

3. *Klapper,* § 182.

Se lee de cierto rico que tuvo un hijo único. Mientras su padre estaba para morir, llamó a su hijo y le encomendó tres cosas fielmente. Primero le enseñó que amara y honrara a Dios sobre todas las cosas, porque está escrito: Honra a Dios que te creó y te redimió con su sangre y sometió a ti todas las cosas del mundo. Segundo, le enseñó a servir a su señor fielmente, porque en las *Morales* está escrito: Quien bien sirve a su señor, lo hace agradecido y benévolo. En tercer lugar, le enseñó que oyera la misa todos los días, a pesar de lo que estuviera haciendo y que contemplara con alma devota el cuerpo del Señor, porque dice San Gregorio: Verdaderamente es el más feliz y santo de los hombres aquel que contempla el cuerpo del Señor y acompaña esto con limosnas, oraciones y lágrimas. Después de esto el padre encomendó y entregó su hijo al rey, cuyo consejero había sido, y murió después de haber comulgado, haber sido ungido y de haber ordenado su testamento. Una vez sepultado, el rey, por amor al padre, recibió inmediatamente al hijo y se lo dio como camarero a la reina. El hijo, siguiendo el consejo de su padre, sobresalía entre todos los camareros por sus virtudes: era manso, piadoso y lleno de fe, solícito en el servicio de su señora y cuidadoso tanto de Dios como de su salvación; según el consejo de su padre, empezó a amar los oficios divinos y a asistir todos los días a misa, llorando la pasión de Cristo a la elevación de la hostia. La reina, su señora, por su diligencia en el servicio empezó a amarlo y a hacerle favores con preferencia de los otros camareros. Y por eso, sus compañeros inicuos, por su fidelidad y por la fidelidad de su señora, lo perseguían. Y para que pudiera perder el favor del rey, uno de los compañeros, que fue como Judas pérfido e inicuo, de común acuerdo con sus compañeros lo acusó ante el rey y le atribuyó el crimen de que se acostaba con la reina y que esto les constaba a todos los camareros, los cuales ante el rey declaraban. El rey, exacerbado por este decir, pidió consejo al traidor para deshacerse de ese joven sutilmente sin que la reina quedara infamada a causa de ese joven. Aquél, tratando de llevar a efecto su malicioso engaño, dijo: «Señor y rey, que sea mandado mañana a los que queman los ladrillos y se les ordene que a cualquiera que les mandes mañana, antes del almuerzo, lo echen al horno ardiente con caballo y vestidos para que se queme hasta las cenizas. Asintiendo el rey con este consejero inicuo le mandó a aquel siervo fiel que por la mañana cabalgase hasta el galpón y llevara como misiva la pregunta de si habían hecho como les mandara el rey. El siervo, ignorando que lo traicionaban, emprendió el camino y mientras pasaba por la población contigua oyó que las campanas tocaban a misa. No quiso desatender la misa. Y mientras oía la misa, en la elevación del cuerpo de Cristo se encomendó llorando a Jesucristo, según el consejo de su padre. Terminada la misa, el señor de la villa lo convidó a almorzar. Antes del almuerzo temió el rey que su mensajero hubiera sido prevenido y mandó montar al inicuo traidor para que fuera a ver si habían hecho con el joven como les había ordenado. El cual, viajando velozmente, queriendo verificar el hecho, se adelantó al joven y los alfareros lo cogieron a pesar de que gritaba y lo echaron al horno. Así se quemó el cuerpo del mísero traidor y su alma fue llevada cautiva perpetuamente adonde los pecadores y todos los traidores son atormentados. El joven, terminado el almuerzo, fue a los alfareros con la legación de su señor y dijo: «¿Ha sido hecho lo que mi señor mandó?» Y respondieron: «Está hecho.» Hecho el mandado, el siervo fiel cabalgó a casa y fue ante su señor el rey. Cuando lo vio el rey, lleno de estupor, se admiró de que todavía viviera. Entendiendo que el traidor había sido quemado, empezó a acercarse al joven interrogándolo. El cual le expuso el consejo de su padre; y conoció el rey que por la gracia divina se había escapado del fuego. Desde entonces el rey empezó a amar mucho más al joven dándole por esposa a una noble parienta suya, a la cual el joven amó mucho; y como siervo fiel, el rey lo exaltó sobre todos y expulsó de la corte y de su gracia a los émulos llenos de vergüenza. Así, hermanos míos, siempre crece y se alaba la fidelidad y ésta permanece, en tanto que la infidelidad y la perfidia perecen. Por tanto, hay que servir a Dios, quien es rey de reyes y señor de señores; y es bueno oír la misa, pues su asistencia salvó a este joven.

* * *

Exemplo 20

De lo que contesçió a un rey con un omne quel dixo quel faria alquimia.

1. Ramón Llull, *Obras Literarias* (Madrid, Biblioteca de Autores Cristianos, 1948), p. 716.

Félix o Maravillas del mundo, cap. 36. En un país sucedió que un hombre imaginó cómo podía juntar un gran tesoro y para ello vendió cuanto tenía. Y se fue a un reino muy distante y dijo al rey que él era alquimista; de que el rey tuvo gran placer, le hizo alojar y dar cuanto había menester. Sucedió después que aquel hombre metió mucho oro en tres *bustias (bustia* quiere decir en realidad *recipiente)* o cañones, en las cuales había decocción de hierbas, que componían a modo de un lectuario. Y como delante del rey metiese aquel hombre una de aquellas *bustias* en una caldera en que había gran porción de doblones que el rey le había dado para que multiplicase el oro que había en ella, el que estaba dentro del cañón se derritió y aumentó el que el rey había puesto en la caldera, de forma que al fin se encontró que la masa del oro pesaba dos mil doblones, no habiendo puesto el rey más de mil. Cuya acción repetió el embustero por tres veces delante del rey, quien creyó por verdad que aquel era alquimista. Pero al fin se huyó con un gran tesoro que el rey le había entregado para que le multiplicase, creyendo que el licor o lectuario que estaba en los cañones tenía virtud de multiplicar el oro.

2. *El Caballero Zifar,* ed. de Martín de Riquer (Barcelona, 1951).

Cap. 203. Del consejo que dio el infante Roboán al emperador de Trígrida sobre un físico.

Onde, dize el cuento que este infante fué muy bien quisto

del emperador de Tríguiada, ca atán bien lo servía en todas las cosas quél podía, e tan lealmente que lo fizo uno de sus compañones. E quando se llegaban todos al emperador para le consejar, non avía ninguno que atán bien acertase el buen consejo dar commo él. Así que un día vino un físico que era de tierra extraña al emperador. E preguntóle el emperador si era maestro licenciado en física, e él dixo que sí, e mostróle ende sus cartas de commo era licenciado e que de todas las enfermedades del mundo guarescía a los omes con tres yervas que él conoscía: la una era para bever, e la otra para fazer ungüentos con ella, e la otra para fazer baños con ella. E mostróle commo con razón, e puso nombres estraños a las yervas, de guisa que los físicos de casa del emperador non las conoscían, mas semejávales que fablava en ello commo con razón. E el emperador le preguntó que do fallarían aquellas yerbas, e él díxoles que en la ribera de la mar escontra do se pone el sol. E el emperador demandó consejo a sus físicos e a todos los de su consejo, e ellos le consejaron que embiase por aquellas yervas. E llamó luego aquel físico estraño, e díxole que quería enbiar por las yervas, e quel daría de su casa algunos que fuesen con él. E el físico le respondió e díxol que non quería que fuese ninguno con él; que lo quel apresiera con grant trabajo en toda su vida, que non quería que aquellos que embiase con él que lo apresiesen en una ora; mas quel diese a él todo lo que oviese mester, e treinta o cinquaenta camellos, e que los trairía cargados; ca mucho avía mester dello para fazer los baños señaladamente. E quando contaron quanto avía mester para dos años para ida e venida, fallaron que montava dies mill marcos de plata.

Así que los consejeros e los físicos consejavan al emperador que lo feziese, ca non podría ser comprada esta física por aver. El emperador quería lo fazer, pero demandó al infante Roboán quel dixiese lo quel semejava. E él díxole que se non atrevía a lo consejar en esta razón, ca non quería que por su consejo le contesciese lo que contesció a un rey moro sobre tal fecho como este.

—¿E cómmo fue? —dixo el emperador.

—Señor —dixo el infante—, yo vos lo diré.

Así fue que un rey moro avía un alfajeme muy bueno e muy rico, e este alfajeme avía un fijo que nunca quiso usar del oficio de su padre, mas usó siempre de cavallería, e era muy buen cavallero de armas. E cuando murió su padre, díxole el rey que quisiese usar del oficio de su padre, e quel feziese mucha merced. E él dixole que bien sabíe que nunca usara de aquel oficio, e que siempre usara de cavallería, e que lo non sabía fazer así commo convenía; mas quel pedía por merced que por non andar avergoñado entre los cavalleros quél conoscía, que sabían que era fijo de alfajeme, quel mandase dar su carta de ruego para otro rey su amigo, en que lo embiase rogar quel feziese bien e merced, e quél punaría en lo servir quanto podiese. E el rey tovo por bien de ge la mandar dar, e mandó a su chanceller que ge la diese. E el cavallero tomó la carta e fuése para aquel rey amigo de su señor. E quando llegó a él dixo saludes de parte de su señor el rey, e dióle la carta quel emfiava. E ante quel rey abriese la carta dióle a entender quel plazía con él, e demandóle si era sano su señor. E díxole que sí. E preguntóle si estava bien con sus vezinos. E díxole que sí, c que mucho recelado dellos. E demandóle si era rico, e díxole que todos los reys sus vezinos non eran tan ricos commo él solo. E estonce abrió la carta el rey e leyóla. E dezía en la carta que este cavallero que era fijo de un alfajeme, e quel embiava a él para que lo sirviese, e quel feziese merced, ca ome era quel sabría muy bien servir en lo quel mandase. E el rey le preguntó qué mester avía. E el cavallero, quando lo oyó, fue mucho espantado, ca entendió que en la carta dezía de commo era fijo de alfajame. E estando pensando qué respuesta le daría, preguntóle el rey otra vegada qué mester avía. E el cavallero le respondió:

—Señor, pues atanto me afincades e porque sodes amigo de mío señor, quiero vos dezir mi poridat. Sepades, señor, que el mi mester es fazer oro.

—Certas —dixo el rey— fermoso mester es, e cumple mucho a la cavallería, e plázeme mucho en la tu venida, e dé Dios buena ventura al rey mío amigo que te acá embió; e quiero que metas mano a la obra luego.

—En el nombre de Dios —dixo el cavallero— quando tú quisieres.

E el rey mandó dar posada luego al cavallero, e mandó pensar dél luego muy bien. E el cavallero en esa noche non pudo dormir, pensando en cómmo podría escapar del fecho. E de las doblas que traía calcinó veinte, e fízolas polvos, e fue a un especiero que estaba en cabo de la villa, e díxole así:

—Amigo, quiero te fazer ganar, e ganaré contigo.

—Plázeme —dixo el especiero.

—Pues tomad estos polvos —dixo el cavallero— e si alguno te veniere a demandar si tienes polvos de alexandrique, di que poco tiempo ha que oviste tres quintales dellos, mas mercadores venieron e te lo compraron todo e lo levaron, e que non sabes si te fincó algunt poco. E quando los catares, di que non te fincaron sino estos pocos, e non lo des menos de dies doblas; e las cinco doblas darás a mí, e las otras cinco fincarán contigo.

E el especiero tomó los polvos e guardólos muy bien, e el cavallero fuese a casa del rey, que avía ya embiado por él. E el rey, quando lo vio, mandó a todos que dexasen la casa, e fincó solo con aquel cavallero, e díxole así:

—Caballero, en grant codicia me has puesto, que non puedo folgar fasta que meta mano en esta obra.

—Certas, señor —dixo el cavallero—, derecho fazes; ca quando rico fueres, todo lo que quisieres abredes, e recelarvos han todos vuestros vezinos así como fazen a mi señor el rey, por el grant aver que tiene, quel yo fis desta guisa.

—¿Pues qué es lo que avemos mester —dixo el rey— para esto fazer?

—Señor —dixo el cavallero—, manda a algunos de tus omes de poridat que vayan buscar por los mercaderos e por los especieros polvos de alexandrique, e cómpralos todos quantos fallares; ca por lo que costare una dobla faré dos, e si para todo el año oviéremos abondo de los polvos, yo te faré con grant tesoro, que non lo abrás do poner.

—Par Dios, cavallero —dixo el rey—, buena fue la tu venida para mí, si esto tú me fazes.

E embió luego a su mayordomo e a otro ome de su poridat con él que fuese buscar estos polvos. E andudieron por toda la villa a buscar estos polvos e nunca fallaron ome que les dixiese que los conosciese nin sabían qué eran, e tornáronse para el rey e dixiéronle que non fallavan recabdo ninguna destos polvos; ca dezían mercaderos e los especieros que nunca los vieran nin oyeran fablar dellos si non agora.

—¡Cómmo non! —dixo el cavallero—. Certas, tantos traen a la tierra de mío señor el rey, que dozientas azéimilas podría cargar dellos; mas creo que porque los non conoscedes non los sabedes demandar. Iré combusco allá, e por aventura fallarlos hemos.

—Bien dize el cavallero —dixo el rey—, idvos luego para allá.

E ellos se fueron por todas las tiendas de los especieros preguntando por estos polvos, e non fallaron recabdo ninguno. E el cavallero demandó al mayordomo del rey si avía otras tiendas de especieros y cerca, que fuesen allá, que non podía ser los non fallasen.

—Certas —dixo el mayordomo— non ay otras tiendas en toda la villa, salvo ende tres que están en el arraval.

E fueron para allá, e en las primeras non fallaron recabdo ninguno; mas uno que estaba más en cabo que todas, dixo que poco tiempo avía que levaron mercaderos dél tres quintales de tales polvos commo ellos dezían. E preguntáronle si fincara alguna cosa ende, e él dixo que non sabía, e fizo commo que escudriñava sus arcas e sus sacos, e mostróles aquellos pocos de polvos quel avía dado el cavallero. E demandáronle que por quánto ge los daría, e él dixo que non menos de dies doblas. E el cavallero dixo que ge las diesen por ello, siquier por fazer la proeva; e diéronle dies doblas, e tomó los polvos el mayordomo e llevólos para el rey. E dixiéronle commo no podieran aver más de aquellos polvos, commoquier quel especiero les dixiera que poco tiempo avía que vendiera tres quintales dellos. E el cavallero dixo al rey:

—Señor, guarda tú estos polvos, e manda tomar plomo, pesso de veinte doblas, e fas traer carbón para lo fundir, e faga el tu mayordomo en commo le yo dire, e sey cierto que me fallará verdadero en lo que te dixe.

—Quiéralo Dios —dixo el rey— que así sea.

Otro día en la mañana vino el cavallero e mandó que posiesen en un cresuelo los polvos e el plomo, e que lo fundiesen, e mandóles lançar otros polvos desuso de la calcina de los huesos, que desgastó el plomo e lo tornó en fumo, e fincaron los polvos de las veinte doblas todo fundido. E quando lo sacaron, fallaron pesso de veinte doblas del más fino oro e más puro que podía ser. E el rey quando lo vio, fue muy ledo e tovo quel avía fecho Dios mucha merced con la venida de aquel cavallero; e demandóle cómmo podía aver más de aquellos polvos para fazer más obra.

—Señor —dixo el cavallero—, manda embiar a la tierra de mío señor el rey, que y podrán aver siquiera cient azéimilas cargadas.

—Certas —dixo el rey—, non quiero que otro vaya si non tú, que pues el rey mío amigo fiava de ti, yo quiero fiar de ti otrosí.

E mandóle dar dies camellos cargados de plata, de que comprase aquellos polvos. E el cavallero tomó su aver e fuese, con entención de non tornar más nin de se poner en lugar do el rey le podiese empescer; ca non era cosa aquello quel rey quería que feziese, en quel podiese dar recabdo en ninguna manera.

Este rey moro era tan justiciero en la su tierra, que todas las más noches andava con dies o con veinte por la villa a oír qué dezían e qué fazían cada uno. Así que una noche estavan una pieça de moros mancebos en una casa comiendo e beviendo a grant solás, e el rey estando a la puerta de parte de fuera escuchando lo que dezían. E començó un moro a dezir:

—Diga agora cada uno quál es el más nescio desta villa.

E cada uno nombró el suyo. E dixo luego aquel moro mancebo:

—Pues el más nescio de aquesta villa que yo sé, es el rey.

Quando el rey lo oyó fue mucho irado, e mandó a los sus omes que los prendiesen e que los guardasen ay fasta otro día en la mañana, que ge los levasen. E por ende dizen que quien mucho escucha de su daño oye. E ellos començaron a quebrantar las puertas, e los de dentro demandaron que quién eran. Ellos les dixieron que eran omes del rey. E aquel moro mancebo dixo a los otros:

—Amigos, descubiertos somos, ca ciertamente el rey ha oído lo que nos dixiemos; ca él suele andar por la villa escuchando lo que dizen dél. E si el rey vos feziere algunas preguntas, non le respondades ninguna cosa, mas dexatme a mí, ca yo le responderé.

Otro día en la mañana leváronlos antel rey presos, e el rey con grant saña començóles a dezir:

—¡Canes, fijos de canes! ¿Qué ovistes comigo en dezir que yo era el más nescio de la villa? Quiero saber quál fue de vos el que lo dixo.

—Certas —dixo aquel moro mancebo—, yo lo dixe.

—¿Tú? —dixo el rey—. Dime por qué cuidas que yo so el más nescio.

—Yo te lo diré —dixo el moro—. Señor, si alguno pierde o le furtan alguna cosa de lo suyo por mala guarda, o dize alguna palabra errada, nescio es porque non guarda lo suyo, nin se guarda en su dezir; mas aun non es tan nescio commo aquel que da lo suyo do non deve, lo que quiere perder a sabiendas así commo tú feziste. Señor, tú sabes que un cavallero estraño vino a ti, e porque te dixo que te faría oro de plomo, lo que non puede ser por ninguna manera, dístele dies camellos cargados de plata con que comprase los polvos para fazer oro. E crey, ciertamente, que nunca le verás más ante ti, e si as perdido quantol diste, e fue grant mengua de entendimiento.

—¿E si viniere? —dixo el rey.

—Cierto so, señor —dixo el moro— que non verná por ninguna manera.

—¿Pero si viniere? —dixo el rey.

—Señor —dixo el moro— si él viniere, raeremos el tu nombre del libro de la nescedat e pornemos y el suyo; ca él verná a sabiendas a grant daño de sí, e por aventura a la muerte; porque él non podrá fazer aquello que te prometió, e así será él más nescio que tú.

—E por ende, señor —dixo el infante Roboán al emperador—, commoquier que seades muy rico, e podiésedes emplear muy grant aver en tan noble cosa commo aquesta que vos dize este físico, si verdat puede ser, non me atrevo a vos aconsejar que aventuredes tan grant aver; ca si vos fallesciese, dezirvosyan que non abíedes fecho con buen consejo nin con buen entendimiento; ca grand mengua de entendimiento es aventurar ome grant aver en cosa dudosa; ca finca engañado si lo non acaba, e con pérdida.

—Certas —dixo el emperador—, téngome por bien aconsejado de vos.

* * *

Exemplo 23

De lo que facen las formigas para se mantener.

PLINIO, *Historia Natural,* ed. de John Bostock y H. T. Riley (London, 1855), libro 11, cap. 36, vol. III, p. 38.

La mayor parte de los insectos produce una larva en primavera. Las hormigas también producen una que se asemeja a un huevo y trabajan en comunidad como las abejas; pero mientras éstas hacen su alimento, aquéllas sólo lo almacenan. Si una persona compara las cargas que las hormigas transportan con el tamaño de sus cuerpos, debe confesar que no hay animal que en proporción posea un grado tal de fuerza. Llevan estas cargas con la boca; pero cuando es demasiado grande para hacerlo así, les vuelven la espalda y las empujan con las patas, mientras usan totalmente su energía con los hombros. Estos insectos tienen también una comunidad política y poseen memoria y previsión. Roen cada grano antes de meterlo en el hormiguero, por miedo de que eche tallo bajo tierra; también dividen aquellos granos que son demasiado grandes a la entrada de sus agujeros y sacan a secar los que se han empapado con la lluvia. Trabajan también de noche en luna llena; pero cuando no hay luna, dejan de trabajar. En sus tareas, ¡qué ardor despliegan y qué cuidado admirable!

* * *

Exemplo 24

De lo que contesçió a un rey que quería provar a tres sus fijos.

1. *Las mil y una noches* (CHAUVIN, *Bibliographie des ouvra-*

ges arabes ou relatifs aux arabes), Liége, 1903, vol. VII, § 439, p. 162.

Tres hijos del sultán, no pudiendo obtener audiencia de su padre, fingen batirse y atraen su atención. Llevados delante de él, dicen que se han querellado acerca de la preeminencia de las cualidades de cada uno, ya que uno es lapidario distinguido, el otro genealogista de caballos y el tercero genealogista de hombres. El sultán los retiene para ponerlos a prueba y les asigna una ración cotidiana de pan y de carne. El sultán presenta una piedra al lapidario, quien descubre allí una paja, gracias a la sutileza de su vista. En lugar de condenarlo a muerte, como lo quisiera en un momento de cólera, el sultán hace verificar su afirmación y la encuentra exacta. Entonces le asigna una ración de más. Al segundo le confía un caballo negro. El genealogista reconoce que la madre es un búfalo hembra porque el casco del caballo, en lugar de ser casi redondo, es más grueso y casi largo (mismos incidentes, misma conclusión). Al tercero le pide la genealogía de su maestro favorito y descubre que la madre era una bailarina de cuerda floja; lo ha sabido por sus ojos negros y por sus cejas espesas. (Los mismos incidentes, terminados de la misma manera.) Entonces pide su propia genealogía y, después de haber prometido protección, sabe que es ilegítimo. La sultana confiesa, en efecto, que viendo la tristeza del sultán al no tener hijos, ella se ha entregado al cocinero. El genealogista lo ha descubierto todo porque ha reconocido que sólo un hijo de cocinero es capaz de recompensar tan mezquinamente dando las sobras de su mesa: un príncipe hubiera colmado de riquezas y de honores. El sultán le cede el trono al tercero, quien llega a ser un buen rey. El sultán se viste de derviche y se dirige al Cairo, en donde Mahoma lo hace visir.

2. *Jacobo de Vitry*, § 123.

Cuando el Señor difunde los rayos de su gracia por el universo, ciertos pusilánimes se derriten como cera ante el sol en tal forma que no ven el sello de la cruz... a ejemplo de cierto hijo del emperador Carlos que se llamaba Gobaut. Queriendo Carlos, según dicen, probar la obediencia de sus hijos, tomó parte de una manzana que tenía en las manos y dijo: «Gobaudo, abre la boca y recibe.» Respondió que no la abriría ni sufriría tanto vituperio de parte de su padre. Entonces el padre llamó al otro hijo llamado Ludovico y le dijo: «Abre la boca y recibe lo que te ofrezco.» Y le responde: «Haced de mí lo que os plazca como si yo fuera tu siervo.» Y abierta la boca recibió la manzana de manos de su padre. Al instante el padre agregó: «Y yo te doy el reino de Francia.» Cuando mandó al tercer hijo que se llamaba Lotario que abriese la boca delante de todos, el padre le dijo al muchacho que la abría: «Con la parte de la manzana que recibiste en la boca yo te entrego el condado de Lotaringia.» Entonces Gobaut, tardemente arrepentido, dijo: «Padre, padre: Mira que abro la boca. Dame la parte de la manzana.» Y a él el padre: «La abriste tarde. No te doy ni manzana ni tierra.» Y empezaron todos a reírse de él diciendo: «A tart bea Gobaut», i. e. «Tarde bostezó Gobaudo». Es la costumbre de los nobles y poderosos con un guante o con una cosa de vil precio investir a sus vasallos de un feudo precioso. Así el Señor, por la cruz, con un pequeño hilo o paño, inviste a sus vasallos del reino de los cielos y os invita... (11).

Recull de Eximplis, § 547.

Eximpli con Lemparador Carles de tres fills que havia dona al un lo regne, e al altre lo ducat, e al major no dona

---

(11) Esta misma versión se halla en THOMAS WRIGHT, § 48, y BROMYARD (Poenitentia, 7, 77), quien da así las palabras francesas: «Tro tard beau Godard, i. e. nimis tarde aperuit os.»

neguna heredat, segons que recompte Jacme de Vitriach. Penitencia nimis tarda nitxil prodest. Lemperador Carles se feu venir denant si tres fills que havia, e dix a la un que obris la boca, e ell nou volch fer; e apres dix ho als altres dos, e aquells tentost obriren les boques, e donals una poma que tenia en la man per eguals parts, e dona a la un lo regne, e al altre lo ducat. E quant lo primer fill vin allo dix que abriria la boca, e Lemparador son pare respos: Ja no es temps, e per tal non dare heredat, nit donare de la poma.

Scala Coeli, § 783.

Se lee que hubo un sabio que tenía dos hijos. Queriendo probar cuál era el más prudente para nombrarlo heredero, cogió dos peras: una, dañada por dentro y llena de gusanos, mas por fuera colorada y bella; la otra, sana por dentro, pero no colorada por fuera. El menos sabio escogió la fruta colorada y el más sabio la descolorida. Y cuando las comieron, el dolor y la enfermedad cayeron sobre el fatuo a causa de la corrupción de los gusanos. Al oírlo el padre dijo: «Amaste la apariencia, no la realidad. Por eso estás enfermo y por tu torpeza perderás tu herencia.» Hablando espiritualmente, estos dos hijos son el grupo de los vanos y el de los devotos a quienes Dios presenta dos peras, una dañada por dentro, pero hermosa por fuera que es el vano ornato. No existe vano ornato que no traiga consigo corrupción a la mente. La segunda es el estado de la perfección y éste elige la penitencia, la imitación de Cristo. Al primero sigue enfermedad, pues los que abrazan el vano ornato siguen las rapiñas y dañan a los prójimos y especialmente las mujeres pierden el tiempo y la herencia celestial.

3. *Thomas Wright*, § 34.

Cierto noble de Inglaterra que tenía tierras en Inglaterra

y en Gales, tenía tres hijos. Como viese que se acercaba la muerte, llamó a los tres hijos y les dijo: «Si fuese necesario que os hiciéseis aves, ¿a cuál de ellas os quisiérais asemejar?» El primogénito le respondió: «Yo me asemejaría al halcón que con sus nobles alas vive de la rapiña.» El del medio, empero, dijo: «Yo, al estornino, que es sociable y vuela en bandada.» El tercero, y más joven, dijo: «Y yo, al cisne, que tiene un cuello largo, para que si algo que decir cae en mi corazón, pueda deliberar bien antes de que llegue a la boca.» Entonces el padre, oyendo esto, le dijo al primero: «Tú, hijo, como veo, quieres vivir de la rapiña: te doy mis tierras en Inglaterra, que es tierra de paz y de justicia y en ella no puedes robar impunemente. Tú, hijo, que amas la compañía, tendrás mis tierras en Gales, que es tierra de discordia y de guerra; porque con la diplomacia temperarás la maldad de los habitantes. A ti, empero, el más joven, no te asigno ninguna tierra, porque serás sabio y con la sabiduría adquirirás para ti lo suficiente.» Muerto el padre, se dividieron las tierras como predijera el padre. El hermano menor, ganando en sabiduría, llegó a ser el juez más importante de Inglaterra.

Scala Coeli, § 613.

Refiere un historiador que hubo en Inglaterra un rey ilustre, digno de memoria, lleno de riquezas no sólo de aquellas que son para buenos y para malos, sino de aquellas que hacen el alma opulenta: honesto en las costumbres y lleno de virtudes y de gracias. Tuvo tres hijos, a los cuales crió en costumbres justas y honestas en cuanto pudo. Cuando llegó al fin de su vida pensaba solícitamente acerca de su heredero en el reino. Quiso probar cuál de sus tres hijos era el más sabio para constituirlo heredero, con preferencia a los otros dos. Deliberando en qué forma los podría probar, llamando al primogénito, le dijo: «Hijo carísimo, si supieras que yo era Dios y te podría satisfacer cualquier deseo, ¿qué cosa en el mundo sería la que eligieras y optaras principalmente?» Y el hijo: «Elegiría, sin duda, ser el más fuerte de los hombres.» Y el rey: «¿Por qué razón, yo te pregunto, elegirías esto a todo lo demás?» Y él dijo: «Para poder subyugar a todos los hombres bajo mi imperio y vencer a todos mis enemigos.» Entonces el rey le mandó retirarse y ordenó que viniese el segundo hijo, al cual le hizo la sobredicha pregunta y respondió: «Padre, yo elegiría ser el más hermoso de los hombres.» Y el rey: «Deseo saber la causa de tu elección.» «Para mover a todos los hombres a amarme y a mi amistad y que así me hagan rey sobre todos los demás a causa de mi hermosura.» Entonces el rey le mandó retirarse y mandó venir al menor. Al hacerle la pregunta que le hiciera a los otros, él, con gran madurez, respondió: «Yo elegiría, oh padre, que mi cuello fuese tan largo como el de las grullas. No como lo quiso el filósofo epicúreo, Pitágoras, para recipiente de sabores delicados; sino, más bien, para poder examinar cada palabra más tiempo antes de que salga por la boca.» Admirado aquel rey de tanta prudencia, lo prefirió a los otros y lo hizo heredero del reino.

* * *

Exemplo 25

De lo que contesçió al conde de Provençia, cómmo fue librado de la prisión por el consejo que le dio Saladín.

1. *Gesta Romanorum,* § 14.

Honrar a los padres. Doroteo reinó y estatuyó como ley que los hijos alimentaran y sustentaran a sus padres. En ese tiempo hubo en el imperio un militar que se había casado con una mujer bella y honesta y de ella tuvo un hijo. Partió el militar en peregrinación y en el camino fue cautivado y fuertemente ligado. Al momento le escribió a su esposa y a su hijo acerca de su rescate. Al oír esto, la esposa se contristó mucho. Tan amargamente lloró que se puso ciega. Le dijo el hijo a la madre: «Me quiero ir a mi padre, a redimirlo de las cadenas.» Respondió la madre: «No irás, porque eres mi único hijo y mi gozo y la mitad de mi alma; y te podría pasar como a él. ¿Preferirías tú redimir al padre ausente, más bien que alimentar a la madre presente? Si ello es así, cuando dos cosas son iguales, entonces hay que preferir la que está presente. Tú eres mi hijo y de tu padre. Yo estoy presente y tu padre ausente. Concluyo, por tanto, que de ninguna manera te debes separar de mí y visitar a tu padre.» El hijo respondió y muy bien: «Aunque soy vuestro hijo, sin embargo, mi padre es la causa principal de mi concepción: él agente, tú pasiva; mi padre salió a peregrinar, tú estás sentada en casa; él cautivo, está fuertemente encadenado, tú estás libre; él está en manos de los enemigos, tú entre los amigos; él encerrado, tú suelta; aunque tú estás ciega, él no ve la luz, sino las cadenas, llagas y miserias y por eso quiero ir a él y redimirlo.» Y así lo hizo y todos alababan por ello al hijo porque así se esforzaba en la redención de su padre. Moralización, etc.

2. *Libro de los Exemplos,* § 422.

Cuenta Valerio en el libro séptimo, capítulo III, que un buen ombre tenía una fija sola e demando de consejo a un philosofo que llamavan Temistodes si la casaria con un pobre que era bueno e de buenas costumbres o con un ombre que era rrico e non era provado si era bueno o non. E rrespondiole que mejor el ombre que ha menester dineros que non el dinero que ha menester ombre; e consejole que buscasse yerno e non rriquezas e detener es captela e sabidoria, ca muchas vegadas se falla tacha e después del casamiento. E el que quiere conprar asno, o cavallo, o bue, o otra cosa de poco preçio, primero lo prueva que lo conpre, e sola la mugier asconden que non la vean por que non la menosprecian.

3. Raffaelli Bosone da Gubbio, *Fortunatus Siculus, o sia L'avventuroso Ciciliano* (Milano, 1833), pp. 461-463. Francesco Saverio Zambrini, *Libro di novelle antiche tratte da diversi testi del buon secolo della lingua* (Bologna, 1868), pp. 69-72.

Y cuando (Saladino) estaba en España, le acaeció un día que montando su caballo de batalla, perdió éste las herraduras en una parte en que no había ninguna casa cercana. Saladino no sabiendo qué hacer y como el caballo no lo podía llevar, se sentó a la vera del camino y pensó esperar a alguna persona que lo ayudase con alguna solución. A los pocos instantes pasa uno del país a caballo. Saladino le ruega que provea cómo ayudar el buen caballo de combate. El gentilhombre le dice: «Señor, de aquí a la primera casa hay un espacio de cuatro leguas en donde habrá que demorarse hasta que un criado pueda ir y volver con las herraduras para las patas de vuestro caballo. Mas si vos me dejáis obrar, yo os daré una solución más pronta.» El gentilhombre quita las herraduras a su caballo y se las pone al caballo de Saladino. Saladino, viendo esto, le preguntó su nombre y su estado. El le dice: «La gente me llama Hugo de Moncaro: fui más rico de lo que ahora soy.» Saladino, agradeciéndole el servicio, se lleva por escrito su nombre, se parte y sigue su viaje. Después, aconteció que hubo una batalla entre los turcos y los cristianos, en la cual muchos cristianos fueron muertos o cogidos prisioneros. Fueron llevados a la presencia del sultán, el cual se llamaba Rey Saladino. Una vez el Sultán viendo a los presos, conoce a Hugo de Moncaro, el cual le había hecho la cortesía de las herraduras para su caballo. Saladino llama a uno de aquellos que habían estado presentes en tal cortesía y le preguntó si aquél no era Hugo, el de la Bella Cortesía de las herraduras del caballo. Aquél le respondió que así le parecía que él era. Pero para más claridad, uno de ellos grita entre los otros prisioneros, entre los cuales estaba Hugo, llamándolo por su nombre. El responde súbitamente y Saladino conoce bien que es aquel que él creía. Entonces hace comer en su presencia a los prisioneros. Después los manda a su lugar acostumbrado y retiene sólo a Hugo. Cuando llama a Hugo, éste cree que Saladino lo quiere matar y por la aprensión se le debilita el ánimo, casi se cae en tierra de debilidad y pierde su color rosado. Saladino ve todo esto y conoce bien el temor de Hugo y le dice: «Hugo, ¿me conoces tú?» Hugo responde diciendo que sí lo reconoce por señor. Dice Saladino: «¿Me has visto en alguna otra parte fuera de aquí?» Hugo le dice que no y que de ello le pesa. Y Saladino le dice: «Yo soy aquel a quien tú herraste el caballo con las herraduras del tuyo y, por lo tanto, el pago que yo te doy es que te lleves contigo diez de aquellos que hemos cogido prisioneros y que te hagas dar de mi tesorero diez mil monedas de oro.» Hugo, recobrada la tranquilidad, le agradece a Saladino y se parte con los compañeros y el regalo. Volvió a su país y se cuenta que sus herederos se hallaron en mejor estado por la gratitud de todos aquellos que por su medio fueron libertados. Y la cosa pasó el día de San Juan Bautista, en el cual los sarracenos hacen gran fiesta.

* * *

Exemplo 27

De lo que contesçió a un emperador et a don Alvar Háñez Minaya con sus mugeres.

I. El Emperador y la Emperatriz.

1. La mujer cae al río por contradecir siempre a su marido. *Romulus* (Hervieux, *op. cit.*, vol. II, p. 549).

Cierto hombre tenía una mujer que le era contraria y adversa. Fue con sus siervos a un torrente para canalizar las aguas y hacer una laguna. Los siervos le exigían que llevaran consigo alimentos con los cuales se recobrarían después del trabajo. «Así —dijo el hombre— es necesario. Por tanto, id y pedidle a mi esposa la comida; pero no le digáis que es por voluntad mía o que yo me voy a servir de ella.» Y así fueron y le dijeron, según el consejo de su señor: «Se nos ha impuesto un trabajo duro; pero nos falta comida, porque nuestro señor es parco y no quiere comer.» Y dice la mujer: «El, como se lo merece, que viva en perpetua abstinencia. Yo misma iré y os serviré con abundancia.» Los siguió a la hora del almuerzo, llevando consigo de todo lo suficiente y les ordenó sentarse, estando su marido todavía en la obra. Cuando empezaron a comer, se acercó el marido para tomar algún alimento y se sentó junto a la mujer. Pero ella, viendo que el marido quería comer, empezó a separarse de él. Entonces el marido se le acercó. Como así se esforzaran en lo contrario, la mujer separándose y el marido acercándosele, ella casualmente cayó en el lecho de las aguas corrientes y se sumergió. Entonces los siervos acudieron al río, en cierto vado, para agarrarla allí. A los cuales dijo el señor: «En vano la buscáis en las aguas que corren. Esperadla en el nacimiento del río y caminad hacia allá porque como solía resistirme cuando estaba viva, así, muerta, se esforzará contra la corriente del río.» Moraleja: Si la mujer es perversa contigo, no contiendas con ella, pues como la piel no te la puedes arrancar, de ese modo no lograrás extirpar su perversidad.

Jacobo de Vitry, § 227.

Oí de cierta mujer mala que era tan opuesta a su marido que siempre lo contradecía y hacía lo contrario de sus mandatos y cada vez que su marido invitaba a comer a algunos y le rogaba a ella que recibiera a los huéspedes con cara alegre, ella hacía lo contrario y afligía mucho a su marido. Cierto día, aquel hombre invitó a algunos a almorzar e hizo poner la mesa en su huerto, cerca del agua. Entonces la mujer, volviendo la espalda a la parte del río, amenazaba a los invitados con torvo semblante y se conservaba un poco separada de la mesa. Le dijo el marido: «Muéstrales una cara alegre a nuestros huéspedes y acércate a la mesa.» Lo cual oído, ella inmediatamente se separó más de la mesa y se acercó a la orilla del río que estaba a su espalda. Al verlo, dijo muy enojado su marido: «¡Acércate a la mesa!» Pero ella, queriendo hacer lo contrario, con gran ímpetu se separó tanto de la mesa que cayó al río y, ahogada, no se la pudo hallar. El, simulando tristeza, se metió a una barca y navegando contra la corriente del río, con una vara larga buscaba a la esposa en el agua. Cuando los vecinos suyos le preguntaron por qué la buscaba en la parte superior del río, cuando la debía buscar en la parte baja, respondió: «¿Acaso no conocísteis a mi mujer que siempre hacía lo contrario y nunca iba por el camino recto? Yo creo por cierto que subió contra la corriente del río y no descendió como acostumbran los demás.»

Etienne de Bourbon, § 299.

Cuenta el maestro Jacobo que como cierto gracioso tuviese una esposa que siempre se le rebelaba y hacía lo contrario de lo que él le decía, pensó en la manera de vengarse de ella. Invitó a muchos vecinos y colocó la mesa a uno de los lados de un pradito suyo, por donde precisamente corría un agua rapidísima y profunda y la hizo sentar a ella en una silla del lado del agua, mientras él y los invitados estaban del otro.

Como el dicho gracioso le dijese a su esposa que se les acercara más para que no se cayera, mientras más se lo mandaba tanto más ella se alejaba hasta que cayó en el agua. Cuando fue arrebatada por el agua, el gracioso corría en dirección opuesta, buscándola. Cuando le dijeron que la buscase hacia la parte de abajo, dijo: «Sabéis que siempre hizo lo contrario de lo que debía; por eso, quizás, aunque debiera naturalmente descender con el agua, ella irá hacia arriba por llevar la contraria.»

2. La mujer desobediente se da un pinchazo en los dedos.

Jacobo de Vitry, § 228.

También oí de otro que, porque su esposa nunca le quería obedecer, simuló irse al mercado y le dijo a su mujer: «Haz lo que quieras, con excepción de sólo esto: no pongas el dedo en este hueco.» Cuando se partió el hombre fingiéndose ir al mercado, se escondió en cierta casa vecina. Entonces la mujer comenzó a pensar por qué le habría prohibido el marido que pusiera el dedo en ese agujero. «He aquí que meteré el dedo para verificar por qué me lo prohibió.» Cuando metió los dedos en el hueco con gran ímpetu se le clavaron en ellos unos clavos agudísimos que el marido había puesto en el agujero y ella, de la angustia, empezó a clamar de modo que el marido y los vecinos acudieron. El marido le dijo: «¿Por qué no me creíste y no quisiste obedecer mi mandato? Te había ordenado que hicieras lo que quisieras con tal de no meter el dedo en este agujero.» Y así castigó a la mala mujer para que otra vez obedeciera sus preceptos. La mujer, en cuanto pueda, debe obedecer al marido.

3. La mujer desobedece entrando en un horno.

Jacobo de Vitry, § 236.

Oí de alguno que conocía muy bien a su mujer, que era leve y curiosa y de la cual siempre él se precavía. Como ese hombre quisiese ir a Santiago, le dijo su mujer: «Mandadme algo que deba yo hacer en memoria vuestra mientras volvéis.» El marido le dijo: «No tengo nada nuevo que mandarte. Guarda la casa y la familia que ello me basta.» Y ella: «Pero quiero que me impongáis algo que yo deba hacer en señal de obediencia y de amor.» Y como ella instara mucho le dijo su marido: «Te mando que no entres en este horno hasta que yo vuelva.» Cuando se fue el marido, ella comenzó a pensar: «¿Por qué me prohibiría esto? Quizás escondió algo en el horno y me lo quiere ocultar.» E inmediatamente entró en el horno y comenzó a buscar y a escrutar todas las rendijas y a extraer algunas piedras para ver si algo había escondido en las paredes; y tanto buscó, ensanchando las rendijas y quitando piedras, que el horno cayó sobre ella y le aplastó los riñones. Al volver el marido, buscaba en dónde estaba su mujer y preguntaba por qué no había salido a recibirlo. Le dijeron: «Está quebrantada en la cama. El horno le cayó encima y le rompió los riñones.» Entrando el marido a visitar a la mujer ella se ruborizó porque no podía ocultar la verdad del asunto.

II. Don Alvar Fáñez y doña Vascuñana.

1. La prueba de la obediencia.

Apotegmas de los Padres (Migne, *Griega,* vol. 65, p. 296b).

Dicen acerca del abad Silvano que caminando cierta vez por el campo con los ancianos y queriendo mostrarles la obediencia de su dicípulo Marcos, por la cual lo amaba mucho, viendo un pequeño jabalí le dijo: «¿Ves aquel búfalo pequeño, hijo?» Y le contesta: «Sí, padre» «¡Y cómo son de elegantes sus cuernos!» Dijo: «Sí, padre.» Y admiráronse los ancianos de sus respuestas y se edificaron.

2. La terquedad de la mujer.

Romulus (HERVIEUX, *op. cit.*, vol. II, p. 548, ed. de 1884).

Cierto hombre tenía una mujer rebelde y contumaz, gárrula e impertinente. Cierta vez caminaban por un prado juntos; un prado que había sido segado por su dueño con suma diligencia. Dijo el hombre: «Con qué diligencia y propiedad ha sido segado este prado.» «Mentís —le dijo su mujer—, porque fue cortado con tijeras.» «Siempre —le dijo el marido— te opusiste a mis palabras. Pero yo sé que mi vecino cortó este prado con la hoz.» «Deliras —dijo la mujer—, porque hizo esto con tijeras.» «Según tu costumbre —dijo el marido— siempre quieres tener la última palabra.» Arrojándola al suelo, se le sentó encima y dijo: «Yo te privaré del uso de la lengua, pues siempre hablaste sin vergüenza, a no ser que consientas conmigo. (Y dijo.) ¿Con qué instrumento fue cortado el prado?» Como le había cogido la lengua y se la apretaba fuertemente, no podía formar palabras completas, pero dijo: «orhipe pro forcipe». Entonces el marido empezó a cortarle la lengua y le preguntó lo que le había preguntado antes. Entonces ella, como ya había perdido la lengua y no podía hablar, mostró su pertinacia con el signo que pudo, mostrando con los dedos la forma y el oficio de las tijeras. Así le cortó la lengua el marido a la mujer.

Etienne de Bourbon, § 243.

Asimismo el maestro Jacobo de Vitry dijo de otra mujer la cual litigaba frecuentemente con su marido y lo llamaba *piojoso.* Este, de cuando en cuando, se enojaba y la amonestaba con frecuencia y aun la azotaba; y ella no se quería corregir, sino que lo humillaba en presencia de los vecinos. La arrojó al fondo de un río y se le paró encima para ahogarla. Como ella no podía decir la palabra, sacaba del agua la mano y hacía como si con la mano matara piojos.

Jacobo de Vitry, § 237.

Oí de otra mujer que siempre contradecía al marido. Como ella y su marido regresasen de la plaza, una liebre pasó delante de ellos. Ellos la quisieron coger, pero se les escapó. Entonces dijo el marido: «Qué bella y gorda estaba esta liebre. Si la hubiéramos cogido, nos la habríamos comido frita con manteca.» Entonces respondió la esposa: «Con más gusto la como yo con pimienta.» Aún dijo el marido: «Es mejor cuando se prepara en un cocido o con manteca.» «No lo es», dijo la mujer. La mujer no quería asentir en ninguna manera con el marido y éste, lleno de ira, la flageló fuertemente. Ella empezó a estudiar y a buscar cómo podría vengarse del marido suyo y oyó que el rey se había enfermado mucho. Ella se llegó a los sirvientes del rey y les dijo: «Tengo un marido que es un gran médico, pero él esconde y oculta su sabiduría y nunca quiere ayudar a nadie si no forzado por el temor a los varazos.» Como el hombre fuese llevado ante el rey, empezaron a rogarle constantemente que aplicara una cura al rey y lo aliviara de su enfermedad. El, empero, rehusaba y decía: «¡No soy médico!» Finalmente, los siervos del rey le dijeron al rey las palabras de la esposa y el rey ordenó que lo azotasen fuertemente. Y como ni así lo pudieran inducir, azotado una y otra vez, fue finalmente arrojado de la presencia del rey. Así la mala mujer hizo azotar a su marido.

* * *

Exemplo 28

De cómmo mató Don Lorenzo Çuáres Gallynato a un clérigo que se tornó moro en Granada.

1. *Jacobo de Vitry,* § 219.

Oí que cierto soldado, cuando pasaba por uno de los puentes de París, oyó blasfemar de Dios a un rico burgués y, muy enfurecido, no pudo sufrirlo y le pegó tal puñetazo al blasfemo que le quebró los dientes. Fue llevado el soldado ante el rey para ser castigado gravemente por un exceso tan grande, porque había quebrantado la libertad de la ciudad y pegado a un ciudadano del rey. Después de que escasamente pudo obtener audiencia, hizo libremente esta profesión de fe y dijo: «Señor, vos sois mi rey terreno y señor legal. Si yo oyera que alguien os ofende y dice mal de vos no lo podría sufrir y querría vengar vuestra deshonra y vituperio. Este hombre, antes de yo pegarle, decía tales cosas de mi rey celestial y blasfemando lo ofendía tanto, que si fuese de vos, yo no lo habría tolerado. Y os indignáis conmigo porque no lo he podido tolerar con respecto a mi supremo Señor y he vengado su deshonra!» Al oírlo el rey, lo felicitó mucho y le permitió irse libre.

2. *Etienne de Bourbon,* § 385.

También los que oyen blasfemias y no las corrigen parecen ser infieles a su supremo Señor de quien han recibido todo lo que tienen. Algunos soldados fieles no sufrirían que se dijera algo impunemente en insulto de su rey o de su señor temporal, o de sí imsmo, y lo sufren de Dios. No se asemejan a aquel soldado que, entrando en París, cuando pasaba por un gran puente y el hijo de un gran ciudadano blasfemó del Señor no lo dejó impune, sino que le dio una gran bofetada. Al verlo los ciudadanos lo llevaron preso al rey Felipe, acusándolo de haber entrado en su ciudad y de haber golpeado al ciudadano en las afueras de su palacio. Cuando el rey, estupefacto e iracundo, le preguntó si era verdad y la causa de tal atrevimiento, respondió el soldado que la causa era la suma fidelidad al rey, porque éste lo juzgaría infiel si cerrando los ojos dejara sin venganza una ofensa hecha a su majestad; mucho más fuertemente debía vengar el insulto al Rey Supremo. Al oírlo el rey, lo felicitó por su fidelidad y le ordenó que en cualquier parte de su reino que oyera algo semejante, lo castigase en la misma forma.

3. *El libro de los exemplos*, § 53.

Un cavallero del rey Luis de Francia passando por la puente de Paris vio commo un çibdadano muy rrico e de grand fama rrenego de Dios e perjurosse. E descendio del cavallo e diole una grand bofetada e luego fue presso e levado ante el rrey asi como malfechor. E el cavallero dixo: —Señor, si yo viese alguno que blasfemasse e dixiesse mal de ti, yo defenderia tu nombre e tu fama fasta la muerte. Quanto mas devo fazer por el Señor de todo el mundo. E el rrey plogole de todo lo que dezia e por esto mandolo soltar. E diole poderio en todo el rreygno de Françia que podiesse dar pena a los perjuros e rrenegadores. Mas en este tiempo, ¡mal pecado!, pocos lo fazen. Que el tavernero que vende su vino mas ayna consiente que digan mal de Dios e de Sancta Maria que non de su mugier nin de su madre.

* * *

Exemplo 29

De lo que contesçió a un raposo que se echó en la calle et se fizo muerto.

1. *Odo de Cheriton* (Hervieux, *op. cit.*, vol. IV, p. 220).

La zorra, cuando tiene hambre, se finge muerta y se tiende

en el suelo y saca la lengua. Viene el cuervo o el milano, creyendo encontrar una presa; vienen para picar la lengua y son cogidos y devorados por la zorra. Así el diablo se finge muerto, de modo que ni se lo oye ni se lo ve y saca la lengua, es decir, todo placer y concupiscencia deleitable, es decir, la mujer hermosa, el alimento delicado, el vino sabroso y cosas por el estilo; y cuando ilícitamente las toma el hombre, es cogido por el demonio.

2. *Jacobo de Vitry,* § 304.

Los hipócritas y herejes son semejantes a la zorra y lo mismo el diablo. Se fingen muertos para el mundo y con la lengua venenosa y la blandura de sus palabras engañan a tantos. Como la zorra que se finge muerta y mientras está tendida, con la boca abierta y la lengua afuera, las aves, pensando que es un animal muerto, se acercan como si fuera un cadáver y, viendo la lengua roja, como la quieren comer, la zorra cierra los dientes y agarra las aves engañadas y se las come.

3. *Syntipas.* Versión griega (EBERHARD, *Fabulae Romanenses graece conscriptae,* Leipzig, 1872, pp. 114-117).

Cierta zorra entró en una ciudad durante toda una noche y pasó por la puerta de cierto hombre que trabajaba en pieles y, oliendo la presa, se entró en la casa de ese hombre y se comió las pieles. Entonces el artesano aquel, viendo que había destrozos, buscó inmediatamente la zorra y armó una trampa sólida. La zorra, por instinto, queriendo salir por la puerta, cayó en la trampa. Estando la zorra adolorida, la astuta moviéndose mucho, por esta arte ingeniosa se fugó de la trampa que la apresaba y caminó por aquella ciudad para hallar en alguna forma una puerta para poder salir de la ciudad. Como hubiese caminado toda la noche, no halló el lugar de salir.

Porque la ciudad estaba cercada de murallas y el día se acercaba, se dijo a sí misma: «Si se hace de día seré cogida como despojo de todos, pero no dejaré que ellos me arranquen primero las carnes, sino que yo sé lo que debo hacer.» Y así se encaminó hacia la salida de la ciudad y se acostó cerca de los postes de la puerta, pretendiendo estar muerta y sin respiración. Así acostada, como muerta, y cuando las puertas iban a ser abiertas temprano por el portero, según la costumbre, éste la vio tendida y dijo a la portera: «En verdad que la cola de esta zorra es muy hermosa para limpiar el molino.» E inmediatamente, diciendo esto, cogiendo un cuchillo grande, le cortó la cola. La zorra valientemente sobrellevó el dolor de la cola. Entonces, viéndola otro, dijo: «Si tengo un niño chiquito que llora mucho, ¿acaso hay algo mejor para curarlo que las orejas de zorra que se ponen cerca del niño?» E inmediatamente le cortó las orejas. Y la zorra sobrellevó este dolor noblemente. Otro, caminando por aquella vía en dirección contraria, la vio como muerta y dijo: «Oí decir a alguno que si a alguien le duelen los dientes y se pone encima de ellos dientes de zorra, al momento se libra del dolor.» Al mismo tiempo de decirlo, cogió una piedra y le quebró todos los dientes. Y la zorra sobrellevó valientemente todos esos dolores, hasta que otro hombre que pasaba dijo: «Yo he oído que el corazón de la zorra sirve para todo dolor y cura toda enfermedad.» Diciendo esto, aquel hombre cogió un cuchillo para sacarle el corazón. La zorra saltó derecho y se fugó cautelosamente por las puertas de la fortaleza. Por casualidad encontró entonces la salida abierta y se libró de la muerte que iba a sufrir.

4. Alejandro Nequam, *De Naturis rerum libri duo,* cap. 125.

La engañosa zorra está dotada de fraudes innatos a ella y también cuando se ve apurada, apela a engaños refinados. Está dotada de tal capacidad de engaño que a veces parece burlarse del mismo ingenio humano. A veces escapa las emboscadas del cazador y finge ladrar como un perro entre los incautos mastines; o también, mientras se cuelga de la rama de algún árbol, hace que los perros pierdan el incierto rastro. Ocurrió que una zorra, en cierta cacería, acosada por largo tiempo, ya no podía valerse más del recurso de la fuga, se entró en la casa de cierto soldado para esconderse. Entrando, pues, en una habitación vio muchas pieles de zorra, cogidas en cacería, allí colgadas. La zorra, agarrándose a la pared y como pudo levantándose del suelo, escondida entre las pieles se hizo la muerta. Los perros, con la sagaz nariz, siguiendo el rastro de la zorra entraron a la dicha habitación, revelando con certeros ladridos la presencia de la zorra. Entra el cazador en el cuarto y viendo las pieles de zorra allí colgadas, asegura que los perros han sido engañados. Volviendo finalmente en sí mismo, se da cuenta de la engañadora que simulaba estar muerta y capturándola no se dejó engañar.

* * *

Exemplo 30

De lo que contesçió al rey Abenabet de Sevilla con Ramayquía, su muger.

1. Abad, *Scriptorum Arabum loci de Abbadidis,* editi a R. Dozy (Leyden, 1846), vol. II, p. 152.

Se casó con ella y pasaron un largo tiempo de su vida en constante alegría y le ocurrió con ella la famosa historia. Ella vio la gente caminar en el barro y deseó andar por él; y entonces al-Motamid dio órdenes y se pulverizaron unos adobes y el polvo se extendió en el patio del alcázar hasta que lo cubrieron con él, después de pasarlo por unas cribas; y echaron

obre el mencionado polvo de adobes agua de rosas y lo
masaron con las manos hasta que se volvió como barro; y ella
e metió por ese barro con sus esclavas y fue un día famoso.
a hacía enfadar algunas veces y ella juraba que nunca había
enido para con ella ningún detalle bueno; y él decía: «¿Ni el
lía del barro?» Ella enrojecía y se disculpaba.

2. AHMED IBN MOHAMMAD AL-MAKKARÍ, *The History of the Mohammedam Dynasties in Spain*, Transl. by Pascual Gayangos (London, 1843), vol. II, p. 299.

Al-mu'tamed fue asimismo seguido a Aghmát por su esposa 'Itimad, la cual era madre de la mayoría de sus hijos y a la cual se hallaba él más íntimamente unido que a ninguna de sus otras mujeres. Su nombre fue en un principio Romeykiyyah, y se llamó así en razón de su amo, Romeyk Ibn Hejáj, a quien se la compró Al-mu'tamed. El sobrenombre de 'Itimad le fue dado a ella por Al-mu'tamed. Era buena poetisa y bien versada en la literatura. Murió en Aghmát algún tiempo antes de su esposo. Los historiadores han apuntado muchos actos galantes de Al-mu'tamed para con su esposa Romeykiyyah, entre los cuales seleccionamos el siguiente. Ocurrió que un día la princesa encontró, no lejos de su palacio de Sevilla, a unas mujeres del campo vendiendo leche en sacos de cueros y caminando con el barro hasta los tobillos. Al regresar a palacio, le dijo a su real esposo: «Quisiera que yo y mis esclavas pudiésemos hacer lo que aquellas mujeres están haciendo.» Al oírla, Al-mu'tamed dio órdenes para que el palacio entero fuese cubierto con una pasta espesa hecha de ámbar, almizcle y alcanfor mezclados y disueltos en agua de rosas. Mandó luego que fueran conseguidas unas vasijas y que se las colgaran con cintas hechas de la seda más fina. Así arreglado todo, Romeykiyyah y sus esclavas salieron del harén y chapotearon en ese barro. Se narra, asimismo, que el mismo día en que Al-mu'tamed fue privado de su libertad y de su trono, se dijeron algunas palabras acaloradas él y Romeykiyyah, como ocurre con frecuencia entre marido y mujer. En medio de la disputa, Romeykiyyah, cuyo orgullo había sido herido, le dijo a Al-mu'tamed: «¡Por Alá! ¡Nada bueno he visto venir de ti!» «¿Ni siquiera el día del barro?», le preguntó Al-mu'tamed, refiriéndose con ello al día en que para satisfacer un mero antojo de ella había gastado tesoros cuya suma sólo Dios podía estimar. Cuando Romeykiyyah oyó esta respuesta, se ruborizó y guardó silencio.

* * *

Exemplo 32

De lo que contesçió a un rey con los burladores que fizieron el paño.

1. STRICKER, *Pfaffe Amîs* (12).

En la corte de París Amîs declara que puede pintar cuadros que sólo pueden ser vistos por aquellos nacidos de legítimo matrimonio. El rey le encarga entonces pintar la pared de un vestíbulo y le adelanta dinero y alimentos como pago. Amîs se encierra y no pinta nada. Cuando llega el día de mostrar su obra, ni el rey ni la corte ven lo que describe Amîs como escenas del Antiguo Testamento (Salomón, David, Absalón), de las campañas de Alejandro, de Roma y Babilonia (la torre de Babel). Sin embargo, todos alaban la obra para que

(12) Obra anterior a 1236, escrita en Alemania. Doy la versión que aduce ARCHER TAYLOR («The Emperor's New Clothes», *Modern Philology* [1927], p. 18). Asimismo, traduzco de TAYLOR las versiones de *Los cuarenta visires, Los Avadanas* y el ejemplo latino de una colección hecha por un franciscano italiano del siglo XV.

no se les acuse de ilegítimos. Sólo cuando Amîs ha partido y un loco asegura que no ve nada, se descubre el fraude.

2. *Los cuarenta visires.*

Un hombre se presenta al rey y se le ofrece para tejerle un turbante que sólo los nacidos de legítimo matrimonio pueden ver. El rey se maravilla de la oferta y la acepta. Por largo tiempo recibe el tejedor la pensión del rey. Cierto día viene a la presencia del rey con un papel doblado que contiene el turbante. El rey abre el papel, pero no ve nada. No puede resolverse a reconocer la verdad. El tejedor pide un casquete en el cual pueda enrollar y anudar el turbante y cuando termina, todos lo admiran. Cuando se va el tejedor llama el rey aparte a dos de los visires y les confiesa que no ve nada. Por fin saben con seguridad que el turbante no existe y que el tejedor les ha hecho una jugada para sacar dinero.

3. *Los Avadanas.*

Un tonto le entrega algodón a un hilandero y le ruega que le haga un hilo extremadamente fino. Así lo hace el hilandero, pero el tonto cree que está muy burdo. El hilandero, furioso, mueve sus manos por el aire y extendiéndolas le dice: «Aquí tienes hilos extremadamente finos.» El tonto no los puede ver y entonces le asegura el hilandero que son tan finos que ni los mejores obreros los pueden ver. El tonto pide que le hagan más y paga generosamente.

4. *Ejemplario italiano.*

Un histrión entró en la corte de cierto rey. El rey le dijo: «¿Qué sabes hacer?» Le respondió: «Sé pintar muy bien y hacer imágenes.» Y el rey: «Quiero que decores mi palacio.»

Y él respondió: «De buena gana, señor. Pero una cosa o debo decir: Nadie puede ver mis cuadros si es cornudo o hijo ilegítimo o traidor a su señor.» El histrión hizo cubrir con cortinas alrededor de aquellos lugares del palacio que debía decorar. Después de algunos días dijo el histrión: «Señor venid y ved los cuadros más bellos.» Y vino el rey con los oficiales de su palacio para ver la obra. Como mirase el rey aquí y allá, no vio nada como quiera que no había ningún cuadro. Pero temiendo que se lo creyera cornudo o ilegítimo dijo que nunca había visto imágenes ni cuadros más bellos Lo mismo dijeron los demás. Cuando de allí salieron le dijo uno de los oficiales al rey: «Señor, creo que Dios me dio la mujer más buena y fiel de esta ciudad; tuve también buenos padres y no soy traidor; y, por tanto, estoy dispuesto a sostener en combate que no he visto nada.» Lo mismo dijeron los demás y el rey dijo también que no había visto nada. Así el histrión los engañó a todos. Así engaña el diablo a los pecadores y a los que se entregan al mundo...

5. *Fabliaux* (LEGRAND D'AUSSY, *Fabliaux ou contes, fables et romans du XIIe et XIIIe siècle.* (París, 1829), vol. I p. 126.

Madamoiselle, mi prima, mi amiga: porque sé que sacas placer en oír contar aventuras que acaecieron en la corte del noble rey Arturo, en los tiempos de la mesa redonda, he querido ponerte una aquí por escrito la cual encontré en un libro muy viejo que apenas podía leer. Sin embargo, queriendo darte placer (eres la persona a quien más quiero darlo) me he esforzado en extractarlo, para dártelo, si te place; lo leerás y llamarás el cuento: *Mantheau mal taillé.*

Debes saber que ese buen rey de quien te hablo fue en su tiempo el príncipe más renombrado del mundo, tanto en valor, bondad caballeresca como en liberalidad, cortesía y dulzura.

Porque la humildad de ese noble rey fue tan grande que nunca, por cosa que le acaeciera, fue empujado hasta el punto de dejar salir de su boca palabra ultrajante contra cualquier persona que fuese: conocía bien a los buenos caballeros entre los malos. Pero yo dejaré aquí todo eso para contarte aquella aventura de que te he hablado, que pasó en la corte del gentil rey Arturo.

Ocurrió en Pentecostés; cuando el dicho rey quiso tener la más alta y rica corte que jamás tuviera en su vida; porque mandó en aquella ocasión a decir a todos los reyes, duques, condes, barones, caballeros y escuderos que se beneficiaban de sus tierras, que no dejasen de venir a una bella fiesta y asamblea porque iba a haber allí grandes fustas y torneos; y por eso quería que cada uno trajera a su mujer o a su amiga. Lo cual así se hizo; porque vinieron allí tantos nobles y caballeros con tantas damas y damiselas que nunca se había visto tan bella reunión en el reino de Inglaterra, como ésta que allí entonces llenó la ciudad de Kamelot.

No hay que preguntarse si la reina Genoveva supo acoger y festejar a sus huéspedes y en especial a las damas. Ella misma las aposentó, cada una según su rango, dándoles las bellas alcobas de su triunfante palacio, todas guarnecidas de ricos tapices donde ellas encontraran todo lo que menester habían. La reina las visitó una después de otra y las festejó, haciéndoles ricos dones tanto en trajes de finas telas de oro y de seda, como en anillos y joyas, como era entonces la costumbre. Y la buena reina supo ordenar tan bien sus presentes que no hubo ni una sola dama que en esa hora no se tuviera por feliz y contenta.

Por otro lado, el rey festejó a sus príncpes y caballeros, dándoles caballos, armaduras, ropas y todo aquello que pertenece a la caballería; porque después de Alejandro no hubo nunca un príncipe más cumplido. Hizo tantas cosas bellas en su tiempo que su buen renombre y el efecto de sus virtudes lo hizo ser famoso hasta los confines del mundo. Para abreviar, hizo regalos a los grandes y a los menos nobles, tantos que cada uno quedó dispuesto a gozar de esta fiesta más que de ninguna otra. Así lo hicieran si no fuese por el hada Morgana, quien con sus encantamientos decidió turbar a la reina y a su hermosa compañía; era porque tenía envidia de su gran belleza y por celos de Sir Lancelot del Lago, a quien ella amaba sin que él la quisiera amar. Esto fue la causa de que tramara contra la reina y todas sus damas algo que hiciera desvanecer la fiesta. Por ventura, si la reina la hubiese invitado a la fiesta nunca este inconveniente hubiera acaecido. Como ya te he contado, fue reunida y alojada toda aquella gran nobleza dentro de Kamelot desde el sábado, víspera de Pentecostés, y pensaban comenzar a hacer la gran fiesta al día siguiente.

Cada uno se levanta de mañana y se viste sus mejores ropas como conviene a tal fiesta. Los señores y gentileshombres se van a palacio para acompañar al rey a la iglesia mayor. Por otro lado vienen las damas a la casa de la reina para hacer lo mismo y le hacen compañía hasta después de terminados los servicios divinos, cuando el rey y la reina regresan con su comitiva al palacio en donde encuentran las enormes mesas puestas y con cubiertos, listas para la comida. Pero el rey tenía la costumbre de no sentarse jamás a comer en días como ése sin que antes hubiese ocurrido en su palacio alguna aventura. Así que el rey, esperando que algo sucediera, se había apoyado en la ventana que daba al camino principal de Kamelot y miraba con Sir Gauvein. Ya era cerca de la hora de nona cuando Sir Keux, el senescal, vino al rey y le dijo: «Señor, vos ayunáis demasiado. Hace ya tiempo que vuestra comida está lista.» El rey le respondió y le dijo: «Keux, ¿no hace ya mucho tiempo que sabéis mi costumbre? ¿Me habéis visto jamás sentarme a comer en un día como éste que hoy tenemos sin que primero haya pasado alguna aventura?» «Señor, es verdad —respondió Keux—, pero hay uno o dos centenares de personas que se mueren de hambre en esta sala.» Cuando decía Keux estas palabras, el rey miró hacia el camino y vio venir a un joven gentilhombre montado en un caballo que bien mostraba en su sudor que había corrido largamente; además, estaba cargado, porque llevaba un grueso baúl cubierto de fino terciopelo carmesí, todo atado y amarrado con seda verde; al extremo de la amarradura tenía una pequeña cerradura de plata, cuya llave de oro lo mantenía cerrado. El joven gentilhombre llega al pie de los escalones del palacio y allí hay quien le tiene el caballo. Cuando ha descendido toma el pequeño baúl debajo del brazo y empieza a subir al palacio. El rey, que mira todo esto desde la ventana, se dirige a sus acompañantes y dice así en voz alta: «O creo que vamos a comer pronto, porque he visto llegar a un mensajero que nos trae nuevas bien urgentes, o yo estoy engañado.» Cuando el rey dice esto, el gentilhombre entra en la sala y se dirige a donde ve al rey. Así que le abren paso y él, que era sabio y bien aleccionado para saber dar su mensaje, pone la rodilla en tierra saludando al rey y le dice: «Señor, yo he sido enviado a vos de parte de una muy alta dama que mucho os ama, la cual os suplica por mi medio que queráis concederle un don, antes de que os diga más, porque ella así me ha encargado que lo haga; pero yo os puedo decir de su parte, señor, que en esa merced no podéis tener reproche ni daño.» Y el rey lo piensa un poquito y nada responde. Entonces Sir Gauvein, que estaba a su lado, le dice: «Señor, no podéis rehusar esa merced sin caer en villanía, ya que no podéis con ella tener ni vergüenza ni daño.» Entonces el rey alza la cabeza y dice al gentilhombre: «Amigo, yo os concedo la merced que me habéis pedido.» Y el gentilhombre le agradece de parte de su dama lo más humildemente que puede hacerlo y toma su baúl y lo desata. Puedes comprender que el rey tenía gran deseo, lo mismo que todos los caballeros que allí estaban reunidos, de ver lo que había adentro. Entonces el gentilhombre saca el manto más rico y más bello que hasta entonces se había visto en esa época en el reino de Inglaterra. Era de rica púrpura, todo tejido en oro, sembrado de ramajes, cubierto de grandes perlas; el bordado se hallaba todo sembrado de ramos y de uvas, cuyos racimos unos eran de puros y sencillos diamantes y otros de finos rubíes; todo tallado de modo que tú también hubieras dicho que eran verdaderas uvas venidas de la viña; tan perfectamente acabada era la obra que era cosa maravillosa verla. El rey, el primero, se admiró de la gran riqueza que veía; lo mismo hicieron todos los de la sala. Si era extraño, no hay que maravillarse, porque era encantado; era hecho por un hada con su encantamiento; en efecto, la obra de ese manto era tan auténtica que apenas lo podía uno creer. Pero todo eso lo había hecho la falsa Morgana para mejor realizar su plan. Era, en fin, que la reina y sus damas, quienes no sabían su virtud, desearan vestirlo y tratar de obtenerlo; pero si ellas tuvieran sospecha de qué seda estaba tejido, jamás se lo hubiesen puesto, ni por cosa del mundo se hubiesen encontrado en lugar ni puesto en donde estuviera este manto. Porque tenía tal virtud que por su encantamiento descubría la deslealtad de las damas y también de las damiselas; porque ninguna de ellas lo hubiera vestido sin que le quedara o demasiado corto o demasiado largo, según que ella hubiera sido infiel a su marido o a su amigo. Así, pues, fue sacado fuera del baúl ese rico manto por el gentilhombre mensajero y presentado al rey diciéndole toda su virtud; y además le dijo: «Señor, la merced que os ha complacido conceder a mi dama, mi señora, es que de ahora en adelante no habrá aquí dama ni damisela a la cual no se lo hagáis probar y aquélla a la cual le quede ni demasiado corto ni demasiado largo, mi dama se lo dará de presente, con lo cual ella sea honrada toda la vida. Por esto, señor, ya que os ha complacido conceder esta gracia a mi dama, yo he decidido no retirarme hasta no haber visto la prueba. Señor, plázcaos hacer venir a todas las damas ante vuestra presencia para ver la prueba. Yo he venido de lejos; haced que la fe en vuestra promesa y en vuestra palabra no pierda su nombre, pues por todo el mundo se os considera el rey más veraz entre los vivientes.» Cuando el rey oyó hablar al gentilhombre mensajero y vio que no podía desdecirse de la promesa que le había hecho, se puso muy triste porque conoció evidentemente que era obra de Morgana, que siempre trataba de causar algún desagrado en todas las ocasiones a la reina y que a causa de ello todos los huéspedes se turbarían; pero no podía ponerle remedio. Entonces, Sir Gauvein toma la palabra y le dice al rey: «Señor, puesto que ello es así, es necesario que mandéis a la reina y a todas las damas y damiselas presentes, que vengan ante vos.» «Id, pues —dijo el rey— y llevad con vos al rey Urien; y decid a la reina que la espero, que venga a comer aquí y que traiga consigo a toda su hermosa compañía; porque quiero mantener la promesa hecha a este mensajero.» El rey Urien y Sir Gauvein se fueron a buscar a la reina, como les mandara el rey; y la encontraron cuando quería lavarse las manos para comer en su cuarto porque ya no podía aguardar más. Sir Gauvein habló primero y dijo: «Señora, el rey nos envía a vos y os pide que vengáis a comer a la sala y que traigáis a toda vuestra bella comitiva. El rey quiere ver cuál es la más bella, porque él le quiere hacer un regalo. Se trata de un manto, el más rico que jamás hayáis visto; ya se lo han traído y lo quiere dar a aquella a quien le quede mejor; así nos lo ha prometido.» Ellos bien se guardaron de declarar la virtud que tenía, porque entonces ninguna dama hubiera ido. La reina sale de su habitación y se va con los dos caballeros con gran deseo de probarse ese rico manto y no deja en sus alcobas ni dama ni damisela que no la siga. Ya llega a la sala, en donde es muy admirada por su gran belleza; su noble comitiva la sigue; cada uno le abre paso; llega delante del rey que tiene el manto en sus manos y, desplegándolo, dice a la reina: «Señora, yo doy este bello manto que veis a aquella de toda la comitiva a quien le quede mejor.» Y no dijo más, porque no le placía lo que estaba haciendo. La reina, que ve la gran belleza del manto, lo desea y lo codicia de todo corazón y por ello lo toma la primera y se lo hace echar sobre sus espaldas para probárselo. Mas sin ninguna duda le quedó un poquito corto por delante, a los lados como un dedo corto y de buen largo por detrás. Sir Yvien, hijo del rey Urien, que estaba al lado de ella, la vio cambiar de rostro, porque ella dedujo por la risa de los circunstantes que algo había. Sir Yvien le dijo: «Señora, me parece que este manto, por detrás, está bien hecho para vos; pero por delante está un poco corto; hacedlo probar a aquella damisela que está cerca de vos, ya que ella es de vuestra talla. Es la amiga de Héctor. Ahora dádselo, señora, os lo suplico.» Y la reina se lo da. La damisela de buena gana lo toma y se lo pone *incontinenti;* pero sin ninguna duda le queda corto, como medio pie por todos los lados. «Pero mirad —dice Sir Gauvein— cómo se ha encogido, aunque no ha sido llevado lejos, cuando la reina lo ha dejado.» La reina mira en derredor suyo y dice a los gentileshombres: «Señores, ¿no me quedaba a mí más largo que a esta damisela?» Sir Keux, quien era el más hablador de la casa del rey, dijo a la reina de esta manera: «Señora, sois en verdad más leal que ella.» «Diablos —dice la reina—, Sir Keux, ¿qué queréis decir? Decidme al instante; lo quiero saber.» Entonces Sir Keux le fue contando punto por punto cómo Morgana había enviado ese manto al rey por medio del mensajero que estaba presente, el cual con falsas indicaciones le había tomado la palabra al rey, quien le había prometido hacérselo probar a todas las damas y damiselas de su casa y que el rey había hecho esta promesa antes de saber el poder del manto, por lo cual estaba muy disgustado; mas no tenía ningún remedio, pues por nada traicionaría su promesa. La reina fue prudente y pensó que la vergüenza sería mayor si ponía cara de ira, que si lo tomaba a juego y se reía, como quien sólo estimaba burla todo lo que venía de Morgana. Aunque ella bien hubiera querido no haber venido aquella vez, no obstante, dijo en alta voz en plena alegría: «Entonces, mis señoras, ¿qué vais a esperar, pues que yo comencé la primera? ¿Qué os impide vestirlo y probároslo como yo?» Sir Keux, quien estaba más contento que nunca, al ver a esas pobres damas en tanto apuro, les dijo: «Entonces, mis damiselas, avanzad, a fin de que podamos conocer hoy a la más fiel de las presentes y que este bello manto sea de ella; hoy se conocerá la fe que guardáis a estos pobres caballeros que tantas penas sufren por vosotras.» Cuando las pobres damas oyeron hablar así a Sir Keux, quien se iba burlando de ellas, y sabían la verdad acerca del manto, no hubo ni una que no quisiera entonces estar en su país. Cada una rehusa vestirlo. El rey las mira y se apiada y dice al mensajero: «Amigo, me parece que ya os podéis llevar vuestro manto, porque está mal cortado; por lo que ya puedo ver no le va a venir bien a ninguna dama de las presentes.» «Ah, señor —dice el mensajero—, yo os recuerdo la promesa; jamás me lo osaré llevar hasta que se lo hayan probado todas las presentes y en vuestra misma presencia, señor. Aquello que un rey promete debe ser cumplido.» «Entonces —dijo el rey—, puesto que lo he prometido, que se cumpla. Pero me desagrada.» Entonces no hubo dama ni damisela que no sudara de angustia ni cambiara de color. Cada una quiere hacerle el honor a la del lado para que se lo pruebe primero sin tenerle la menor envidia. La reina ve a Sir Keux, quien no se puede callar y no hace más que burlarse; lo llama y le dice: «Sir Keux, probadlo a vuestra mujer sin tanto cacarear y veremos cómo le queda.» Ahora bien, él estaba casado con una bella damisela de las más cercanas a la reina y le tenía tal confianza que le parecía que no había nadie tan leal como ella en el mundo. Sir Keux, por orden de la reina, la llama. «Pasad adelante, mi amiga, porque hoy será conocido vuestro gran valor y seréis llamada la flor de las damas; recibidme este manto con valor y vestidlo, porque creo que ha sido hecho sólo para vos.» Su mujer le respondió: «Yo creo (y ojalá fuese de vuestro agrado) que más bien quisiera que se lo hiciéseis probar a esas otras damas allí; quizás ellas van a pensar que yo me lo quiero probar la primera por arrogancia o por orgullo y se resentirán.» «No os inquietéis, mi amiga —dice Sir Keux—, yo os doy mi palabra de que aunque ellas se pongan bravas, vos lo vestiréis la primera.» Y él mismo, sin decir más, se lo puso en los hombros. Pero ese manto villano se encogió tanto por detrás que no le cubría los jarretes y por delante no le llegaba sino como a dos dedos de las rodillas. «Santa María —dice Sir Breux sin piedad, quien estaba muy cerca de ellos—. ¡Qué es lo que veo, Sir Keux! ¿Qué decís? ¿Lo hubiérais vos jamás creído? Miradlo bien, ¡cómo estaríais todavía en un error si no se lo hubiéseis hecho probar!» Sir Keux no sabe qué actitud tomar; ve que no puede cubrir esto; todos están felices porque él había injuriado tanto a las pobres damas. Entonces empieza a perder su alto cacareo y baja la cabeza. Sir Ydier lo llama y le dice: «Sir Keux, ¿qué decís de este manto? A mi parecer que le vendría bien a vuestra mujer si no le quedara tan corto. ¿Lo guardará ella o no? Las otras han de probárselo.» Keux no responde nada; pero su mujer, toda humillada y avergonzada se lo quita y lo arroja en mitad de la sala y huye tan turbada que no puede más, maldiciendo el manto y a aquella que lo envió. Cuando las damas ven que será necesario que cada una pruebe fortuna, porque el rey así lo ha prometido y que no hay remedio, ellas se apenan tanto que no pueden más y no saben a qué santo encomendarse. Sir Lucan le Bouteiller, quien era muy amado del rey y uno de los más allegados a su persona, le dice al rey: «Señor, es necesario que le hagáis probar el manto a la amiga de Sir Gauvein que es tan bella y tan sabia; verdaderamente, ella no debe quedarse de las últimas.» La damisela se llamaba Genela y Sir Gauvein la amaba mucho.

Sin embargo, él había tenido cierta sospecha pequeña de un caballero y bien hubiera querido que Sir Lucan no la hubiera traído a cuento. Sin embargo, el rey hizo llamar a la damisela, quien no osó rehusar. Le pusieron el manto, que se alargó tanto por detrás que se arrastraba pie y medio. La parte de delante y la del lado derecho no le llegaba a la rodilla; pero la del lado izquierdo se la cubría. Entonces yo te lo aseguro, que Sir Keux, quien por largo tiempo había perdido el habla, la recobró porque tenía un gran gozo de aquel manto que se había desfigurado tanto sobre la pobre damisela Genela. Dice: «Hoy no soy burlado yo solamente, gracias a Dios.» Sir Gauvein mira a su damisela de reojo, como quien está descontento. Sir Keux la toma y la lleva a sentarse al lado de su esposa y le dice: «Señorita, quedaos cerca de mi mujer, porque sois tan mujer de bien como ella.» El rey, que ve su corte toda llena de risa, no puede dejar de hacer como los demás y delibera, pues que tanto ha hecho, como ver el fin. Toma por la mano a la amiga de Sir Yvein, el hijo del rey Urien, uno de los mejores caballeros de la mesa redonda, y le dice: «Señorita, este manto, a mi parecer, debe ser para vos, porque yo no he oído decir ninguna cosa de vos por la cual no lo debáis tener.» Girflet, el pequeño que era uno de los privados del rey, toma la palabra y dice: «Señor, vos salís fuerte fiador de esta damisela; esperad un poco hasta que hayáis visto lo que le agrade disponer a Dios. Hacedle poner la vestidura sobre los hombros y lo veremos.» Se le arregló el manto, mas sin duda fue una tristeza verlo; le venía de tan mala manera que por delante se arrastraba y por detrás sólo le llegaba a las nalgas. «Ay, mi Dios —dice Girflet—, he aquí un engaño terrible; bien loco es quien de damas se fía; hasta ahora no he visto ni una que no haya hecho alguna fineza a su hombre. Señor, estábais seguro de que ésta ganaría, pero ved lo que ha pasado en realidad.» La pobre damisela está tan avergonzada que no sabe qué decir. Ella toma el manto por el broche y lo arroja

sobre uno de los caballeros. Keux, el senescal, le dice: «Señorita, no os enfadéis, que esa es la suerte de este mundo; id a
sentaros cerca de Genela y de mi mujer y allí os calmaréis.»
Y allá se va ella muy penosamente. El rey llama a la amiga de
Perceval de Galloys y le dice: «Hermosa, probaos este manto
os lo suplico, que me fío tanto de los buenos informes que se
dan de vos, que si hemos fallado en las otras, según mi parecer, no fallaremos en vos.» Girflet toma otra vez la palabra
y dice al rey: «Señor, os acordáis cómo os resultó la otra vez
con aquello que tanto asegurásteis; guardaos no os pase lo mismo esta vez.» La pobre damisela acepta que se lo pongan sobre
los hombros, porque es fuerza que se haga. En efecto, cuando
estuvo encima de ella los broches se rompieron de tal forma
que el manto cayó en el suelo. La damisela está muy disgus-
tada y lo deja allí y se va a sentar al lado de las otras, bajando
la cabeza y sin osar mirar al rey a la cara ni a los caballeros
que allí están y maldice en su corazón a aquel o aquella que
encontrara este invento. «No creo —dice el rey— que este
manto dé nunca honra a dama o damisela presente.» El mensajero levanta su manto y dice: «Ahora tendré que buscar
otros broches.» Entonces mete la mano en su baúl y saca
otros semejantes, porque en manera alguna quiere él que por
falta de broches su misión sea turbada. El rey toma la palabra
como si estuviera enojado al ver molestar a esas pobres damas y dice al mensajero: «Amigo, ¿no ha sido probado sufi-
cientemente? Ya es hora de que comamos.» El rey no pedía
si no una oportunidad para dejarlo todo; mas el mensajero
se pone delante y recuerda al rey la promesa que le ha hecho
delante de todos los nobles, diciendo: «Señor, vos no habéis
hecho mal a ningún hombre; os suplico que no comencéis
conmigo; guardad vuestra promesa.» Toda la caballería allí
presente está pasmada porque no hay nadie que no tenga allí
una esposa o una amiga. Sir Ydier ve a su amada cerca de él
y cree que en el mundo no hay ninguna más llena de fidelidad.

La toma de la mano y le dice: «Ahora bien, mi amiga, vos sabéis bien el gran amor que siempre os he tenido y la confianza que en vos he depositado por la cual yo estoy tan seguro como de la muerte que vos jamás habéis pensado en hacerme alguna mala jugada; por eso en esta hora mi corazón se regocija, porque conozco claramente que este manto os vendrá a la medida; vuestra bondad y lealtad os darán hoy gran honra. Ahora ved, mi amiga, por qué sirve ser tan leal; más que en otra cosa me deleito en la envidia que de vos tendrán las otras damiselas y del disgusto que daréis a los maldicientes. Esta vez los veré bien tristes y confusos, aunque sólo fuera Sir Keux. Vamos, amiga, recibidme este manto y vestidlo con valor delante de todo el mundo para ser la flor de las damas.» La damisela, medio desconcertada, respondió: «Sir Ydier, mi bueno y leal amigo, me parece, a no ser que penséis otra cosa, que no os debiérais apresurar y debiérais más bien esperar hasta que el rey lo mande.» «No, no —dice Sir Ydier—, haced sólo lo que os digo.» Entonces la damisela toma dulcemente el manto y se lo pone; pero aunque lo lleva hábilmente no le queda tan perfectamente a la medida. Como le queda tan bien por delante que los presentes, que estaban a ese lado, creen que lo ha ganado; entonces se vuelven a ver la parte de atrás y, ¡qué lástima!, pues a fe mía que no le llega a las nalgas. Entonces la risa comenzó a crecer maravillosamente. «Ah, señorita —dijo Girflet— no veo manera de que este manto os quede alguna vez bien, porque no se podría estirar tanto por detrás que se igualara por delante.» Tampoco Keux pudo dejar de hablar por lo que Sir Ydier se había burlado de él y le dice: «¿Qué decís vos, Sir Ydier? Bien necio es aquel a quien se le destapa el culo.» Sir Ydier no sabe qué decir, sino que enojado toma el manto y lo arroja a los pies del rey. Keux toma a la damisela de la mano y la lleva donde las otras que ya habían ensayado la virtud del manto y les dice: «Señoras mías, señoras mías, alegraos, que os traigo compañía.»

Mas ninguna se lo agradeció. ¿Qué más te contaré para hacer más largo el tema? En conclusión: no hubo allí caballero que no se lo hiciera probar a su mujer o a su amiga que no tuviera después dolor de corazón; porque el que tenía confianza no hizo después más que murmurar. Viendo el mensajero que su manto no iba a ser adjudicado a ninguna de las damas que allí había visto, dijo en alta voz: «Veo, pues, que deberé llevarme mi regalo al lugar de donde vine, lo cual no me agrada. Señor, yo os suplico, a fin de ser aliviado de mi deber, que os plazca enviar una vez más por todas las alcobas del palacio a buscar si hay alguien más; porque siempre oí decir que nunca una aventura ocurre en vuestra casa que no tenga una feliz culminación; sería gran mal si me fuera preciso de volverme así.» «Por mi cabeza —dijo Sir Gauvein— que os dice la verdad, señor.» Entonces manda el rey a Girflet que se vaya a buscar por todos los cuartos del palacio y que no deje sin escudriñar ni el más pequeño. Girflet se va prontamente y no deja rincón, pequeño ni grande, de todo el palacio en donde no haga su búsqueda así como lo manda el rey; y después de haber buscado bien todo no encuentra más que a una sola damisela recostada en su lecho, enferma. Girflet la saluda diciendo: «Señorita, levantaos, que debéis venir a la sala; el rey os lo pide.» «Sir Girflet —dice la damisela— obedeceré de buena gana al rey; pero ya veis cómo estoy; por lo cual me parece que me debéis tener por excusada; hace mucho tiempo que no me muevo de aquí y no estoy ni vestida ni preparada para encontrarme en la sala.» «Señorita —dice Girflet—, yo esperaré hasta que estéis lista para venir, porque de otra manera no puedo regresar sin llevaros.» Cuando la damisela ve que no hay remedio, se levanta y se prepara lo más honestamente que puede y se viene a la sala con Sir Girflet. Cuando su amigo que allí estaba la ve venir, toda la sangre le corre dentro del cuerpo tanto que le aparece en el semblante. El había estado feliz por la maravilla de que ella no se encontrase en la comitiva, por los peligros que él había visto; mas el gozo se había cambiado en duelo a causa del temor de que ella recibiera deshonra y reproche; porque la amaba con tan grande amor que no podía más y si hubiera dependido de él, ella nunca se hubiera probado el manto. La damisela se llega hasta estar enfrente del rey. El mensajero le presenta el manto y le revela toda su virtud. Y tan pronto le dice esas palabras, ve venir al caballero amigo de la damisela; y si quieres saber su nombre os digo que era Sir Karados Brisebras, bueno y valiente caballero, el cual se acercó a la dama y le dijo: «Ay, mi amiga, yo os ruego que si dudáis de algo que no os vistáis este manto, pues por cosa del mundo quisiera yo ver ante mis ojos vuestra deshonra, ni cosa por la cual debiera yo amaros menos de lo que os amo. Quiero más estar en la duda que saber la verdad y veros sentada al lado de la señorita Genela y la mujer de Sir Keux.» Girflet toma la palabra y dice a Karados: «¿Por qué os atormentáis tanto? ¿No veis allá más de doscientas damas sentadas en esos bancos que por la mañana creíamos entre las más fieles de todo el país? Y sin embargo, habéis visto lo que ha pasado.» La damisela, que de nada tenía miedo, poniendo un rostro alegre dice a Sir Karados: «Amigo ¿de qué os preocupáis? ¿Cuidáis de que yo sea mejor que las otras? Según lo pienso, yo me lo pondré y no me preocupo, pues yo no quiero vanagloriarme de sobrepasar en nada a las demás. Si viene lo peor, no dejaría de estar muy bien acompañada, es decir, de las gentes de bien del mundo. A fe mía que lo vestiré. Y aun cuando vos tengáis de qué quejaros y pase lo que pase.» «Yo estaría —dice él— más contento si no...» Pero el rey ordena que sí y entonces ella lo toma y con mucho valor se lo acomoda delante de toda la concurrencia, que mira con gran interés para ver cuál será el fin. En efecto, este manto le quedó tan bien y tan a la medida por delante y por detrás a la damisela que todos los sastres del mundo no lo hubieran sabido cortar mejor a su medida. El gentilhombre mensajero que ahora veía acabada la aventura, dijo en alta voz: «Damisela, damisela, yo os aseguro que vuestro amigo en estos momentos debe ser bien feliz; porque quiero que sepáis que yo he llevado vuestro manto a muchos lugares extraños y lo he hecho probar a mil damas y damiselas a las cuales nunca quedó bien y sólo a vos os ha quedado bien. Por lo cual yo os lo entrego, porque os pertenece por derecho.» El rey mismo confirma el veredicto y la damisela le agradece. No hay allí ni dama ni caballero que se le oponga; aunque hay bastante envidia, ninguna la manifiesta, porque no saben nada malo que decir de la damisela. El mensajero se despide del rey, porque ya se le hace muy tarde para volver a su dama y comunicarle su mensaje y no quiere quedarse a comer por mucho que le ruegan. El rey se sienta a la mesa, pues ya es hora de comer. Muchos caballeros comen allí y después se vuelven a sus casas tristes y doloridos y jamás después rieron. Pero el que no sufre duelo, Sir Karados se va con su amada tan feliz y contento que no se puede más y llevan el manto y lo guardan con afecto por todo el resto de su vida. Después de su muerte, fue puesto en un lugar secreto y nadie en nuestro tiempo, más que yo, sabe en dónde está. Por lo cual, bien te quiero advertir, prima mía, la primera, que cuando te lo quieras probar está en mi poder hacerlo llevar para ti o para cualquiera de tus buenas amigas. Sin embargo, si tú ves que todavía se deba dejar allá en donde está, que allí se quede, si así lo crees. En cuanto a mí, yo sólo quiero lo que tú quieras, porque yo soy y seré en tanto que viva tu mejor amigo y aunque el manto te quede un poco corto no te dejaré de amar. Ya te he acabado mi cuento del manto mal cortado; sólo me veo obligado a decirte el nombre de aquella que por su bondad ganó el peligroso manto: se llamaba... (Reticencia ingeniosa, que cierra aquí el cuento.)

* * *

Exemplo 35

De lo que contesçió a un mançebo que casó con una muger muy fuerte et muy brava.

1. SADI, *Gulistán o Jardín de Rosas* (London, 1889), p. 114.

Se apiadó de mi estado y me obtuvo la libertad de la cautividad de los francos pagando diez piezas de oro y me llevó a Alepo. Tenía él una hija y me la dio en matrimonio con una suma de cien piezas de oro. Pasó algún tiempo. La muchacha, que era de mal genio y pendenciera, empezó a dar rienda suelta a su lengua y me amargó la vida.

La mala mujer en casa del hombre bueno
Viene a ser su infierno aquí en este mundo.
¡Cuídate de la compañera, cuídate!
¡Y líbranos, Señor, de los tormentos del infierno!

Una vez se desató en burlas y decía: «¿No eres tú el que mi padre rescató con diez piezas de oro?» Y yo le repliqué: «Sí, me libertó de la esclavitud de los francos pagando diez monedas de oro y me hizo, por otras cien, tu cautivo.»

Oí que un buen hombre a una cabra soltó
de las fauces y garras de un lobo.
Por la noche le puso el cuchillo en el pescuezo.
La cabra, a la que se le escapaba la vida, así se le quejó:
¡Tú me arrebataste de las garras del lobo!
Y cuando te miré de cerca, ¡ay!, tú eras en último término
el lobo para mí.

2. SIR JOHN MALCOLM, *Sketches of Persia* (London, 1861), p. 171.

Sadik Beg era de buena familia, buen mozo y poseía tanto buen juicio como coraje; pero era pobre, pues no tenía como propiedad si no su espada y su caballo, con el cual servía de caballero acompañante del Nabab. Este, satisfecho con la pureza de linaje de Sadik y apreciando su carácter, decidió hacerlo marido de su hija Huseini, quien aunque bella, como lo indicaba su nombre, era famosa por su manera burlona y descontrolado genio.

Darle un marido de la condición de Sadik Beg a una señora del rango de Huseini era, según la costumbre de matrimonios tan desiguales, como darle a ella un esclavo; y como ella oyese la relación de sus cualidades personales, no ofreció objeciones al matrimonio, que se celebró al poco tiempo de propuesto; y se le señaló apartamentos a la feliz pareja en el palacio del Nabab.

Algunos de los amigos de Sadik Beg se regocijaron de su buena suerte, pues veían en el enlace que había hecho una segura perspectiva de encumbramiento. Otros se lamentaron del destino de un joven tan bueno y tan lleno de promesas, condenado ahora a sobrellevar en la vida los humores todos de una mujer soberbia y caprichosa. Pero uno de sus amigos, un hombrecito llamado Merdek, que vivía completamente dominado por su mujer, estaba particularmente feliz y riéndose entre dientes al ver al otro en la misma condición suya.

Después de un mes, más o menos, de las nupcias, Merdek se encontró con su amigo y con malicioso placer le deseó dicha en su matrimonio. «Muy sinceramente te felicito, Sadik —le dijo— en este feliz acontecimiento.» «Gracias, mi buen amigo; soy realmente muy feliz y me siento aún más feliz al ver el contento de mis amigos.» «¿Dices en realidad que eres feliz? —dijo Merdek con una sonrisa—.» «Claro que sí —respondió Sadik.» «Tonterías —dijo su amigo—. ¿Acaso no conocemos todos la clase de arpía con quien estás casado? Y su genio y su alta alcurnia combinados deben hacer de ella una dulce compañera.» Aquí se echó a reír durísimo y el hombrecito actualmente se pavoneó con un sentimiento de superioridad sobre el novio.

Sadik, que conocía su situación y sus sentimientos, se divirtió con ello en vez de ponerse bravo. «Mi amigo —dijo— comprendo perfectamente las razones para tus aprensiones acerca de mi felicidad. Antes de casarme había yo oído los mismos informes que tú acerca de la disposición de mi amada novia; pero me place decirlo que he hallado todo lo contrario: ella es la esposa más dócil y obediente.» «¿Pero cómo ha ocurrido este cambio milagroso?» «¿Cómo? —dijo Sadik—. Creo que he tenido algún mérito en llevarlo a efecto y lo vas a oír:

Cuando terminaron nuestras ceremonias nupciales me dirigí con mi uniforme y mi espada a la cintura al apartamento de Huseini. Ella estaba sentada con una pose solemne para recibirme y su apariencia no tenía nada de acogedora. Cuando entré en el cuarto, un hermoso gato, evidentemente su favorito, vino ronroneando a mí. Yo con toda deliberación saqué mi espada, le corté la cabeza y tomando ésta en una mano y el cuerpo en la otra los tiré por la ventana. Entonces me volví solícito hacia la dama que parecía algo alarmada; ella no hizo el menor comentario y fue dulce y sumisa y así lo ha sido desde entonces.»

«Gracias, querido amigo —dijo el pequeño Merdek moviendo la cabeza con intención—. A buen entendedor, pocas palabras.» Y salió dando un brinquito, claramente contento.

Ya era el anochecer cuando la conversación tuvo lugar. Poco después, cuando el oscuro manto de la noche había cubierto el brillante resplandor del día, Merdek entró en la alcoba de su esposa, con marcial contoneo, armado de cimitarra. El gato inocente se llegó a dar la bienvenida al marido de su señora, pero en un instante la cabeza quedó separada de su cuerpo con el golpe dado por la mano que antes le había acariciado.

Merdek, que hasta allí había procedido con gran coraje se detuvo a recoger los miembros separados del gato; mas antes de poder hacerlo cayó extendido en el suelo al golpe que le diera en la cabeza la enardecida dama. El chismorreo y escándalo del día se había dispersado ya por las habitaciones de las mujeres con sorprendente rapidez y la esposa de Merdek supo al momento qué ejemplo estaba siguiendo su marido: «Llévate eso —le dijo, dándole otra bofetada—, llévate eso tú, despreciable infeliz —y añadió riendo con desprecio— debías haber matado el gato el día del matrimonio.»

3. *De la Dame qui fut corriegée* (LEGRAND D'AUSSY, *op. cit.*, vol. III, pp. 187-198).

Vosotros que tenéis mujeres y las dejáis volverse amas y tomar demasiado poder, escuchad la historia que os voy a contar. Os enseñará a reprimir a buen tiempo sus caprichos y a corregirlas cuando se salgan del respeto y de la sumisión que ellas os deben. Sobre todo, escuchadme a mí vosotros que deshonráis vuestro sexo dejándoos mandar por ellas.

Hace tiempo que vivía en su castillo, con su mujer y una hija que en su matrimonio tenía de ella, un rico señor, bravo caballero y hombre honesto, lleno de méritos y de buenas cualidades. Pero, desgraciadamente, cuando él se había casado con su mujer estaba tan enamorado que había tenido hacia ella desde el comienzo tanta sumisión y deferencia que al fin, dominado por la costumbre, no podía ni hablar sin verse contradecido, ni hacer nada sin quedar frustrado por la mujer.

La hija era un prodigio de belleza. No se hablaba más que de ella en toda la región a la redonda; y se habló tanto, que un joven conde, muy poderoso y de alta alcurnia, estimado por su mucho sentido y por su mucha razón que valen más que la riqueza, sorprendido de tantos elogios se propuso ver a la muchacha y verificar si ella en realidad los merecía.

El azar le facilitó el conocerla y ved de qué manera. Había salido con gran séquito a cazar; ya bajaba el sol y era cerca de la hora de nona. De pronto el cielo se cubre, el trueno comienza a retumbar y un huracán tan violento se anuncia que la mayor parte de las gentes del conde se dispersan y él mismo, desesperando poder llegar a su ciudad no piensa, con algunos de aquellos que se habían quedado con él, sino en buscar lo más pronto un abrigo. Un camino profundo, que le ofrece su buena fortuna, lo conduce a un huerto, desde donde nota un castillo bien resguardado, al cual se dirige a todo galope.

El señor se hallaba en las gradas de enfrente. Cuando ve a los caballeros, va cortésmente delante de ellos y los saluda; era el padre de la bella de quien os he hablado. Habiéndole rogado el conde que quisiera por un instante darle asilo: «Ay, señor —respondió con aire humillado—, en todo tiempo y particularmente en este momento tendría yo gran placer de recibir a un hombre como vos; pero yo no oso decidirlo por mí mismo.» «¡No lo osais! ¿Y se puede saber, señor, qué os lo impide?» «Yo no soy aquí el amo, os lo tengo que confesar; es mi mujer la que manda y ordena todo y sería suficiente que yo os rogara que entráseis para que ella os cerrase la puerta.» «¡Cómo, pardiez, tenéis barba en el mentón —respondió el conde— y no sois el amo de vuestra casa!» «Al presente ya es demasiado tarde para intentar serlo. Me he dejado dominar desde el principio y he cogido el hábito de obedecer y ello de por vida. Mas puedo gozar de la satisfacción de veros, si os dignáis (y yo os lo suplico) secundar una estratagema inocente. Voy a entrar donde está mi mujer, seguidme; vos me pediréis asilo, yo os lo negaré y esto será para que ella os dé la bienvenida que merecéis.»

El conde no pudo menos de reírse de esta ingenua respuesta. Sin embargo, siguió el consejo del dueño del castillo y las cosas pasaron como se habían previsto. El marido no había acabado de rehusar cuando la dama, imponiéndole silencio con tono de desprecio, fue ante el conde y le rogó que entrara con todos los suyos. El esposo, que quería recibir con distinción al extranjero y que no tenía para ello otro recurso que seguir su primera estratagema, rogó, con aire de descontento, a su mujer no ir al menos a prodigar a un desconocido su buen vino, ni sus aves, ni los peces de su estanque, ni la caza de su parque. «Sobre todo, que nuestra hija —agregó él— no aparezca por aquí. Bella como es, no sería sabio exponerla a las miradas de este joven; que se quede en su alcoba y coma con las criadas.» «A callar —respondió la mujer—, sois un tonto. Este joven comerá con mi hija y se le servirá lo que hay de mejor aquí, porque así lo quiero.» En consecuencia ella dio órdenes para que cazaran y pescaran e hizo decir a su hija que se arreglara prontamente y descendiera.

Poco después apareció la joven con una brillantez y una majestad que admiraron al conde. El la tomó de la mano y la hizo sentar a su lado. En la mesa se puso cerca de ella y aunque la comida era excelente y él tenía tanta hambre se ocupó más que del placer de comer, del de verla. En fin, el amor le inflamó de tal manera que resolvió casarse con ella y así, después de comer, cuando se ha reído por algún tiempo y se ha servido la fruta, la pidió a los padres.

El padre, encantado de esta proposición, se cuidó bien, para hacer consentir a su esposa, de tomar la palabra y de rehusar su consentimiento. Respondió modestamente que su hija, a pesar de alguna fortuna y de su nacimiento, no estaba hecha para un esposo de rango tan distinguido. «Señor conde —replicó la mujer—, no prestéis atención a los discursos de este tonto que no abre la boca más que para decir estupideces. Yo os doy a mi hija, yo misma, y vos os casaréis cuando os plazca.» Al mismo tiempo ofreció oro y plata como dote, con telas y diferentes joyas y vasos preciosos que ella tenía en sus cofres. El conde le agradeció, pretendiendo que estaba muy feliz de haber hallado tanta belleza y no quiso recibirle nada. «Quien puede encontrar una buena mujer ya es rico —dijo— y pobre es el rico que la toma mala.» Pidió solamente que la ceremonia quedara fijada para el día siguiente por la mañana y pasó ocupado toda la noche pensando ya en su ventura y en su amor, ya en el humor imperioso de esa mamá y de la conducta que debía seguir si la hija, lo cual era probable, se le asemejaba.

Al día siguiente se casó con la damita; y con la determinación que tenía de llevarla consigo fue inmediatamente a dar las órdenes para la partida. El padre aprovechó ese momento de ausencia para felicitar a su hija por su buena suerte. La exhortó, sobre todo, a hacerse digna por su dulzura y una complacencia sin límites hacia su marido. Mas la madre, llevándola aparte: «Hija mía —le dijo—, sólo tengo una lección que darte. Tienes un marido amoroso; para una mujer es una gran fortuna. ¿Quieres ser feliz? Trata de dominarlo en los primeros momentos y así lo tendréis para el resto de la vida. Trata de contradecirlo inmediatamente en alguna cosa, acostúmbralo a obedecerte, toma el tono del que manda; en una palabra, mira lo que soy yo y haz lo mismo.» La hija se lo prometió y ya hacía mucho tiempo que se lo había propuesto; pero el conde, de su parte, acababa de decidir también cómo ponerle remedio.

Cuando volvió a entrar, se le habló todavía de la dote. Ante su nueva negativa, se le pidió que aceptara al menos dos perros entrenados y un bello caballo que le traían. El los recibió por cortesía como un presente de amistad y partió con su esposa y toda su gente, montado en el caballo que acababa de recibir y seguido de los dos perros que llevaban amarrados.

En un lugar cercano, una liebre pasa ante sus ojos; inmediatamente hace desatar los perros y les grita: «¡Traed!» Los perros se lanzan, mas un instante después los ve venir sin la liebre. Entonces se baja del caballo y sin decir palabra les corta la cabeza a ambos. Durante ese tiempo, su caballo, que se siente libre, quiere escaparse; él le grita: «¡Quieto!» El animal sigue huyendo, corren detrás, lo traen y el conde, sin hablar más que la primera vez, le corta el cuello como a los perros y se monta en otro. Si la dama quedó sobresaltada por este proceder, yo dejo que vosotros mismos os lo figuréis. Ella murmuró en alta voz y en tono muy agrio le hizo presente al conde que si no se había dignado salvar esos animales por consideración a ella, lo debiera haber hecho al menos por respeto a las personas que se los regalaron. A estos reproches el esposo se contentó con responder fríamente: «Señora, cuando yo ordeno, quiero que se me obedezca.» Después continuó su camino.

Su ausencia había causado alarma en el castillo. Sus barones y sus vasallos se habían reunido allí para saber noticias de él y esperarlo y ya comenzaban a inquietarse. Cuando lo vieron llegar todos fueron a su encuentro hasta el puente levadizo y le preguntaron quién era esa bella dama que traía. «Esta es mi mujer, con quien acabo de casarme —respondió él—. Os ruego que asistáis a la fiesta de bodas que voy a hacer.» Ellos lo felicitaron por haber escogido tan bien y saludaron respetuosamente a la dama. Entrado en su casa, el conde hizo venir a su cocinero mayor, al cual ordenó una comida espléndida, con diferentes salsas exóticas en las cuales convinieron ambos. Mas la condesa, que quería absolutamente ensayar su poder y que espiaba la ocasión, habiendo llamado al cocinero cuando salía para saber de él qué órdenes acababa de recibir, le dio otras enteramente contrarias y le mandó que preparase todo al ajillo. «Madame, yo no me atrevo —respondió el servidor—, tengo mucho miedo de desagradar a mi amo. A él no le gusta que uno le falte.» «Sábete —replicó ella— que si quieres permanecer aquí no debes obedecer más que a mí sola, ni seguir de ahora en adelante otra voluntad que la mía.» «Madame, me voy a someter, puesto que lo ordenáis; pero espero de vuestra bondad que no me queráis causar pena con mi señor.»

Se llamó al banquete; todo el mundo se sentó a la mesa y el conde vio con mucha admiración sus órdenes cambiadas y todos los guisados que había mandado convertidos en guisados al ajillo. Fingió, lo mismo que los convidados, no darse cuenta. Mas cuando se vio solo con su esposa hizo llamar a su cocinero mayor y le preguntó por qué había tenido la audacia de desobedecerle. «Ah, mi señor —respondió el villano echándose de rodillas— es mi señora quien lo ha querido; vedla aquí; interrogadla vos mismo; yo no he osado contradecirla.» El conde no era hombre de perder tiempo en reprimendas. Tomó una vara y dio al cocinero tal golpe que le hizo saltar un ojo; después de lo cual le ordenó salir de los confines de su tierra so pena de ser ahorcado al día siguiente si en ellos lo encontraba. «Y vos, señora —dice luego a la condesa—, ¿quién aconsejó ese hermoso golpe de inteligencia?» Ella negó entonces que alguien le hubiera hablado. Sin embargo, como se vio asediada, sea que creyera excusarse echando la culpa a otro, sea que aquella vara la había desconcertado, confesó en parte los consejos que a su salida le había dado la madre y rogó al conde que le perdonase su falta. «Esto es lo que haré —respondió él—, pero de ahora en adelante quiero que podáis acordaros.» E inmediatamente con la misma arma que le había servido para el cocinero le imprimió en la espalda su perdón tan vigorosamente que se vieron obligados a llevarla a la cama. Ella permaneció allí muchos días, durante los cuales nada le fue rehusado de aquello que tenía necesidad; pero también desde ese momento jamás se vio mujer más dócil y obediente.

Escuchad ahora cómo fue cambiada la suegra. Hacía tres meses que estaba separada de su hija cuando le vino el deseo de ir a verla. Tuvo cuidado de hacer avisar a su yerno y partió pomposamente escoltada por sus caballeros, detrás de los cuales marchaba el buen dueño del castillo, a quien por misericordia se había permitido que la siguiera. El conde se presentó ante la comitiva. Hizo toda suerte de muestras de afecto a su suegro; le abrazó veinte veces, lo colmó de amistad; pero respecto a la dama, apenas pareció darse cuenta de su llegada. Cuando entraron en la sala, dio orden a la condesa que apareciera. Ella descendió al momento. Sin embargo, si alguna dicha tuvo al ver a su madre, le impidió manifestarla lo que ella le había costado. Así que se contentó con saludarla y fue a abrazar a su padre, al lado del cual el conde le hizo señal de que se sentara. La madre, poco acostumbrada a humillaciones semejantes, no sabía qué semblante poner. Durante la comida la pusieron con sus cinco caballeros en una mesa separada, que fue servida de una manera muy frugal. El suegro, durante este tiempo, comió en la de su yerno, en la cual nada faltaba: buena compañía, buenos vinos y claretes. Terminada la comida y levantados los manteles, se ríen y se divierten hasta que aparece la fruta, después de la cual cada uno se retira a dormir. Pero todo lo que acababa de hacer el conde por su suegro todavía no le bastaba. No podía pensar sin tristeza en la suerte de este hombre honrado, a quien su mala mujer hacía desde hacía tanto tiempo desdichado, y durante la noche se ocupó del proyecto de libertarlo de este triste yugo. Cuando fue de día le mandó rogar que bajara. «Señor —le dice—, he hecho preparar arco y redes; mis gentes han sido avisadas y os esperan; id a divertiros en el parque y a matar alguna pieza; yo haré entre tanto compañía a las damas.» El suegro se fue; todo el mundo lo siguió y sólo quedaron en el castillo cuatro grandes esbirros fuertes y vigorosos con los cuales el conde se llegó a su suegra. «Señora —dijo—, tengo una pregunta que haceros y os vengo a rogar que me la respondáis.» «De buena gana, señor, si soy capaz.» «Decidme por qué os place sin cesar humillar y contradecir a vuestro marido; porque, en fin, no ignoráis que vuestro deber es amarlo, respetarlo y obedecerlo.» «Señor, es que él ha nacido sin espíritu y si yo lo dejara ser amo, él no haría más que estupideces.» «Oh, yo sospecho otra razón y quiero verificar si me engaño...»

Dice Legrand d'Aussy: «La decencia no me permite traducir más. Advierto que por este motivo he cambiado la última palabra del título que en el original anuncia crudamente el pasaje que he suprimido. El cuento termina representando a la madre dulce y complaciente con su marido, cuando hasta entonces había sido mala e imperiosa.»

El texto completo de Barbazán (vol. IV, p. 365) narra como el conde y sus esbirros fuerzan a la dama y fingen castrarla. Le presentan al final de la operación dos testículos ensangrentados de toro que llevaban preparados. El caso aterra y humilla a la dama de tal manera que promete obedecer en adelante a su marido.

* * *

Exemplo 36

De lo que conteșçió a un mercadero quando ſalló su muger et su ſijo durmiendo en uno.

I. La venta de los consejos.

1. Venta de un solo consejo.

Dialogus Creaturarum (dial. 93).

Se lee de cierto filósofo que sentado en un lugar elevado dijo que quería vender sabiduría y como algunos se la compraran, escribió una tarjeta que decía: «En todas las cosas que tengas que hacer siempre piensa qué te puede pasar por ello.»

Cuando muchos se burlaron y querían botar la tarjeta, dijo: «Llevadla en buen recaudo a vuestro señor, porque bien vale el precio pagado.» Cuando la recibió el príncipe, la hizo inscribir con letras de oro en la puerta del palacio. Después de mucho tiempo, ciertos enemigos suyos tramaron con el barbero para que matara al príncipe. Cuando aquél entraba por la puerta leyó la inscripción, pues sabía leer, empezó a temblar y a palidecer. Lo cual visto por el príncipe lo hizo coger y con amenazas y tormentos le sacaron la verdad. Se le perdonó, pero mataron a los autores del crimen. Por lo cual se prueba que es útil pensar en el fin. De allí que un filósofo dijo: «Quidquid agas prudenter agas et respice finem.»

Etienne de Bourbon, § 81.

Había gran mercado en la ciudad de cierto rey. El hijo del rey fue con sus amigos por el mercado para ver la diversidad de las mercancías por si acaso veía algo que le agradaba. Cuando pasaba vio una casa adornada admirablemente y preparada con telas de seda y doradas y sin embargo vacía por dentro. Admirado, entró y nada vio allí dentro; tan sólo a un viejo sentado en una cátedra, leyendo un libro que tenía en la mano, al cual preguntó qué quería decir esto. Respondió que ésta era la casa en que se vendía lo más precioso y lo más útil de todo el mercado, especialmente para los hombres que tienen que mandar y que si él quería comprar le vendería cien libras y más. Y dijo que su mercancía era la sabiduría y la prudencia. El príncipe compró cien libras y el viejo escribió esto en una tarjeta: «En todas tus acciones considera, antes de hacerlas, a qué fin vas a llegar.» Le aseguró que si tenía esto siempre presente ante los ojos, le podría valer más que todo un reino. El joven, muerto el padre, fue hecho rey. Hizo inscribir estas palabras en las mesas, en los manteles y servilletas y en todas las otras cosas en donde podía. Como sus nobles conspirasen contra él, hicieron un pacto con el barbero suyo para que lo matara. Cuando lo quería hacer e iba a cortarle la garganta mientras le arreglaba la barba, leyó el escrito que estaba en la toalla y se comenzó a aturdir, murmurar y temblar; lo cual, advertido por el rey, lo hizo prender y urgir hasta que dijera la verdad; e hizo coger a los traidores y él mismo se libró de la muerte. Este ejemplo lo predicaba, como lo oí yo mismo, el hermano Simón de Bruelio (13).

Recull de Eximplis, § 129.

Eximpli de molt savi consell donat per j. hom veyll a un jove, segons ques recompte en lo libre de Dono Timoris. Cogitatio finis in omnibus operibus est necessaria. Un jove anant per una fira ana per totes les tendes e botigues a mirar les joyes que en elles venien; e en una botigua troba un hom vell que no tenia neguna mercaderia, e demana li que venia? Lo vell li respos que sabiduria. Dix lo jove: Donchs vinlem. E avenguts lo vell li vene per cent marchs dargent, e pagats los dits cent marchs lo vell li dix: En totes les coses que faras primer guarda a quina fi vendran. E lo jove tenent se per enganat murmura; e lo vell li dix: Ve e nou oblits, e feu ho scrivre en les portes de la tua cambra, e en finestres, e en toto loch, e en lo manech del rahor ab quet solen raure: e lo jove ho feu axi. E aquel die envia per lo barber que li raes la barba, al qual barber los enemichs del dit jove havien donat e promes

---

(13) Esta versión de ETIENNE DE BOURBON se halla casi a la letra en VICENTE DE BEAUVAIS *(Speculum Morale,* lib. 3, pars. 1, dist. 10, p. 907). La versión que trae KLAPPER difiere en estilo, pero no en las partes principales del tema y me parece que se acerca más a la versión del *Dialogus Creaturarum;* tiene la referencia al hecho de que el barbero sabía leer. No creo que las variantes sean significativas. La versión del *Alphabet of Tales,* § 154, se asemeja a la del *Recull de Eximplis,* como pasa en muchos otros casos. Se halla también en forma muy esquemática en BROMYARD, cap. 10, art. 5, 13, p. 145.

gran tresor que con li raes la barba quel degollas ab lo raor. E quant lo dit barber entra per la porta de la casa del jove vee scrit letres que deyen: Quant faras la cosa guarda a qual fi vendra. E semblants letres troba escrites en la porta de la cambra on lo dit jove stava, e semblants letres eren escrites en lo manech del raor, car lo dit jove les hi havia fetes escrivre. E quant lo barber tench lo rahor en la ma per raure li la barba, lo barber comença tremolar e mudar se de color; e lo jove li demana que havia? E apres que lach assegurat, dix li com havia proposat quel oucies, e ho haguera fet sino per les letres que havia vistes scrites en tots los portals e en lo manech del rahor. Lauors lo jove conech que li havia molt aprofitat la sabidoria que havia comprada al mercader vell.

2. Venta de los tres consejos.

Gesta Romanorum, § 103.

Domiciano reinó muy prudente y justo en todo porque a nadie perdonaba que traspasara el camino de la justicia. Acaeció una vez que sentado a la mesa vino cierto mercader y llamó a la puerta; el portero abrió la puerta y preguntó qué quería; y él le respondió: «Soy mercader y tengo algo útil que vender a la persona del emperador.» El portero, oyendo esto, lo introdujo. El mercader saludó al emperador humildemente. Le dijo el emperador: «Carísimo, ¿qué mercancía tienes para la venta?» Y él: «Señor, tres consejos.» Y le dijo: «¿A cuánto me darás cada consejo?» Y él: «Por mil florines.» Dijo el rey: «Y si tus consejos no me aprovechan, pierdo mi dinero?» Dice el mercader: «Señor, si mis consejos no se os aplican, os devolveré el dinero.» Dice el emperador: «Dices muy bien; dime entonces los consejos que me quieres vender.» «Señor, el primer consejo es éste: Quidquid agas, prudenter agas et respice finem. El segundo es éste: Numquam viam publicam dimittas propter semitam. El tercer consejo es éste: Numquam hospitium ad manendum de nocte in domo alicujus accipias, ubi dominus domus est senex et uxor juvencula. Guarda estas tres cosas que te serán provechosas». El rey le dio por cada consejo mil florines y el primer consejo i. e. Quidquid hagas, etc., lo hizo escribir en el vestíbulo, en la alcoba y en todos los lugares por los cuales solía andar y en los manteles sobre los cuales comía. Poco después de esto, como era tan justo, muchos del imperio conspiraron contra él para matarlo y como no podían hacerlo por la fuerza, hablaron con su barbero para que cuando le afeitara la barba, le cortara la garganta y así obtendría una recompensa. Entonces el barbero, recibiéndoles dinero, les prometió cumplirlo fielmente. Cuando debía afeitar al emperador, el barbero le lavó la barba y cuando lo empezó a afeitar, miró hacia abajo y vio la toalla al cuello del emperador en la cual estaba escrito: Quidquis agas... etc. Como leyese el barbero lo escrito, pensaba para sí mismo: Hoy soy llevado a matar a este hombre; si lo hago, mi fin será pésimo, porque seré condenado a una muerte ignominiosa, porque en lo que hagas es bueno considerar el fin, como dice este escrito. Al momento sus manos comenzaron a temblar tanto que se le cayó de las manos la navaja. Notando esto el rey, dice: «Dime, ¿qué te pasa?» «Oh, señor, tened piedad de mí: hoy he sido contratado a precio para mataros. Por casualidad ha querido Dios que leyera la inscripción de la toalla i. e. Quidquid agas, etc., y al momento consideré que mi fin sería una muerte muy ignominiosa y por eso me temblaban las manos.» Cuando el emperador oyó esto pensó para sí: El primer consejo me salvó la vida y en buena hora pagué por él su precio. Y dijo al barbero: «Sé fiel de ahora en adelante, yo te perdono.» Los sátrapas del imperio viendo esto, que no podían matarlo por ese camino, deliberaron entre sí cómo lo matarían y se dijeron unos a otros: «En un día determinado se regresa para aquella ciudad; escondámonos ese día en el camino por cual ha de pasar y lo matamos.» Y agregaron: «Es una buena decisión.» Al mismo tiempo se preparaba el rey para ir a la ciudad y cuando cabalgaron hasta el sendero le dijeron los soldados: «Señor, es bueno que nos vamos por este sendero, mejor que por el camino real, porque es más corto.» Y el rey pensó: El segundo consejo fue que nunca dejase la vía pública y prefiriese un sendero. Me atendré a mi consejo. Y dijo a sus soldados: «No quiero dejar el camino público; vosotros, empero, que queréis viajar por el sendero, id y preparadlo todo para mi llegada.» Y así se encaminaron ellos por el sendero y como los enemigos del rey, que estaban por ese camino, creyeron que el rey venía entre ellos se levantaron a una y mataron a todos los que venían. Cuando el rey oyó esto se dijo: Ya mi segundo consejo me salvó la vida. Los del imperio, viendo que con esa astucia no lo habían podido matar, conspiraban entre sí buscando cómo asesinarlo y se dijeron: «En tal y tal día se quedará en tal casa en la cual se hospedan todos los más nobles, pues no hay otra para los huéspedes. Arreglemos un precio con el hostelero y su esposa y cuando el emperador esté acostado en su cama lo mataremos.» Y agregaron: «Esta determinación es buena.» Cuando el rey vino a esa ciudad y se estaba hospedando en dicha casa, hizo llamar al hostelero de la casa y cuando lo vio le pareció muy viejo. Dice el emperador: «¿No tienes una esposa?» «Sí, señor.» «¡Muéstramela!» Cuando la vio el rey le pareció jovencita, como de dieciocho años de edad. Dice el rey a su camarero: «Anda ligero y prepárame la cama en otra parte, porque no me quedaré aquí.» «Sí, señor; pero ya está todo listo y por eso no es bueno acostarse en otra parte, ya que en toda la ciudad no tenemos otro alojamiento mejor.» «Yo te digo que quiero acostarme en otra parte.» Al momento el camarero lo dispuso todo y el rey ocultamente se fue a otro lugar y dijo a sus soldados: «Vosotros que queréis quedaros aquí, podéis hacerlo; pero mañana llegaos a mí.» Cuando todos estaban durmiendo, el viejo se levantó con su esposa, pues estaban contratados a dinero para que matasen al rey que dormía; y mataron a todos los soldados. Por la mañana se levantó el rey y halló a sus soldados asesinados. Dice en su corazón: ¡Oh, si me hubiera acostado aquí hubiera sido asesinado con los otros! Ya el tercer consejo me ha salvado la vida. Hizo colgar en el patíbulo al viejo y a su mujer y a toda su familia. Mientras vivió conservó consigo estos tres consejos y terminó con una vida feliz.

II. Tema del incesto.

1. La incestuosa acusada por el diablo en forma de clérigo.

Recull de Eximplis, § 276.

Un cavaller de la ciudat de Roma ana en romeria, e james no torna, e lexa sa muller, e lexa li un seu fill, lo qual ella per gran amor que li havia lo nodria molt delicadament; e tant lo amava quel gitava ab ella en un lit, el besava, el abraçaba. E apres quel fill ach edat de hom, encare ella lo gitava ab si en un lit, e la amor natural tornas en amor corrupta e desonesta, per tal manera que carnalment lo fill jach ab la mare, la qual concebe del fill un fill, lo qual fill e net ella tentost quel ach parit lo oucis, el lança en un privada per que no fos descuberta. Pero ella stava en sperança de haver perdo daquell peccat, e no cessava quescun jorn de fer oracio, e de soven dejunar e de fer almoynes. E lo diable veent que li havia fet perdre la anima, volieli fer perdre lo cors; e per tal lo diable pres abit de gran doctor e de clergue, e vench denant Lempardor, e dixli denat lo poble: Senyor, oges paraula molt spaventosa de creure, e molt leja de dir, e molt cruel de fer: sapies que tal dona de aquesta ciudat de Roma, que tu e tot lo poble tenits per dona honrada, e molt bona e santa, es molt cruel e mala peccadora, e traydora, per tal con carnalment se gita ab son fill, del qual concebe un fill; e con ach parit son fill e son net oucis lo, e gital en una privada. E Lemparador e tots los qui alli eren maravellarense molt, e nou cregueren; ans dien molt gran laor de la bondat de la dita dona per moltes almoynes, oracions e dejunis que li veyen fer. E lo diable dix: Emparador senyor, fets vos venir devant la dita dona, e entretant que ella ve fets fer un gran foch, que si yo pusch provar ço que dich que decontinent la cremets, e si provar nou pusch que cremets a mi. E tentost Lemparador mana venir denant ell la dona. E quant la dona vench denant Lemparador tots se levaren e li feeren gran honor, e ella se asigue en una cadira devant Lemparador. E Lemparador dixli: Dona sapiats que aquest gran doctor e sabidor, lo qual Roma te per profeta, vos accusa de peccat molt leg, de que a nos es molt grev. E feuli relacio de tot ço que la accusava lo doctor diable, per que es mester, dona, que responats a la dita accusacio. Ella respos: Senyor e gran Emparador, jo axi con a fembra de poch enteniment vos deman que vos quem donets temps que jo puxa respondre a ten gran malvestat que aquest traydor ma alevada. E Lemperador donali espay de tres dies, e dins aquells tres dies la dona se confessa molt devotament e ab vera contriccio e ab moltes lagrimes. Lo comfessor que vee la gran contriccio que la dona havia del peccat que havia fet, aconsolala ab paraules devotes, e fforçala que hagues devocio singular en la verge Maria, e donali de penitencia un pater noster ten solament; e la dona dona e mes tota sa pensa en haver singular devocio en la verge Maria. Al tercer die la dona vench denant Lemparador e lo diable doctor era alli present. E con la dona fo denant Lemparador tots callaren, e negu no parla; e Lemparador dix al diable doctor: Amich, vet aci la dona per tu accusada. E lo diable guarda e mira la dita dona, e puys dix: Verament no es aquesta la dona que jo accuse vuy ha .iij. dies que era omicida, e luxuriosa, e molt cruel peccadora; car aquesta es fembra molt santa, e honesta, e de bona vida; e la verge Maria que veg que la guarda e li sta de prop cotinuament. E quant Lemparador e los altres que alli eren se començaren a senyar de la maravella que oyiren dir al diable doctor, tentost desesparech. E la dita dona romas sens infamia, e quitia denant lo poble.

2. La incestuosa, el Papa y el cardenal.

Cesario de Heisterbach, dist. 2, cap. 11.

En diversos lugares y a diversas personas oí lo que os voy a contar. Antes de estos cuatro años, en el mismo año en que si bien lo recuerdo murió el papa Inocencio, cierta mujer, encendida en el fuego de la concupiscencia, amó a su propio hijo, del cual concibió y parió otro hijo. Aterrada ante una unión tan nefanda, temiendo a cada momento ser entregada a satanás o perecer de muerte repentina, por la misericordia de Dios empezó a angustiarse por obtener la satisfacción. Habido de antemano el consejo de un sacerdote, tomando consigo al niño (creo que así me lo contaron), vino a Roma y con mucha inoportunidad se metió a presencia del papa Inocencio, con tantas lágrimas y clamores, haciendo confesión ante todos los oyentes de lo que a todos llenó de estupor; llevaba en sus brazos al niño, prueba del crimen cometido. Viendo nuestro señor el Papa tanta contrición en la mujer y que en verdad era penitente, movido a misericordia para con ella, como médico prudente, queriendo sanar a la enferma pronta y completamente y también probar la medicina de la contrición, le mandó que compareciera allí con el vestido en el cual había ido a su hijo cuando pecó. Ella, prefiriendo la vergüenza temporal a la eterna, salió inmediatamente, se quitó los vestidos y volvió en camisa y demostró con tal obediencia cuán pronta estaba para cualquier satisfacción. El muy generoso varón, considerando que una obediencia, una vergüenza, una penitencia tal ningún pecado la podía resistir, dijo a la mujer delante de todos: «Tu pecado te es perdonado, vete en paz.» Y no le impuso nada más. Cierto cardenal oyó esto y murmurando como un fariseo contra el Papa, le reprobó su decisión, diciendo que una penitencia tan breve no era suficiente para tanta culpa. Y el Papa le respondió: «Si yo obré injustamente con esta mujer y su penitencia es insuficiente ante Dios, que tenga potestad el diablo de entrar en mi cuerpo y me atormente delante de todos; si, empero, tú me reprendes injustamente, que te pase lo mismo. Inmediatamente el diablo comenzó a atormentar a aquel cardenal con cuyo tormento mostró claramente el Señor que la penitencia de la mujer era perfecta. Finalmente, librado el cardenal por medio de las oraciones de todos, aprendió con su tormento a no hablar en adelante en contra de la misericordia de Dios.

3. La reina de las manos manchadas.

Gesta Romanorum, § 13.

Hubo un emperador que tenía una esposa hermosa, a la cual amó de modo admirable. Ella, el primer año, concibió y dio a luz un hijo, a quien la madre mucho amó hasta el punto de que cada noche se acostaba con él en el mismo lecho. Cuando el niño cumplió los tres años murió el rey. De cuya muerte se hizo gran duelo. La reina lloró su muerte por muchos días. Cuando fue sepultado, la reina vivió sola en un castillo, teniendo consigo a su hijo y amó tanto al niño que no podía privarse de su presencia. Ambos se acostaban juntos hasta que el niño cumplió los dieciocho años. Viendo el diablo tanto amor entre la madre y el hijo, tentó a éste a una acción nefanda, tanto que el hijo «conoció» a su madre. La reina concibió al momento. Como estuviese preñada, lleno de pena su hijo dejó el reino y se fue a una región lejana. La madre, cuando vino el tiempo de dar a luz, parió un hijo muy hermoso y viendo al niño nacido, al momento lo mató cortándole la garganta. La sangre del niño cayó en la palma de la mano izquierda y se le formaron cuatro círculos redondos a manera de ceros. La reina no pudo de ninguna manera borrar los círculos de la mano y por esto se avergonzaba tanto que siempre llevaba un guante en la mano para que no se vieran los círculos sanguíneos. Esta reina era muy devota de la Virgen y tanto se avergonzaba de haber concebido de su propio hijo y de haber matado a su propio hijo que de ninguna manera quería confesarse de esto y, sin embargo, cada quince días se confesaba de los otros pecados. Esta reina distribuía grandes limosnas por amor de la santa Virgen María y era amada por todos porque era con todos bondadosa. Aconteció una noche que su confesor estaba arrodillado al pie del lecho recitando cinco veces el Avemaría y se le apareció la santa Virgen y le dijo: «Yo soy la Virgen María. Tengo un secreto que decirte.» El confesor se alegró mucho y dijo: «Oh carísima Señora, di a tu siervo lo que te plazca.» Ella dijo: «La reina de este reino se confiesa contigo; pero cometió un pecado que no se atreve a revelarte por la mucha vergüenza. Mañana vendrá a ti para confesarse. Dile de parte mía que sus oraciones y limosnas han sido presentadas y aceptadas en la presencia de mi Hijo. Yo le mando que se confiese de aquel pecado que privadamente cometió en su alcoba, porque mató a su propio hijo. Rogué por ella y se le ha perdonado el pecado si se quiere confesar. Si, empero, no quiere obedecer a lo que dices, ruégale que se quite el guante de la mano izquierda y en su palma escrito verás el pecado cometido y no confesado. Y si no quiere esto, quítale el guante a la fuerza.» Dicho esto, desapareció la santa Virgen. Por la mañana se confesaba la reina muy humildemente de todos sus pecados, excepto del pecado aquel. Cuando dijo todo lo que ella quería, dijo el confesor: «Señora carísima, mucho hablan porque siempre llevas un guante en la mano izquierda. Muéstrame la mano sin reservas para que yo pueda ver si hay algo oculto que no agrada a Dios.» Y ella: «Señor, mi mano no está sana y, por lo tanto, no os la quiero mostrar.» Al oír esto, él la cogió del brazo y contra la voluntad de ella le quitó el guante y dijo: «Señora, no temáis. La Santa Virgen, que te ama íntimamente, me mandó que hiciera esto.» Cuando vio la mano abierta, vio los cuatro círculos sanguíneos y redondos. En el primer círculo había cuatro CCCC, en el segundo cuatro DDDD, en el tercero cuatro MMMM, en el cuarto cuatro RRRR. Alrededor, en círculo como en forma de sello, había una inscripción roja que decía lo siguiente: «Casu Cecidisti Carne Cecata; Demoni Dedisti Dona Donata; Monstrat Manifeste Manus Maculata; Recedit Rubigo Regina Rogata.» (Caíste por casualidad cegada por la carne; al demonio le has dado los dones distribuidos; así manifiestamente lo muestra la mano manchada; al rogar a la Reina del cielo desaparece la mancha roja.) La reina, cuando vio esto, cayó a los pies del confesor y con lágrimas humildemente se confesó del pecado cometido. Recibida la absolución y completada la penitencia, pocos días después se durmió en el Señor y su muerte fue llorada grandemente en la ciudad.

* * *

Exemplo 38

De lo que contesçió a un omne que yva cargado de piedras preciosas et se afogó en el río.

Dialogus Creaturarum, § 32.

Jerónimo refiere que Crates, filósofo tebano, escogiendo

una gran carga de oro la arrojó al mar diciendo: «Vete mala avaricia a lo profundo; yo te hundo para no ser hundido por ti.» Un ejemplo semejante fue traído por Gregorio de cierto filósofo que llevó consigo una gran carga de oro, pero deliberando y pensando por el camino que no podía poseer al mismo tiempo virtudes y riquezas, arrojó de sí el oro y dijo: «Idos riquezas y quedaos lejos de nosotros.»

* * *

Exemplo 40

De las razones porque perdió el alma un siniscal de Carcassona.

1. *Jacobo de Vitry,* § 169.

Oí de otro que a la hora de la muerte nada quiso restituir y sin embargo quería hacer copiosas limosnas por deseo de honra mundana. Así, dejó en su testamento una suma de dinero y ordenó a sus hijos y a sus otros amigos que pusieran ese dinero en préstamo usurario por tres años para que, multiplicado el interés, gastaran luego todo el dinero en su alma. He aquí cómo al morir se volvió fatuo y loco.

2. *Cesario de Heisterbach,* cap. 19, vol. II, p. 329.

No hace mucho tiempo que murió un riquísimo ayudante del duque de Bavaria. Una noche, el castillo en que dormía la esposa fue conmovido de tal modo que parecía haber un terremoto. Y he aquí que la puerta de la alcoba en que ella estaba acostada se abrió y entró su marido con un gigante muy negro que lo empujaba por la espalda. Cuando ella lo vio y lo reconoció lo llamó hacia sí y lo hizo sentar en la silla cabe su lecho. Sin aterrarse por nada, ya que hacía frío y ella estaba vestida tan sólo con una camisa, ella puso sobre los hombros del esposo parte de su manta. Cuando le preguntó acerca de su estado, él le respondió tristemente: «He sido condenado a las penas eternas.» A estas palabras, ella muy aterrada respondió: «¿Qué dices? ¿Acaso no hiciste grandes limosnas? Tu puerta estuvo siempre abierta para los peregrinos. ¿Nada te valen estas buenas obras?» El respondió: «De nada me valieron para la vida eterna, pues las hice por vanagloria, no por caridad.» Como ella le quisiese preguntar otras cosas, le respondió: «Me fue concedido aparecerme a ti, pero no se me permite quedarme. Mi guía, el diablo, está allá afuera esperándome. Si todas las hojas de los árboles se convirtieran en lenguas no podrían expresar mi tormentos.» Después de esto, llamado por el diablo y empujado, al salir tembló como al principio todo el castillo y se oyeron por largo tiempo sus lamentos. Esta visión fue muy famosa en Bavaria, como lo atestigua Gerardo, uno de nuestros monjes y canónigo de Ratisbona, quien me la narró.

3. *Recull de Eximplis,* § 258.

Miracle e eximpli con almoyna quis fa ab vana gloria e no ab caritat no aprofita a la anima, segons Cesar. Eleemosina propter vanam gloriam facta non valet. En la ciudat de Baldaria un cavaller molt rich apres que son mort aparech a sa muller. Ella li demana que era dell? E ell li respos: Dampnat son. E ella li dix: E con, e nous han aprofitat les grans almoynes que jo se que havets fetes, e con aculliets volenterosament los pobres en vostra casa? Verament, dona, dix ell, neguna de aquexes coses nom han aprofitat, perque les fin ab vana gloria e non ab caritat. Ella demanant dȩ altres coses, ell li dix: Non pusch aȩi mes aturar, car un diable me sta sperant, ques mon guiador; mas dich te que si totes les fulles dels arbres que son en lo mon se tornassen lengues, no porien dir ne comptar les grans penes e turments que jo sofrir. E dites aquelles paraules desesparech.

3. *Herolt,* sermo 156 C, p. 1158.

Se lee de uno que llevó una vida muy delicada y cometió muchos pecados. Finalmente, en la enfermedad, tocado del temor a la muerte hizo confesión, lloró sus pecados, prometió enmendar su vida, recibió el viático y la extremaunción y murió. Su cuerpo, por tratarse de un noble y de un rico, fue sepultado con gran pompa de honores mundanos. Ese mismo día había tanta calma que parecía que el mismo aire tomaba parte en las exequias. Las gentes se decían: «El Señor concedió a este hombre muchos bienes y nada le faltó de las cosas que un cristiano debe tener. Fue fortalecido con los sacramentos divinos, el aire a su muerte se ha serenado y ha sido sepultado con grandes honores. Después de algunos días, aquel difunto se le apareció a un amigo suyo diciéndole que estaba condenado. El amigo se admiró y aterró por ello, recordando la penitencia, la confesión y la sagrada comunión; y que se había confesado con corazón compungido y con lágrimas y que había recibido, según le parecía, los sacramentos con gran devoción. Entonces el difunto respondió: «Un bien me faltó, sin el cual nada vale ningún bien, ni nada puede ayudar.» «¿Cuál es?» —le dijo—. Y respondió: «La caridad. Porque todo lo que hice, a saber, confesarme, recibir los sacramentos, lo hice por temor a la muerte y a las penas del infierno y al juicio final y no por caridad. Por eso, todo aquello no me valió para la salvación. Si lo hubiese hecho por caridad habría sido salvo, porque sólo la caridad libra al hombre de la muerte.»

* * *

Exemplo 42

De lo que contesçió a una falsa veguina.

I. Versiones anteriores a don Juan Manuel.

1. *El libro de las delicias* (14).

La lavandera que hace el oficio del demonio. Una vez iba yo de camino hacia una ciudad sentada confiadamente y dada al placer. Y todo el día lo pasé vagando de aquí para allá por las calles de la ciudad, preguntando a los habitantes sin haber podido detenerlos un rato. Yo me voy, me dije. Este no es el puerto de mi deseo; me quiero volver a mi lugar y a mi tierra. Y esto pasó, que al salir de la ciudad me fui a sentar a la orilla del río y he aquí que viene una mujer a lavar ropa. Y mirándome, dijo: «¿Eres tú de los hijos de los hombres o la estirpe de los demonios?» Yo respondí: «He crecido entre los hijos de los hombres; he nacido entre los demonios.» Ella dijo: «Y ahora, ¿de dónde vienes y a dónde llevas camino?» Y yo: «He aquí que en esta ciudad he vivido un mes. He hallado a sus habitantes amigos y avenidos y viven en mutuo y alegría; y no he podido diseminar entre ellos el espíritu de confusión.» Y ella dijo con palabras de arrogancia y desprecio: «Por vida mía que de ahora en adelante miraré a los demonios con menosprecio: parecéis poderosos y tosudos y, en verdad, sois más débiles que mujeres. Espérate aquí; guárdame la ropa y no seas de los malos; y volveré a la ciudad y tú verás como encenderé fuego y furia entre los ciudadanos y despertaré el espíritu perverso. Tú verás lo que le pasará a la ciudad.» Dije:

---

(14) Josep Ben Meir Ibn Sabara, *Llibre d'ensenyaments delectables. Sefer Xaaixuim.* Traduccio amb introducció i notes d'Ignasi Gonzalez Llubera (Barcelona, 1931), pp. 174-179. Existe una edición hecha por Israel Davidson (New York, 1914).

«Y yo, he aquí que esperaré tu vuelta y veré qué resulta de todo eso.»

Y ella se vuelve a la ciudad y entra en casa de un hombre principal y pide a la señora que le mande, para lavarla según sus indicaciones, la ropa de mi señora y de mi señor su marido. Y mientras la sirvienta andaba plegando la ropa, la mujer alza los ojos hacia la señora y admirando la beldad de su rostro, exclama: «¡Maldición sobre todos los hombres! Porque todos son adúlteros, cuadrilla de traidores y casi no hay quién sea verdadero amigo y amante de su mujer.» Dijo la señora: «¿Y por qué lo dices?» Y la lavandera: «Al salir de mi casa he visto salir a tu marido de la casa de una barragana y casi desfallecí maravillándome de ver menospreciada tu belleza ciertamente digna de gloria y de alabanza por una barragana de vil presencia.» Y a la dama, al oír tales palabras, se le desplomó el rostro y bajó los ojos. Dijo la lavandera: «¿Y por qué has bajado tu rostro y has inclinado tus ojos? Aquieta tu espíritu, no quieras verter lágrimas que yo podría hacer algo por tu amor: que tu marido no ame a otra mujer fuera de ti. Ciertamente yo te quitaría tu oprobio si quisieras hacer lo que yo te diré: Al regresar a casa tu marido, después que haya comido y bebido, insinúate y habla dulcemente, que sea suave tu discurso; haz que se duerma con la cabeza en tu falda. Entonces, con un cuchillo bien afilado le cortarás de su barba tres pelos —que sean blancos, que sean negros, poco importa—; y cuando yo vuelva me los das, que yo haré un remedio de tal eficacia, que al mirar otra vez mujeres bellas y hermosas sus ojos se ofuscarán en sus cuencas; y así tú recobrarás su amor, crecido y palpable y no se te negará nunca más.» La dama exclamó: «¡Que así sea, tal como has dicho! ¡Oh, y si volviera el amor, tal como has dicho!»

Y la lavandera toma la ropa y saliendo va derecho al marido y, toda consternada, con palabras turbadas, dice: «¡Tengo un secreto para ti, señor! ¡No sé si te lo podré contar! ¡Tiemblo al declararte lo que en tu casa he visto y sentido! ¡Que no me fuera posible morir en tu lugar! ¡Que no hubiera yo visto tu mala suerte!» Y se pasmó aquel varón y dijo: «¡Cuenta de prisa lo que en mi casa has visto y has oído; quítame de encima mi temor!» Dijo ella: «He ido a tu casa para que la señora, tu mujer, me diera la ropa a lavar. Mientras yo esperaba he visto a un jovencillo de hermosa presencia, gentilmente vestido de noble túnica. Y con ella se entra a la cámara y cierran la puerta para hablar con confianza. Yo inclino mis orejas para escuchar sus palabras. Y él le decía, su rostro sobre sus vestidos y la orla del manto entre sus manos: "Mata a tu marido, que se porta contigo cruelmente; y después yo me casaré contigo". Y ella exclamaba: "¿Y yo cómo lo mataría? ¡No me atrevería a cometer semejante pecado!". Y él le respondía: "Sobre tu pecho haz que él se duerma y cuando su sueño sea dulce, toma un cuchillo afilado y mátalo. Ten coraje, que no te desfallezcan las manos! ¡Oh, entonces yo vendría a ti y sobre tus pechos pasaría la noche!"» Y cuando oyó aquel varón las palabras de aquella mujer malvada fue casi poseído del espíritu malo y tomó su camino y andaba lleno de ira; y entra en su casa y dice a su mujer: «¡Oh desgraciada, prepara la comida! Que yo coma de tu mano y después en tus faldas cogeré el sueño.» Y comió y bebió y después en sus faldas hizo como que dormía. Y como ella ignoraba que él no se fiaba de sus movimientos, cuando creyó que tenía los ojos cerrados, vencido del sueño, agarró el cuchillo para cortar un pelo de su barba. Entonces él se ciega y le arrebata el cuchillo de las manos y la degüella. Y cuando las nuevas se difundieron por la ciudad se congregaron los hermanos y parientes en la casa de la muerta e hirieron al marido hasta que lo mataron. Y los familiares de ambos se batieron a golpes de espada y cayeron traspasados doscientos treinta de los gentileshombres. Y la mujer tornó a mí y me contó esta calamidad provocada por ella. Y en la ciudad un gran clamor clamaba, que otro semejante no se había sentido...

2. *Etienne de Bourbon,* § 245.

La mala lengua humana trasciende en malicia la mala lengua del diablo en la eficacia de la malicia. Lo que el diablo no puede hacer tentando con su lengua durante muchos años, en corto tiempo lo hace la lengua humana. Oí que como el diablo tentara durante muchos años a ciertos casados, es decir, marido y mujer (durante treinta o más años) y no pudiese obtener que siquiera una vez hubiese discordia o palabra dura, se transfiguró en forma de joven, sentándose triste en el camino por el cual una vieja lavandera debía pasar, sentado bajo un árbol, a la cintura una bolsa llena de denarios, que vulgarmente llaman *guerles.* Cuando pasaba la vieja le preguntó quién era y la causa de su tristeza y él le dijo que se lo diría y le daría aquellos denarios si le juraba que le ayudaría con todas sus fuerzas. Como así lo hiciese ella, le dijo que era un demonio que temía ser gravemente castigado por su príncipe, pues durante treinta años había trabajado contra determinados casados y no había podido ni hacerlos pecar ni reñir en nada. Dándole el dinero, se marchó. Entonces la vieja, tomando cierta muchacha, la mandó a su casa y vino a la dicha mujer casada y le dijo, como con una gran compasión, que su marido estaba entrampado en el amor de cierta jovenzuela, su vecina; y que lo había visto en la casa vecina, mirándolos a través de una pared; también había oído que la solicitaba y ya le había prometido una túnica —porque ya lo había convenido la vieja con la muchacha— de cualquier paño que quisiera y ella debía venir a su tienda para elegir el paño que quisiera, pues era mercader. Como dijese la dicha mujer que ella nunca creería esto, pues su marido era hombre probo, le dijo: «No me creáis hasta que veáis estos detalles.» Asimismo, la misma vieja fue al dicho marido, diciéndole que un tal clérigo de la iglesia que la vieja frecuentaba amaba a su esposa; y cuando ella estaba escondida detrás de una columna en oración, los había oído hablar y se habían convenido en que ella robara a su marido y se escapara con el dicho clérigo. Como el hombre no le quisiese creer, dijo la vieja: «No lo creáis hasta que no los veáis mañana a tal hora hablando en tal lugar en donde, según oí, deben encontrarse.» Entonces partiéndose la vieja, envió a la jovenzuela a la tienda con dinero, como si fuera a ver el paño que le placiera. La esposa del dicho mercader, viéndola entrar y salir de la tienda de su esposo, empezó a sospechar que podría ser verdad lo que le dijera la vieja y con la tristeza no podía comer. Por la tarde, el marido, notando la tristeza de la esposa, se admiraba y sospechaba que algo hubiera en el asunto. La vieja procuró que el clérigo del cual le hablara al marido, a la hora y en el lugar que le dijera hablase con la dicha matrona. Cuando el marido lo notó y lo advirtió, la vieja vino a la esposa, quien también había visto que la jovenzuela llevaba comprado el paño que antes había venido a ver y le dijo: «Señora, estad cierta de que vuestro marido ya perpetró el pecado y es afligido por el amor de esa jovenzuela; bastante lo pudiste notar en su tristeza para con vos; ya se llevó el paño y habéis perdido a vuestro marido, a no ser que lo remediéis pronto.» Entonces ella preguntó cómo pudiera remediarlo. Y la vieja: «Si cuando el marido se empieza a dormir le podéis con una navaja cortar tres pelos de su barba y se los dais a comer quemados, entonces él en adelante la detestará a ella y os amará a vos más que al principio.» Como ella le prometiese que haría esto la noche siguiente, vino la vieja al marido a decirle que había oído que el dicho clérigo y su esposa habían planeado su muerte; y le dijo que si no le creía a ella, él mismo se convencería. Para que evitara la muerte, le dijo, pues, que su mujer quería, por consejo del dicho clérigo, degollarlo con una navaja la noche siguiente; y que si pudiera lo emborracharía; que se precaviera de demasiada bebida y del sueño; pero que se fingiera dormir profundamente y que cuando sintiera que su esposa le palpaba la garganta le cogiera el puño con la navaja y despertara a toda su familia e hiciera encender el fuego para que todos vieran la traición. Como él hiciera lo que la vieja le indicó, por la mañana convocó a sus amigos y a un sacerdote y a los amigos de la esposa, acusándola a ella de traición y convenciéndolos a ellos al mostrarles la navaja. Como la matrona se callara por vergüenza, la llamó el sacerdote, preguntándole la verdad de este caso y lo mismo al marido; después hizo llamar a la vieja, quien fue forzada a decir la verdad. Y así es evidente que la lengua humana es más poderosa en la malicia que la diabólica.

3. *Speculum Laicorum,* § 463.

Onde commo un diablo trabajase mucho tiempo en poner discordia entre un marido e su muger e non lo pudiese fazer, fuese a una vieja que prometiole un par de çapatas porque pusiese discordia entre aquellos dos casados. E fuese la vieja para la muger e dixole: Sennora mía, oy dezir que era grande amor entre vos e vuestro varón e he dello grand plazer. Si vos queredes que crezca este amor o sea durable dadme un pelo de su barba e yo faré que dure para siempre. E dende fuese al marido e dixole: Sennor mío, non ayas mal por aquesto que te quiero dezir; ruegote que te auises, ca si non te guardas esta noche te degollará tu muger. E desque vino la noche fuese a acostar el buen ome e fizo commo que dormía e llegó a él la muger con una navaja por le cortar un pelo de la barva, e veyendolo el marido leuantose e diole tantas de feridas e de açotes que la dexó por muerta. E vino el diablo al plazo que auía puesto con la vieja e traxole las çapatas e diogelas con una vara luenga. E ella rogole que se llegase a ella e respondiole él que non osaua porque temía que lo engannaría.

II. Versiones más o menos contemporáneas de don Juan Manuel.

1. *Poema de Adolfo.*

El divino poder unió al soltero en matrimonio;
Debes creer que no hubo ningún matrimonio que fuese tan
La serpiente del Tártaro quiso deshacerlo [bueno.
y se esfuerza en sembrar la materia de la bilis (los celos).

El príncipe de las tinieblas se esfuerza en que caigan los
con innúmeras artes; y persigue a los piadosos. [justos

El que sufrió la caída, quiere compañeros de su ruina,
hermanos; él padece y por eso envidia a los buenos.

Con frecuencia se esfuerza, por si puede con fraude,
mancillar su tálamo; pero no lo puede con sus artes.

Una vieja le ve en el camino con cierta luz,
la mala negra faz tocada de tristeza.

Esta le pregunta al sátrapa repugnante por qué está
su rostro; y él le refiere a la vieja: [nublado

«Lucifer me envió al mundo, que está dominado
por la gente del Tártaro; me había mandado

a una pareja legítima a la cual une un firme nudo
de amor para que entre ellos sembrase la cizaña.

Pues esta es mi práctica: busco hacer daño
a los pacíficos; me empeño con fraude en hacer caer a los
[buenos.

Cuando llevo despojos, nuestro príncipe me honra.
Si nada llevo, gravemente me hiere las espaldas con azotes.

El amo de la terrible Estigia me castigará de muchas
y varias maneras si con mi dolo no cae ese tálamo.

Por esto un color azul gravemente tiñe mi cara
y también de mis ojos mana una fuente.»

Esto exclamó la vieja: «Si me enriqueces con dinero
útil estratagema te daré.

Pues tú sabes que es mala aquella a quien el dinero
por tanto, da el regalo y separaré el tálamo. [soborna,

Sábete que en las viejas se esconden diversas artes;
con sus artes la mujer frecuentemente hace cosas grandes.

A veces un gran plan germina en débil poder;
florece el ingenio en el que leve fuerza ha recibido.»

Dicho esto, responde el demonio con alegres palabras.
«Destruye el tálamo, vieja, yo aportaré grandes dones.»

Codiciando obtener su dinero la mujer, busca
con dolo separar el tálamo legítimo.

El marido estaba en un lugar cortando las malezas del
y queriendo ligar cepas en la vid. [mimbre

La vieja, tomando una harina ya hecha al horno,
visita al hombre y con lágrimas le dice:

«Eres loco y eres estúpido: carente de toda razón,
pues atormentas tu cuerpo con tantos sudores.

Tu legítima esposa ahora suda en el acto sexual
y se prepara para cortarte la garganta esta noche.

Créeme que el regalo que ves, ella me lo dio
para que no te narrara lo que ahora te cuento.»

A ella se confía el hombre y la mueve con suplicante
a que le quiera dar algún útil consejo. [ruego

Ella dice: «Por la noche finge que tus miembros están
rendidos por el sueño; tu cuello cortará el acero.»

Ella se va; y tratando, asimismo, de engañar a la esposa
le dice: «Tu marido prepara la espada para darte muerte.

Esto me lo dijo una medianera vaga con la cual él es-
La esposa se duele al oír los tristes presagios; [tuvo.»
y la amable señora derrama muy copiosas lágrimas;
le ruega que le dé algún sano consejo.

«Por la noche, córtale el pelo de la nuca;
—dice la vieja— y tráelo, que será una ayuda.»

Puesta la trampa, se separa la inicua mujer
y se alegra de que con su engaño se haya quebrantado el
[tálamo

Los órganos internos del varón se conmueven y se llenan
[de podredumbre
cuando por medio de la vieja se ha esparcido el triste
[veneno;

y cansado, lleno de copioso sudor, se dirige a su casa.
Con ojos llenos de odio mira a su esposa.

En verdad que nadie ve a su enemigo con alegres
[pestañas.
¡Un imposible! Como lo sólido no puede ser al mismo
[tiempo líquido.

La esposa piensa en lo que la vieja le ha dicho
y al ver al esposo, la fuente se sale de madre con la lluvia.

Como se lo habían aconsejado, el marido se finge dor-
al llegar la oscuridad y hace ruido con las narices. [mido

La esposa se prepara a cortar el pelo de la garganta del
[esposo
como le había encomendado la vieja llena de dolo.

La siente el esposo, y no poco enfurecido
le da a la esposa repetidos azotes.

A los que unió la divinidad los separó Venus.
Hecho esto, pide la vieja su dinero

y el príncipe del Tártaro le responde con pronta palabra:
«No te llevaré la palma de tu premio en dinero.»

Y amarrando a una vara larga una bolsa de destrucción
infernal, se la dio a la vieja como recompensa.

Esto es lo que dice el proverbio popular: que la mujer
mala es peor que Satanás más otros tres demonios. Así lo
[evidencia ésta.

2. *Thomas Wright,* § 100.

De la vieja que hizo pacto con el diablo. Hubo un varón noble y de alta alcurnia, el cual, muerto su padre, por razón de su patrimonio, se unió en matrimonio con la hija de un ilustre varón, muy casta y hermosa. Ellos se unieron en la ley de Dios y no por corto tiempo abrazados en santo amor, eran aceptos tanto a Dios como a los hombres y anhelaban profundamente la gloria de la patria celestial con las buenas obras. Como en cierta manera el enemigo del género humano no pudiera sufrir su santa conducta, mandando a muchos de sus discípulos, trataba de maquinar su separación corporal o, al menos, la mancha espiritual en sus mentes. Empero, ayudados por la gracia del Salvador, cuanto con más vehemencia los incitaba al pecado, tanto más firmemente los siervos de Dios se enraizaban en el buen propósito. Viendo la artificiosa serpiente y no por poco tiempo, que por ningún recurso de su mente podía vencer de esta manera a las santas personas, recurrió a otro medio abominable y desacostumbrado. Como si se deshiciera de sus propias armas el impotente luchador armó admirablemente a otro guerrero para la pelea.

Tomada la apariencia humana, se convirtió en la figura de un joven, el cual se apareció a una vieja que salía de la ciudad en que vivía el antedicho santo varón, y le dijo: «¿De dónde vienes?» Ella respondió: «Vengo de esta ciudad a la cual tú pareces dirigirte.» Y él: «Tengo un secreto que revelarte, si supiera que no lo has de propalar.» Y ella: «Dilo, que sí lo guardaré.» Y él: «¿Conoces —dice— allí a cierto varón con su mujer en el cual se deleitan por sus costumbres y honestidad no sólo los conciudadanos, sino también los extranjeros, según se dice, al oír su fama?» Ella dijo: «Sí, los conozco.» Y él: «¿Acaso conoces en el mundo a alguien tan sabio y prudente que sembrando odio entre ellos pudiera destruir siquiera un poquito su armonía? Al oír su admirable dilección mutua, yo quizás dejaría algo en prenda con algún socio que pudiera empezar una disensión entre ellos.» A esto la vieja: «Sería necesario —dijo— que los hombres fueran de gran ingenio; pero, quizás, si yo pusiera alguna diligencia creo que podría cumplir la tarea que dices.» Y dijo el demonio: «Y yo te pagaré con un premio si quieres asumir el cumplimiento de dicho trabajo.» Y aquella mujer infeliz y digna de compasión quedó contratada, da vergüenza decirlo, por cinco denarios para perpetrar tan gran crimen. Esto hecho se separaron, asegurándose que al día siguiente se volverían a reunir para hablar del éxito del asunto.

Llegándose la vieja dolosa, mientras el marido estaba ausente, primero a la esposa le habló con estas palabras: «Señora mía —dice— me duelo vehementemente de tu simpleza, pues has sido engañada por tu marido desde hace mucho tiempo; ¡y tú ignorándolo! Tú supones que te guarda la misma constancia en el amor que tú le tienes; cuando por cierto has de saber, yo te lo aseguro, que está apegado con todo el afecto de su corazón a cierta bella jovencita.» Y ella: «¿Es —dice— verdad lo que me cuentas?» «Verdad —contesta—, y si no corriges pronto sus costumbres, temo que tú en breve sufras, quizás, su plan siniestro.» Por tanto, la esposa: «¡Ay! —dijo—. ¿Qué haré? Cierto que esperaba que pronto me vinieran todos los males. Pero en lo que sólo me queda te ruego, si sabes, que no me niegues darme algún consejo útil.» Y ella: «Te aconsejo —dice— que cuando tu marido ya esté por la noche dado al sueño no dejes de procurarme cuatro pelos de su barba sagazmente cortados; con los cuales has de saber que haré tal remedio que él, trocada la mente, se volverá de aquel amor al tuyo en perpetuidad y aun con más ardor del que solía.» La esposa: «Y esto —dice— parece que se pueda proveer bien fácilmente: haré —dice— lo que me aconsejas.»

Hechas estas cosas, lo mismo que antes con la esposa, así atacó, por separado, al esposo con estas palabras: «Acaso tú ignoras, señor mío, que tu esposa, mientras tú la crees casta y pundonorosa es amada ya desde hace tiempo por otro y ella lo ama a él, no a ti; y ahora prepara tu muerte. Si no actúas con prudencia, esta noche morirás. La larga práctica del crimen no le ha quitado su determinación de matarte, sino que ha buscado la manera de hacerlo. Y para que no sospeches que falsamente te lo he dicho, finge dormir, aunque toda la noche la pases insomne. Lo que te he predicho te lo aclarará lo que te va a pasar.» El esposo, oída su premonición, dándole gracias a la vieja se separó de ella. Llegada, pues, ya la noche la mujer de piadosa conciencia y simple, sin olvidar el consejo de la vieja, acogió al esposo con alegre rostro al volver de la villa y bien con banquetes, bien con bebidas delicadas lo agasajaba y se esforzaba por embriagar a su marido para llevar más libremente a cabo su intento. Empero el esposo, avisado de antemano por la vieja, lo que la esposa con placer le ofrecía, él lo recibía con más placer, pretendiendo alegría falsamente con el fin de ver el desenlace del asunto en cuestión con tal disimulo. Llegada la hora de acostarse, echándose el esposo en la cama, apagadas inmediatamente las luces y quedándose su cuerpo sin movimiento, como medio muerto, pretendió dormir. Lo cual visto, preparados los instrumentos, la mujer se acercó al marido y he aquí que cuando le tocó con la navaja la barba larga al esposo, éste, cogiendo la mano de la mujer con aquel instrumento, levantándose súbitamente dejó oír estas palabras: «Y hace tiempo —dice— malísima esposa ocultabas bajo una nube este intento venenoso, que con la ayuda de Dios, aunque lo intentaste, queda ahora frustrado. Lo que ibas a hacer —dice— yo te lo hago.» Sin demora, como si no soportara su furor, arrebatando el cuchillo, con su propia mano degolló a la casta esposa que no merecía la muerte.

¡Oh dolor! ¡Oh gemido! El casto y simple marido
por consejo de la vieja extermina a la esposa pura.
El demonio no pudo hacer lo que hizo la inicua mujer.
Esta, el instrumento que confecciona el veneno y prepara
las saetas con las cuales asedia a los inocentes.
Yo temo sufrirlas.
De la saeta de muerte que fabrica el arte de la mujer,
Madre Santa y piadosa, protégenos, Virgen María.

Al aclarar el siguiente día, no como un buen trabajador digno de recompensa, sino como pésima obrera que en pago merecería la pena eterna, se dirigió a su instigador por el camino ya andado a pedir el premio. Y como mirase al otro lado del río grande y ancho, reconoció al demonio, su maestro, de pie en la otra orilla, levantando en su mano los dineros e indicándole por señas que ella los recogiera cuando se los arrojara. Cuando ella le pidió que se acercara más, él le respondió que no lo osaba, temiendo que quizás también a él lo destruyera como mató a la buena matrona y agregando que no sólo él, durante diez años, sino una legión de sus compañeros, no habían podido llevar a cabo lo que ella sola en el espacio de una noche llevó a término.

3. *Scala Coeli,* § 610.

Se lee también en el libro de los siete dones del Espíritu Santo, que yendo una vieja por el camino, un joven triste, con una bolsa de dinero se hallaba sentado junto a un árbol. Interrogado por la vieja qué le pasaba, respondió: «Soy un demonio y trato de poner discordia entre un tal y su esposa y, como me falta el habla humana que es instrumento de todo mal, por eso no puedo alcanzar lo que deseo; pero como tu habla es admirable para este caso te doy este dinero para que lo lleves a término.» Ella se llegó a la casa de la mujer con una jovencilla y le afirmó secretamente que su marido cometía adulterio con esa joven y que habían venido a recibir una túnica por la nefanda obra. Luego, llegándose al hombre secretamente le indicó que su esposa tenía un amor ilícito con un clérigo de la iglesia catedral y «mientras conversaban juntos detrás de una columna, mientras yo estaba en oración, los oí conversando y conviniendo en que mañana a determinada hora volverían y arreglarían la unión». Entonces mandó a la jovencilla a recibir un paño que la vieja había comprado cuando fue a decirle al marido esas palabras acerca de la esposa. Cuando la vio, la esposa sospechó de ellos todo lo malo y cuando en la cena ella no quiso comer, el marido creyó que pensaba en el clérigo. Finalmente, por arreglos de la vieja, el clérigo habló con la señora y con aquella conversación el marido sospechó todo lo malo. La vieja tornó a la señora y le dio el consejo de que cortara con una navaja unos pelos de la barba al marido, porque después de que los comiera, él odiaría a toda otra mujer. De nuevo se llegó la vieja al hombre y le dijo que, por consejo del clérigo, iba a ser asesinado esa noche por la esposa y que, por lo tanto, se precaviese de ser atacado durante el sueño. Cuando la esposa quería con el cuchillo cortar los pelos de su barba, el hombre, agarrándole la mano, llamó a gritos; se encendió la luz, se congregaron los amigos y hubo grandísima discordia. Al verlo el demonio, le dijo a la vieja: «Durante treinta años me esforcé en levantar esta discordia y tú la llevaste a cabo en tres días. Tienes, en efecto, un magnífico lenguaje infernal y mereces el infierno mejor que yo.» Y la cogió y se la llevó. Dios, empero, por la prudencia de un sacerdote, aclaró la malicia y el hombre y la mujer volvieron a su primer amor.

III. Versiones posteriores a don Juan Manuel.

1. *Herolt,* Sermo 96 F, p. 796.

Cómo nos debemos reconciliar. Leímos también un ejemplo de un hombre que vivió con su mujer durante treinta años en tal paz que el diablo no había podido nunca en esos años hacerlos reñir ni una sola vez. Después, se acercó el diablo a una vieja y le prometió dos zapatos nuevos para que sembrara la discordia entre este hombre y su esposa. Ella le prometió que así lo haría y se llegó al hombre diciéndole que su esposa amaba más a otro y que se proponía matarlo si él no se preparaba cautelosamente. El hombre no le quiso creer por completo. Después se llegó a la esposa del hombre diciéndole que su marido amaba más a otra. Por la noche, cuando cenaban juntos a la mesa, el hombre miró a la esposa con semblante ceñudo, y la esposa, por su parte, mostró indignación hacia el marido y entonces ambos empezaron a prestar fe a las palabras de la vieja. Entonces la vieja, al otro día, se llegó a la esposa, dándole este consejo, a saber: que pusiese de noche el cuchillo grande de su esposo debajo de la almohada después de meterlo en agua bendita en la iglesia y que hiciese dormir sobre él al marido. Así la volvería a amar. También la vieja se llegó al hombre y le dijo que por la noche vigilara, pues de otro modo lo mataría su esposa y como señal, encontraría esa noche su cuchillo bajo el cojín de su cabeza. Al hallarlo bajo su cabeza, lo agarró y con él traspasó a su propia esposa. Entonces el diablo suspendió en un asta los zapatos que le había prometido a la vieja y se los pasó a través del agua en donde ella estaba lavando ropa y le dijo: «Temo acercarme a ti, no me engañes a mí también como engañaste a aquel marido y a su mujer.» Por eso esta mujer es peor que tres demonios.

2. *El Libro de los Exemplos,* § 370 (ed. de KELLER, p. 324).

Leyesse que el diablo trabajo por trenta años e mas por poner discordia entre un marido e su muger e nunca pudo solo una vegada desacordar en palabra nin en voluntad mala. E de que non pudo acabar el mal que avia començado, tomo forma de mançebo e assentosse so un arbor en el camino en manera de triste. E una vieja lavandera passo por alli, e el tenia una bolsa lleno de dineros, e preguntole la vieja quien era e por que estava triste. E el prometiole la vieja que le daria aquella bolsa si le ayudasse en quanto el podiesse. E de que le juro la vieja, dixole que era diablo e que se temia se atormentado porque avia trenta años que trabajara con tales casados e nunca los podiera fazer pecar nin aver discordia. E diole la bolsa e fuesse. E la vieja tomo una moça en su casa e fuesse para aquella muger casada, e dixole en manera de aviendo della compassion que su marido era enamorado de una moça e que ella le viera cometer adulterio con ella en su casa e que le prometiera una saya de qualquier paño que ella quisiese, e que fuesse a ella a la tienda de su marido que era mercador. E la muger rrespondio que non lo podia creer, que su marido era honesto e bueno. E dixo la vieja: «Non lo creades si non vieredes señales.» La vieja se fue para el marido e dixole que tal clerigo de tal iglesia amava a su muger e que oviera fabla deshonesta con ella en la iglesia e ella lo oyera estando detras de una coluna en oracion, e que acordaron que ella se fuesse furtiblemente con el clerigo e levasse todos sus bienes. Et diziendole, el marido que en ninguna manera non lo creya, dixo la vieja: «Non lo creades, salvo si cras a tal hora los vieredes fablar en tal logar.» Entonçe la vieja fuesse e enbio la moça que comprasse paño de la tienda del marido. E veyendolo la muger, sospecho que podria ser verdat lo que la vieja dixera. E en la noche de tristeza non podia comer, e el marido maravillavasse e sospechava que por alguna razon non comia. E otro dia la vieja procuro que ella fablasse con el clerigo en manera que lo viesse su marido. Esto fecho, la vieja llego a la muger e dixole: «Señora, sed çierta que vuestro marido ya ha cometido el pecado, lo qual podedes ya bien entender por la tristeza que vos muestra. Sabed que le avedes perdido si apriessa non accordedes.» Ella pregunto commo podria acorrer. E la vieja rrespondio: «Si començando a dormir vuestro marido, le rrapades tres pelos de la barba con una navaja e los quemaredes e ge los dieredes a bever, aborreçera la moça e amara a vos mucho mas que antes.» La muger le prometio que en la noche lo faria. La vieja dixo al marido que su muger, de consejo del clerigo, la noche seguiente le avia de degollar, si le podiesse embriagar. E el guardosse de bever e de dormir, e fingiosse que dormia fuertemente e rroncava. E quando llego que la muger llego con la navaja al garguero travole de la mano e desperto la compaña e mando ençender fuego porque todos viessen la trayçion. E de que fue fecho todo lo que la vieja le ovo enseñado, en la mañana llamo a todos sus amigos e de su muger, e a un saçerdote acusandola de trayçion, e convenciela, mostrando la navaja, e ella con verguença callava. E el saçerdote apretola e preguntole la verdad, e asi mismo apreto al marido e preguntole la verdat. E despues enbiaron por la vieja e fezieronla confesar la verdat. E asi pareçe que es mala pestilençia la de la mala lengua, sinon es temprada por fecho rrazon.

* * *

Exemplo 45

De lo que contesçió a un omne que se fizo amigo et vasallo del Diablo.

I. El Papa Silvestre.

1. *Scala Coeli,* § 56.

Hubo un tal Roberto, quien viviendo ambiciosamente, prestó homenaje al diablo para ser sublimado en las dignidades terrenas con ayuda del diablo. Fue primero hecho obispo de Reims, luego arzobispo de Rávena y en tercer lugar, Papa de Roma. Cuando estaba en lo más alto de su oficio pastoral, le preguntó al diablo cuánto tiempo viviría. Le respondió el diablo que no moriría hasta que celebrase misa en Jerusalén. Vino después de poco tiempo a una iglesia que se llamaba Jerusalén y entró; y bajo sus pies sintió que una multitud de demonios estaba allí para presenciar su muerte. Confiando en la misericordia de Dios, aunque estaba lleno de crímenes, reveló en presencia de todos su malicia y ordenó que cortaran todos sus miembros que habían sido entregados al demonio y, más que todo, mandó que pusieran en su sepulcro animales venenosos que devorasen el tronco de su cuerpo. Pero como había conseguido misericordia con su enorme contrición, sus huesos emitieron un sudor *(sic)* suavísimo e hicieron un gran ruido. Y aun ahora, cuando va a morir algún Sumo Pontífice, aquellos huesos sudan y hacen ruido.

2. *Recull de Eximplis,* § 43.

Eximpli e miracle del papa Silvestre II, segons recompta en les croniques dels papes. Ambitio inducit hominem ad habendum contentiones *(sic)* cum diabolo. Papa Silvestre segon fo primerament monge, e non podent apendre sciencia, que era pobre, aparegue li lo diable, e promis li que li mostraria moltes sciencies, e quel faria muntar a gran stament si li fahia homenatge que fos son vassall. La qual cosa feu e cumpli lo monge Silvestre, e axi parlava lo diable ab ell, e lo endreçava en totes les coses que havia mester com ell volia e demanava. E feu lo ten gran doctor que ach per dexebles e fou mestre del Emperador de Roma e del Rey de França. E apres per procuracio del diable fo arcabisbe de Rains, e apres cardenal, e apres papa. E stant papa demana un die al diable tro quant vivria. E lo diable respos que tro que digues missa en Iherusalem. E ladonchs lo papa Silvestre fo molt alegre per tal con el no tenia en volentat de anar en romaria en Iherusalem, e axi que vivria longament. E un die anant lo papa per terra de Roma, entra a una sgleya que havia nom Iherusalem, e apres que hague dita missa oyi gran brogit e crits, e stech molt maravellat, e demana com havia nom aquella sgleya, e digueren li que Iherusalem. E quant lo papa sabe que aquella sgleya havia nom Iherusalem, hague molt gran ira e tristor en lo seu cor, e ab molts e grans suspirs e contriccio de cor demana merce a nostre senyor Deus que li perdonas; e feu se tallar tots los membres del cors seu, pero confessa abans tots los seus peccats. E quant se feya tallar los membres, reebia ho en paciencia per tal con ab ellas havia servit lo diable. E apres mana quel cors quel posassen sobre una carreta, e que alli on los bous lo levassen ab la carreta que alli lo soterrassen. E axi confiant de la misericordia de Deu fina. E apres los bous levaren lo a un loch assenyalat en Roma, e soterraren lo alli. E de aquel die a ença en aquella sepultura fan gran brugit los ossos, e fuma tota la sepultura quant algun papa dev finar.

II. El soldado desposeído.

1. Alfonso el Sabio, *Cantiga,* § 281. Como un cavaleiro vasalo do demo, non quis negar Santa Maria, et ela o livrou do seu poder.

U alguen a Ihesu-Cristo
por seus pecados negar',
se ben fiar' en ssa Madre,
fará-ll' ela perdôar.

D' est' avêo un miragre
en França a un francés
que non avía no reino
duc' nen conde nen marqués
que fosse de mayor guisa;
et tal astragueza pres,
que quanto por ben fazia
en mal xe ll' ya tornar.

U alguen a Ihesu-Cristo...

El non era de mal siso
nen deserrado en ál,
senon que quanto fazía
por ben, saya-ll' a mal;
et passand' assi seu tenpo
con esta ventura tal,
de grand' algo que ouvera
non ll' ouv' én ren a ficar.

U alguen a Ihesu-Cristo...

Poys que sse viú en pobreza,
diss' un dia entre ssí:
—Mesqyno desanparado,
¿qué será agora de my?...
A requeza que avía
non sey por qué mi-a perdí;
mais se a cobrar non posso,
yr-m'-ei algur esterrar.—

U alguen a Ihesu-Cristo...

El estand' assí coydando,
un ome ll' apareceu,

et aquel era o demo,
et assí o cometeu:
—¡Cuidas tú no que perdis-
[che!
Iá outr' ome máis perdeu
ca tú, et fez meu mandado
et fiz-ll'-o todo cobrar

U alguen a Ihesu-Cristo...

E se tú assí fezeres
todo ch'-o eu cobrarey.—
Diss' él: -Dí-me qué che faça
et logo ch'-o eu farey.—
Diss' o demo: —Por vassalo
meu t' outorga, et dar-ch'-ei
mui máis ca o que perdische.—
Et él foy-ll'-o outorgar.

U alguen a Ihesu-Cristo...

Pois que lle beijou a mâo,
diss' o demo: —Un amor
me farás, pois meu vassalo
es: nega nostro Sennor
et nega todos seus santos.—
Et fillou-xe-lle pavor
de os negar, et negó-os;
tanto ll' ouv' a preegar.

U alguen a Ihesu-Cristo...

Despos esto, disso: —Santa
María renegarás.—
Diss' enton o cavaleiro:
—Este poder non o ás
que me faças que a negue,
nen tanto non me darás
que negue tan bôa dona;
ánte m' iría matar.—

U alguen a Ihesu-Cristo...

Diss' o demo: —Pois negaste
Deus, non mi á ren que fazer
de ssa Madre non negares;
mais dou-che mui grand' aver:
demáis negasch' os seus san-
[tos;
mais ál mi as de prometer
que non entres en eigreia.—
Et iurou d' í non entrar.

U alguen a Ihesu-Cristo...

El andado por do demo
passou ûa gran sazon,
et foy con el Rey de França
un dia a un sermon:
et el Rei en a eigreia
entrou, et él con él non
entrou et ouve vergonna
de sse d' él assí quitar.

U alguen a Ihesu-Cristo...

A magestade de Santa
María viú ú ficou
de fóra o cavaleiro,
et a ssa mâo levou
contra él et sinal fizo
que entrass'; e espantou-
s' a gente, por neun omme
a Magestade chamar.

U alguen a Ihesu-Cristo...

Diss' enton el Rey: —Amigos,
algun sant' entre nós á
et non entrou na eigreia;
mais algur de fóra 'stá.—
Et fezo catar de fóra
quáes estavan alá,
et víron o cavaleiro
sóo senlleiro estar.

U alguen a Ihesu-Cristo...

Diss' el Rey: —Sancta Maria
muy pagada de vós é;
ca a sua Magestade
vos chamou, que aquí sé.—
disso él: —Máis é-m' irada
con dereito, a la fe,
et fez sinal que ant' ela
sol non m' oussase parar.

U alguen a Ihesu-Cristo...

Ca eu fiz tan máo feyto,
que nunca viú omme quen
tan máo feito fezesse
por algo, nen tan mal sen;
ca per que pobre tornara
vassalo torney porén
do dem', e Deus et os santos
neguey por m' enrrequentar.

U alguen a Ihesu-Cristo...

Mais des oie máis do demo
m' espeço, et nego eu
él et todas suas obras,
et leixo quanto m' él deu
et tórno-m' a Ihesu-Cristo
et outórgo-me por seu,
et péço-lle que sse queira
de mí, peccador, nenbrar.—

U alguen a Ihesu-Cristo...

Poil-o viú el Rey queyxar-se
et muy ben se repentir,
preguntou-lle se iá quando
traballara en servir
a Vírgen Santa María;
et él disso: —Consintir
nunca quix' ä diabo
que mi-a fezesse negar.—

U alguen a Ihesu-Cristo...

Diss' enton el Rey: —Amigo,
eu fuí errado, par Deus,
de vós averdes pobreza
en meu reyn' e ontr' os meus.
Et deu-ll' enton por herdade
muy máis ca ouveran seus
avóos, et ficou rico
com' ome do seu logar.

U alguen a Ihesu-Cristo...

2. *Jacobo de Vitry,* § 296.

Yo oí acerca de un hombre que habiéndolo perdido todo

a causa de los dados empezó a desesperarse y a blasfemar de Dios y a invocar al diablo. Llegándose a un judío poderoso le dijo el judío: «Niega a Cristo y a su Madre y a los santos y yo haré que tengas más de lo que antes tenías.» El le respondió: «Yo podría renegar de Dios y de los santos, pero de ningún modo renegaré de su madre misericordiosísima.» Al oírlo, el judío enfurecido lo echó afuera. Un día, cuando pasaba ante la imagen de la santa Virgen, la imagen, como si le diera las gracias, se le inclinó y un hombre rico que estaba en la iglesia vio esto. Otra vez, cuando pasaba ante la imagen, la imagen se le inclinó mientras lo veía el predicho rico, el cual admirado, llamó a aquel que iba casi desnudo y caminaba como un ribaldo y le dijo: «¿Qué quiere decir este milagro? Aquella imagen se te ha inclinado dos veces.» Le respondió: «No sé por qué haría eso. Yo soy el peor de los pecadores y perdí todos los bienes paternos viviendo lujuriosamente y jugando a los dados.» El rico le dijo: «¿Cómo puede ser esto? ¿Prestaste alguna vez algún servicio a santa María?» Y él: «No he servido ni a Dios ni a ella.» Finalmente, acordándose, dijo: «Un judío me quiso hacer rico si renegaba de santa María y yo preferí permanecer pobre antes que renegar de ella.» Y muy emocionado el rico dijo: «Hiciste bien.» Y le dio a su hija con muchas riquezas y así, con la ayuda de Santa María, se hizo más rico de lo que el judío lo hubiera hecho. He aquí cuán bueno es servir a la Santa Virgen y honrarla.

3. *Klapper*, § 63.

Cierto soldado derrochador le cambió muchas cosas por dinero a un judío y cuando cesaron las prendas cesó la amistad. Angustiado el soldado, cayó en gran vergüenza al sufrir la pobreza. El judío le aconsejó al soldado que le permitiera enriquecerlo y el soldado, prontamente, le prometió hacer lo que quisiera. Separándose a un lugar apartado de los hombres, vino el diablo al ser llamado. Le dijo el judío: «He aquí que te traigo a un soldado quien te rendirá homenaje para que soluciones su pobreza abundantemente.» Al consentirlo el soldado y prometerle el diablo muchas cosas le ordenó renunciar a la fe y a Dios y que así cumpliría todo lo que quisiera. Mirándolo el demonio, dijo: «Todavía te falta una cosa pequeña, la cual debes cumplir. Reniega también de Santa María, pues es necesario que por completo frustres tu esperanza.» Muy contristado el soldado le ruega que por lo ya hecho le dé lo que desea, pues esto último ni lo puede ni lo quiere hacer. ¿Qué más? El judío se retiró con su amo y el soldado quedó solo muy desconsolado. Después de desempeñar varios oficios vino a cuidar los terrenos de cierto noble, dedicados a la caza, en los cuales se hallaba una capilla. Entró en ella devoto y vio una imagen de Santa María con su Hijo; se arrodilló y derramó un torrente enorme de lágrimas pidiendo gracia. Entonces vio con sus ojos que la imagen de Santa María con su Hijo se movía y la madre le suplicaba al Hijo por el soldado y el Hijo no quería oír las preces de la madre. Al ver esto por segunda y por tercera vez insistió él orando con más devoción. Finalmente, separando de su regazo al Hijo parecía que Santa María le pidiera perdón para sí misma. El Hijo, levantando prontamente a su querida madre, le concedió al soldado pleno perdón de sus delitos. Volviendo en sí el soldado, tranquilizada su conciencia se iba a retirar. Pero he aquí que el señor de la casa se hallaba por casualidad presente y había visto todo lo ocurrido y, rogado el soldado, contó todo lo sucedido. Y como amaba a Santa María lo enriqueció con sus riquezas. Así acostumbra Nuestra Señora salvar a los suyos.

III. El rico desesperado.

Etienne de Bourbon, § 182.

De los efectos múltiples de la confesión. Al maestro Nicolás de Flavigni, arzobispo de Besançon, le oí que como cierto hombre que era rico, cayese de improviso en gran pobreza y vagara desesperado, se le apareció el diablo en figura humana diciéndole que si quería servirlo y prestarle homenaje lo haría rico. Así lo hizo y cuando puso su mano derecha en señal de pacto entre las manos del diablo, se le volvió negra y como un carbón y no pudo restaurarle la blancura con ningún lavado. Después de servir al demonio por largo tiempo, escuchando su corazón, recurrió a la confesión que el diablo le había prohibido. Cuando se confesó llorando, aquella mano negra se puso súbitamente blanca y retornó a su primer color.

IV. El ladrón ajusticiado.

1. *Speculum Laicorum,* § 185.

E fue un ladrón que acostumbrava mucho a furtar e después arrepintiose e fizo penitençia, e commo fuese un dia por una carrera, tomo el diablo forma humanal e vinole a encontrar e dixole que mejor le seria que tornase a la obra que solia usar que peresçer de mengua e porberdad, ca asaz tiempo le quedava aun para se emendar e fazer penitencia, e que le segurava que si alguna vez le acaesçiese ser preso que él lo libraria e acorreria. E commo el mezquino tomase su consejo, tornose al ofiçio e fue preso a poco tienpo e condenado a muerte. E commo fallesçiese soga para lo enforcar vino el diablo e diole un anillo de oro para que lo diese a los que lo levavan e pudiese ser librado. E commo él tornase el anillo e lo diese a los que lo levavan a matar, aparesçio un madero retuerto convenible asaz para lo enforcar, e fue enforcado en él.

2. *Abstemio* en Nevelet, *Mytologia Esopica,* § 58 (Citado por Knust, p. 405).

Cierto varón maligno que había perpetrado muchos crímenes, varias veces cuando había sido capturado y encerrado en la cárcel y se hallaba custodiado de manera estricta y vigilante, había implorado el auxilio del demonio y éste con frecuencia se lo había prestado y lo había librado de muchos peligros. Por fin, aprehendido nuevamente, imploró la ayuda acostumbrada y se le apareció el demonio llevando en sus hombros un gran paquete de zapatos rotos y le dijo: «Amigo, ya no te puedo auxiliar más, pues he andado por salvarte por tantos lugares que he roto todos estos zapatos. Ya no me queda más dinero para comprar otros. Por lo tanto, debes perecer.»

3. *Bromyard* (Furtum, 8, art. 2,8).

Aunque los robos que en un principio aconseja el demonio sean pequeños, él intenta con ellos inducir a otros mayores, como lo ilustra el cuento de aquel que hizo pacto y amistad con el diablo para que le ayudase en sus robos y lo librase de la muerte; pero que no se le llevase el alma. El diablo se lo prometió con tal de que sólo robase gallinas o cosa así. Robó un día unas gallinas y no las podía llevar; para transportarlas robó entonces un caballo. Lo apresaron y lo llevaron al patíbulo. Llamado el diablo para auxiliarlo, se le presentó y le aseguró que no tenía que guardar la palabra prometida. Y agarrando el caballo por la jeta, le dijo al ladrón: «Bien pudiste verle en la cara que no era ganso.»

* * *

Exemplo 48

De lo que conteşció a uno que provava sus amigos.

I. Línea alegórica.

1. *Barlaam y Josafat*, cap. 13 (15).

Aquellos que están enamorados de los placeres de la vida y se encantan con sus dulzuras, que prefieren las cosas fugaces y baladíes a las por venir que son estables, se parecen a cierto hombre que tenía tres amigos. Con los dos primeros fue extravagantemente pródigo en honrarlos y apasionadamente se aferró a su amor, luchando hasta la muerte y exponiendo por ellos la vida deliberadamente. Empero con el tercero se portó con arrogancia, no concediéndole jamás ni el honor ni el amor que le debía y mostrándole tan sólo una consideración superficial. Ahora bien, un día fue apresado por unos soldados espantosos y extraños que se apresuraron a llevarlo al rey para que diera cuenta de una deuda de diez mil talentos. Estando en grande apuro, este deudor buscó un defensor que pudiera abogar su causa en este terrible ajuste de cuentas con el rey. Por eso corrió a su primer amigo, el más verdadero de todos, y le dijo: «Tú sabes, amigo, que yo siempre arriesgué mi vida por ti. Hoy necesito ayuda en un aprieto que me abruma. Con cuántos talentos podrías tú socorrerme ahora. ¿Cuánto puedo esperar de tus manos, oh amigo mío amadísimo?» El otro respondió y le dijo: «¡Hombre, yo no soy tu amigo! Ni sé quién eres. Otros amigos tengo, con los que me he de solazar hoy y ganarme su amistad para el tiempo que viene. Pero, mira, te regalo dos vestiduras harapientas que tú podrás llevar a donde vas a terminar, aunque te servirán de poco. Y no esperes de mí ninguna ayuda más.» El otro, oyendo esto, desesperó del socorro que había esperado allí y se fue donde el segundo amigo y le dijo: «Amigo, ¿te acuerdas cuánto honor y cuántas bondades has recibido de mis manos? Hoy he caído

(15) Lo mismo que para el ejemplo primero, sigo aquí el texto griego y su versión inglesa de Woodward y Mattingly, pp. 192-199. *El Libro de los Exemplos* (§ 16, p. 36 de KELLER) traduce casi literalmente este ejemplo del *Barlaam;* por eso no me ha parecido necesario editarlo.

en tribulación y en tristeza y necesito una mano amiga. ¿En cuánto puedes tú ahora compartir mi carga? ¡Dime ahora mismo!» Le dijo: «No tengo hoy descanso para compartir tus apuros. Yo mismo he caído en cuidados y en peligros y me hallo también atribulado. No obstante, iré contigo parte del camino, aunque ello de nada puede servirte. Luego me volveré prontamente a casa y me ocuparé de mis propias ansiedades.» Y así se separó el hombre de él, también con las manos vacías, frustrado por todos lados; y derramó lágrimas de compasión por sí mismo, por haber puesto una vana esperanza en aquellos amigos ingratos y por los infructuosos trabajos que por su amor había sufrido. Al fin se fue donde el tercer amigo al cual nunca había servido ni invitado a participar de su dicha. Con semblante avergonzado y triste le dijo: «Escasamente puedo abrir mis labios para hablar contigo, sabiendo muy bien que nunca te he prestado ningún servicio ni he sido bondadoso para contigo en ninguna ocasión que ahora pudieras recordar. Mas al ver que una gran desgracia me ha vencido y que en ninguna parte entre mis amigos he hallado esperanza de salvación, me dirijo a ti rogándote que, si está en tu poder, me prestes alguna pequeña ayuda. No guardes resentimiento por mi falta de bondad pasada y no me rehuses.» El otro le respondió, sonriendo con un semblante acogedor: «De seguro, mi verdadero amigo, que estoy en deuda contigo y no he olvidado tus pequeños servicios, que pagaré hoy con interés crecido. No tengas miedo ni temas nada. Iré delante de ti y le rogaré al rey por ti; y de ninguna manera te entregaré en manos de tus enemigos. Por lo tanto, anímate, amigo mío, y no te angusties.» Entonces, emocionado, le dijo el otro con lágrimas: «¡Ay de mí! ¿Qué he de lamentar primero? ¿Qué he de deplorar primero? ¿Condenaré mi preferencia vana por mis amigos ingratos, falsos y olvidadizos, o condenaré la loca ingratitud que he demostrado para contigo, el sincero y verdadero amigo?»

Josafat oyó este cuento con asombro y preguntó acerca de su interpretación. Entonces le dijo Barlaam: El primer amigo es la abundancia de riquezas y el amor al dinero, por los cuales cae el hombre en medio de mil peligros y sufre muchas miserias. Pero, al fin, en un determinado día viene la muerte; y de todas esas cosas no se lleva el hombre sino la inútil mortaja. El segundo amigo representa a la esposa y a los hijos y el resto de la parentela y amistades a quienes nos apegamos apasionadamente y de los cuales con dificultad nos arrancamos y por su amor descuidamos nuestra alma y nuestro cuerpo. Sin embargo, ningún hombre recibió ayuda de ellos a la hora de la muerte. Ellos tan sólo lo acompañan y lo siguen hasta el cementerio y se regresan a casa y se ocupan de nuevo de sus propios negocios y cuidados; y sepultan su memoria en el olvido como sepultaron su cuerpo en la tumba. Pero el tercer amigo, que fue del todo menospreciado y olvidado, a quien nunca se acercó el hombre, sino que más bien lo rehuyó y evitó con horror, es la compañía de las buenas obras: la fe, la esperanza, la caridad, las limosnas, la bondad y todas las virtudes que nos pueden preceder cuando abandonamos el cuerpo y pueden interceder por nosotros ante el Señor y salvarnos de nuestros enemigos y espantosos acreedores que exigen rindamos una cuenta estricta y tratan encarnizadamente de hacernos sus esclavos. Este es el amigo verdadero y agradecido que conserva en la mente la poca bondad que le hemos mostrado y nos la devuelve con interés crecido.

2. *Jacobo de Vitry,* § 120.

Estas son las palabras de Gregorio con las cuales se demuestra que la gloria de este mundo es vana y transitoria y en el apuro de la muerte no ayuda al hombre, sino que lo abandona. Leemos que cierto hombre grande y poderoso le encomendó a un siervo la custodia de su castillo. Este recibió allí a los enemigos de su señor y por esa causa el señor ordenó que lo ahorcaran. Cuando lo iban a matar, le rogó el siervo a un amigo suyo a quien mucho había amado, que le ayudase en tan gran necesidad. Le contestó que ya había hallado a otros amigos; pero que, sin embargo, algo haría por él: que le daría una sábana. Encontrándose entonces con otro amigo, al cual había amado aún más, le rogó que le ayudara. Le respondió que sólo esto haría por él: que iría con él por el camino que conduce al patíbulo e inmediatamente después se volvería a casa. Se encontró con un tercero, al cual había amado menos que a los otros dos y por el cual había hecho muy poco y al cual sólo consideraba como medio amigo; con vergüenza le empezó a suplicar y a implorar su auxilio. Le respondió: «Pues no olvido los pequeños beneficios que me hiciste, te los devolveré con creces: ofreceré mi alma por tu alma, mi vida por tu salvación y me ahorcarán en tu lugar.» El primer amigo son las posesiones terrenas que al morir sólo nos dan un pañito para que nos entierren; y pronto encuentran otros amigos. El segundo amigo son la esposa, los hijos y parientes que nos siguen hasta el cementerio y al momento se regresan a casa. El tercero y viejo amigo es Cristo, quien por nuestra salvación quiso ser suspendido en el patíbulo. Y además, un cuarto amigo que nos precede preparándonos el camino e intercede por nosotros ante el rey, son las obras de misericordia y las otras obras buenas que hacemos antes de la muerte para que nos socorran en la necesidad...

3. *Odo de Cheriton* (HERVIEUX, *op. cit.,* vol. 4, p. 394).

Cierto hombre le aconsejó a su hijo que se procurase amigos. Viendo éste que necesitaba de tres de sus vecinos, le preguntó a uno en qué forma podría allegarse su amistad. El cual le dijo: «Soy muy rico, pero necesito obreros; si quieres obligarte a trabajar por mí, seré tu amigo.» Así lo hizo y durante mucho tiempo trabajó por él muy duro. Después le preguntó lo mismo al otro; el cual le dijo que era pobre y que si le daba muchas cosas, sería su amigo. Así lo hizo y con frecuencia le dio grandes regalos. También le preguntó lo mismo al tercero y le respondió el tercero que no necesitaba ni dinero ni obreros. Pero que si se arrojaba a sus pies y le rendía homenaje, como un siervo a su señor, sería su amigo. Así lo hizo. Cuando le dijo al padre que tenía tres amigos, le aconsejó el padre que se fingiera acusado ante el rey del crimen de lesa majestad y probara a ver qué ayuda le daban sus tres amigos. Vino el hijo al primer amigo, le pidió ayuda y él, al oír que había cometido un delito contra el rey, le dijo: «Esto haré contigo: arrojaré al traidor de mi casa y arrebataré de sus bienes los que pueda.» El segundo dijo: «Llevaré a la cárcel y encarcelaré al traidor.» El tercero dijo: «Llevaré al traidor hasta el patíbulo y lo colgaré.» Cuando el hijo le contó todo esto a su padre, éste le dijo: «Ningún amigo tienes, hijo: el primer amigo es nominal, el segundo para comer a tu mesa y el tercero es un enemigo. Pero vete —le dijo— a mi amigo, el único que tengo, y expónle tu caso.» Al hacerlo le respondió aquél: «Si has cometido algún robo, tráemelo; y si estás perdido, yo moriré por ti.» Y juzgó entonces que sólo éste, entre todos, era el amigo.

Místicamente: El primer amigo es el mundo o el dinero, por el cual se consume el hombre noche y día, trabajando y molestándose. Dice el *Eclesiatés* (cap. 2, v. 23): «Todos sus días son trabajo, etc.... y de noche no duerme.» Pero a la hora de la muerte, cuando el gran rey llama para que cada uno responda de sus transgresiones, nada le deja, sino que se lo reparte todo a los demás. El mundo lo repudia, como dice Jeremías (cap. 51, v. 34): «Me devoró, me destrozó el rey Nabucodonosor... me llenó de delicadezas y me echó afuera.» Y también los *Proverbios* (cap. 5, v. 9): «Para que no des a los extraños tu honor y tus años al cruel.» El segundo es la carne y los amigos carnales que reciben alimentos y negocios y nos acompañan hasta la cárcel, i. e. al sepulcro y en él nos arrojan. El tercero es el diablo quien nos lleva al último juicio y allí condena a sus aliados. Pero el cuarto es solamente Cristo, quien por sus amigos sufrió la muerte y ha sido el único amigo verdadero. Tulio dice en *De amicitia:* Aquel que se manifiesta constante y estable en la amistad tanto en la prosperidad como en la adversidad, a éste debemos juzgar como amigo extremadamente raro en el género humano y más bien será comparado al orden divino.

4. *Gesta Romanorum,* § 129.

Cierto rey tuvo solamente un hijo, a quien amó mucho; y el hijo recibió permiso del padre para correr el mundo y allegarse amigos. Durante siete años vagó por el mundo, después de los cuales regresó a su padre. El padre lo recibió gozoso y le preguntó cuántos amigos había conseguido. Y él dijo: «Tres. Al primer amigo lo amo más que a mí mismo; al segundo, tanto como a mí mismo; y al tercero, muy poco o casi nada.» Y el padre: «Es bueno probarlos antes de que en verdad los necesites. Mata un cerdo; ponlo en un saco; vete de noche a casa del amigo a quien amas más que a ti mismo y dile que accidentalmente mataste a un hombre y que "si hallan el cuerpo conmigo seré condenado a vergonzosa muerte. Yo te ruego, pues, que siempre te amé más que a mí mismo, que me socorras en esta necesidad tan grande".» Así lo hizo y le respondió el amigo: «Como lo mataste es justo que sufras el castigo. Si hallan conmigo ese cuerpo es posible que me cuelguen en el patíbulo. Sin embargo, como fuiste mi amigo, caminaré contigo al patíbulo y cuando ya estés muerto, te daré unas tres o cuatro yardas de tela para que envuelvan tu cuerpo.» Cuando lo hubo oído, se fue donde el segundo amigo y lo puso a prueba como al primero. Lo mismo que éste, se negó, diciendo: «¿Me crees tan tonto que me quiera exponer a tanto peligro? Sin embargo, porque fuiste mi amigo, caminaré contigo al patíbulo y por el camino te consolaré cuanto pueda.» Entonces se llegó al tercer amigo y lo puso a prueba diciendo: «Me avergüenzo de hablarte, ya que nunca hice nada por ti. Pero accidentalmente maté a un hombre y etc....» Y él: «De buena gana lo haré y me apropiaré tu culpa y, si es necesario, por ti subiré al patíbulo.» Así se dio cuenta de que éste era el mejor amigo. *Moralización:* Carísimos: el rey aquel es Dios omnipotente; el hijo único es cualquier buen cristiano que durante doce *(sic)* años, i. e. durante todo el tiempo de su vida, vive en el mundo y busca amigos. El primero es el mundo, al cual ama más que a sí mismo. Lo cual se prueba: por el mundo se expone el hombre al peligro de muerte y pierde la vida ya en el mar ya en tierra, buscando tener bienes temporales. Por eso ama al mundo más que a sí mismo. Y si lo pones a prueba en tiempo de necesidad, te fallará sin duda y si acaso te da tres o cuatro yardas de tela para envolver tu cuerpo será mucho. El segundo amigo, al cual amas tanto como a ti mismo, son la esposa y tus hijos e hijas, los cuales llorando se dirigen contigo al sepulcro; y cuando la esposa regresa a casa, dentro de pocos días se le va el dolor y comienza a amar a otro. El tercer amigo, por el cual hiciste tan poco, es Cristo, por cuyo amor hemos hecho muy poco bien y en cambio mucho mal; él, a la hora de la muerte, es nuestro amigo, si nos hemos arrepentido y confesado. Aun la muerte sufrió por nosotros en la cruz.

5. *Scala Coeli,* § 60.

La verdadera amistad nos procura muchos bienes. Primero, nos libra de la muerte. Se cuenta que hubo en Roma un cortesano que tenía un hijo único y al morir lo hizo su heredero. Una vez muerto el padre, el hijo tuvo malas compañías y gastó con tres de sus amigos todos sus bienes para vergüenza suya. Finalmente, empobrecido, cometió un homicidio. A causa de su rango, se le dio a elegir entre ser ahorcado o pagar cinco marcos de puro oro. El, confiando en sus tres amigos, a quienes tantos bienes había hecho y con los cuales había gastado su enorme herencia, eligió la pena del oro. Envió por el principal de los amigos y le dijo: «Amigo, nunca te ofendí ni desprecié tus órdenes; hice siempre lo que te plugo; nunca me cansé de servirte y no temí ni el trabajo, ni la muerte, ni el peligro con tal de poderte satisfacer y darte todas las joyas preciosas que podía; y mis bienes todos fueron tuyos, siempre lo mío fue tuyo; siempre por ti dejé a mis otros amigos y los ofendí; por lo mucho que te amé, mi corazón siempre estaba contigo mientras dormía, comía u oraba. Y así como te amé tanto, te ruego me demuestres ahora tu amistad, entregando para mi salvación los cinco marcos.» Y él: «Sé que es verdad todo lo que dices. Pero me cuido más de mí mismo que de ti y llevo el peso de la familia y no puedo entregar lo que me pides. Mas para que no me puedas tildar de ingrato, te concederé el favor de darte una tela con la cual te cubran los ojos cuando te lleven a la horca.» Al irse éste, mandó por el segundo y cuando le expuso todo lo que le había dicho al primero, este segundo dijo: «Todo es verdad, pero no puedo entregar por ti ese oro. Te concederé el favor de acompañarte al patíbulo.» Al irse éste, fue llamado el tercero, al cual expuso todo lo que había dicho a los dos primeros. Este tercero respondió que todo era verdad y para que no lo tildase de ingrato, que si no había otra persona para retirar la escalera en el patíbulo, él lo haría. Retirándose el joven a la cárcel comenzó a llorar, y en su dolor se acordó de que en su tierra había un hombre bueno, quien por amor a sus padres siempre le había reprendido sus malas acciones, aunque él bien poca atención le prestaba. Confiado en su bondad, mandó por él; y hecha ante él una verdadera y humilde confesión de todos us males, el hombre bueno, compadecido, entregó los cinco marcos y lo salvó de la muerte. El cortesano es Dios Padre. La corte son los bienes espirituales, los sacramentos de la Iglesia y las obras de misericordia. El hijo es el hombre que, adhiriéndose al pecado, se hace homicida de la imagen de Dios y así es condenado a muerte sin conocer el tiempo, el modo o el lugar. Como ha gastado todos sus bienes con los tres amigos, a saber: el mundo, los parientes y el diablo, a ellos acude antes de morir; y el primero, el mundo, le da sólo el sudario y le quita todos los honores y bienes temporales, olvidado de todos los trabajos sufridos por causa suya. El segundo amigo, los parientes, lo acompañan hasta la sepultura después de la ejecución en el patíbulo. El tercer amigo, el diablo, retira la escalera, es decir, la esperanza, quitando la gloria prometida y dando la condenación eterna. El cuarto, que ha sido despreciado, es Cristo, quien lleno de benignidad y de misericordia se llega al pecador contrito encerrado en la cárcel del pecado y con sus cinco llagas se entrega para la redención y liberación de la muerte del acusado.

II. La línea anecdótica.

1. *Pero Alfonso* (16).

Arabs moriturus vocato filio suo dixit: Dic, fili, quot tibi, dum vixi, adquisieris amicos! Respondens filius dixit: Centum, ut arbitror, mihi adquisivi amicos. Dixit pater: Philosophus dicit: Ne laudes amicum, donec probaveris eum! Ego quidem prior natus sum et unius dimidietatem vix mihi adquisivi. Tu ergo centum quomodo tibi adquisisti? Vade igitur probare

(16) Pero Alfonso, *Disciplina Clericalis,* ed. de González Palencia (Madrid-Granada, 1948), p. 6. Como es un texto tan importante lo edito en su latín original. Edito a continuación la versión de *El Libro de los Exemplos,* que es su traducción literal.

omnes, ut cognoscas si quis omnium tibi perfectus erit amicus! Dixit filius: Quomodo probare consulis? Dixit pater: Vitulum interfectum et frustatim comminutum in sacco repone, ita ut saccus forinsecus sanguine infectus sit. Et cum ad amicum veneris, dic ei: Hominem, care mi, forte interfeci; rogo te, ut eum secreto sepelias; nemo enim te suspectum habebit, sicque me salvare poteris. Fecit filius sicut pater imperavit. Primus autem amicus ad quem venit dixit ei: Fer tecum mortuum super collum tuum! Sicut fecisti malum patere satisfactionem! In domum meam non introibis. Cum autem per singulos sic fecisset, eodem responso ei omnes responderunt. Ad patrem ergo rediens nuntiavit quae fecerat. Dixit pater: Contigit tibi quod dixit philosophus: Multi sunt dum numerantur amici, sed in necessitate pauci. Vade al dimidium amicum meum quem habeo et vide quid dicat tibi! Venit et sicut aliis dixerat huic ait. Qui dixit: Intra domum! Non est hoc secretum quod vicinis debeat propalari. Emissa ergo uxore cum omni familia sua, sepulturam fodit. Cum autem ille omnia parata videret, rem prout erat disseruit gratias agens. Deinde patri retulit quae fecerat. Pater vero ait: Pro tali amico dicit philosophus: Hic est vere amicus qui te adiuvat, cum saeculum tibi deficit.

2. *El libro de los Exemplos,* § 18 (p. 38 de Keller).

Un onbre de Arabia, estando a la muerte, llamo a su fijo e dixole: —¿Quantos amigos tienes? E el fijo rrespondio e dixo: —Segund creo, tengo çiento... E dixo el padre: —Cata que el philosofo dixo: «non alabes al amigo fasta que lo ayas provado». E yo primero nasci que tu e apenas pude ganar la meytad de un amigo, e pues assi es, ¿commo tu ganaste çiento? Ve agora e pruevalos todos, porque conoscas sy alguno de todos ellos te hes acabado amigo. E dixo el fijo: —¿Commo me consejas que lo faga? Dixo el padre: —Toma un bezerro e matalo e fazelo pieças e metelo en un saco en manera que de fuera paresca sangre, e quando fueres a tu amigo, dile assy: «Amigo muy amado, trago aqui un ombre que mate. Rruegote que lo entierres ssecretamente en tu casa, que ninguno non avera sospecha de ty e assy me podras salvar. El fijo lo fizo commo le mando el padre. El primero amigo a que fue dixole: —Lievate tu muerto a cuestas, e commo feziste el mal, parate a la pena. En mi casa non entraras. E assy fue por todos los otros amigos e todos le dieron aquella misma rrespuesta. E tornosse para su padre e dixole lo que feziera. E dixo el padre: —A ti acaescio segund dixo el philosofo: «Muchos sson llamados amigos e al tiempo de la necesidat e de la priessa son pocos.» E ve agora al mi medio amigo e veras lo que te dira. E fue a el e dixole: —Entra aca en mi casa, por que los vezinos non entiendan este secreto. E enbio luego a la mugier con toda su conpaña fuera de casa e cavo una ssepultura. E quando el mançebo vio lo que avia fecho e la buena voluntad de aquel medio amigo de su padre, descobriole el negoçio commo era, dandole muchas gracias. E dende tornosse a su padre e contole lo que le feziera. E dixole el padre: —Por tal amigo dize el philosofo: «aquel es verdadero amigo que te ayuda quando el mundo te fallesçe».

3. *Scala Coeli,* § 69.

Refiere el padre *(sic)* Alfonso que uno preguntó cuántos amigos se había allegado su hijo en la vida y éste le respondió que muchos. El padre: «No es amigo el que no se compadece del amigo en la necesidad y se retira. Para que conozcas que no tienes amigos, sino enemigos, toma un becerro muerto, mételo en un saco y vete donde todos tus amigos y diles en secreto que lo oculten; que has matado a un hombre. Si lo reciben y lo ocultan, son verdaderos amigos. Si empero lo descubren, son enemigos. Esto fue lo que hicieron los amigos y aun lo rechazaron gritando. Volviendo donde su padre, todo lloroso, dijo: «En verdad que todos son enemigos, pues quisieron arruinarme.» Entonces el padre: «Vete donde un amigo mío a quien me gané hace cuarenta años, al cual le dirás de mi parte lo que le dijiste a los demás.» Cuando así lo hizo, él recibió de buena gana el becerro muerto y lo sepultó secretamente, cerrando la puerta. El padre es Dios; el hijo es el pecador cuyos amigos son: el mundo, la carne y los demonios que de continuo nos confunden. Pero el amigo verdadero es Cristo, que enterró y perdonó nuestros pecados.

4. *Speculum Laicorum,* § 49.

Recuerda Per Alfonso que un viejo de Arabia preguntó a su fijo quantos amigos avia e respondiole que avia mas de çiento e dixole el padre: Bien libraste, ca yo non pude aver en toda mi vida mas de uno, mas por que prueves a tu amigo, toma un bezero muerto e metelo en un costal e ve a él de noche e dile que traes ome que mataste e ruegale que te lo ençele e te ayude a enterrar el muerto. E fizolo el fijo todo por orden e oyendo aquel su amigo lo que traya dixo: Tu mataste el ome e traerlo a mi casa porque yo sea enforcado por lo que tu feziste? Lievalo muy apriesa, ca del mi aver te ayudaré, mas en este fecho non te ayudaré en ninguna manera. Así que tornose el fijo al padre e recontole todas las cosas según le acaecieron e dixole el padre: Fijo, ve a mi medio amigo que te aconseje en este fecho. E fue el fijo e recontó al medio amigo del padre lo que dixera primero al su amigo e respondiole e dixole: Fijo, bien lo faremos. E enbio toda la conpanna de casa e fizo una fuesa so su lecho en la cual enterró al muerto. E esto fecho contole el fijo la verdat de la cosa, fazeciéndole grazias por la entera amistança e tornó al padre e contole todas las cosas commo fueran fechas.

5. *El Caballero Zifar*, ed. de Martín de Riquer (Barcelona, 1951).

Cap. 5. De los enxemplos que dixo el cavallero Zifar a su muger para induzirla a guardar secreto; y el primero es del medio amigo.

E dize el cuento que este ome bueno era muy rico e avía un fijo que quería muy bien, e dávale de lo suyo que despendiese, quanto él quería, e castigóle sobre todas las cosas e costumbres que apresiese e punase en ganar amigos, ca ésta era la mejor ganancia que podría fazer; pero que atales amigos ganase que fuesen enteros, e a lo menos que fuesen medios; ca tres maneras son de amigos: los unos de enfinta, e éstos son los que non guardan a su amigo sinón demientra pueden fazer su pro con él; los otros son medios, e éstos son los que se paran por el amigo a peligro que non paresce, mas es en dubda si será o non; e los otros son enteros, los que veen al ojo la muerte o el grant peligro de su amigo e pónense delante para tomar muerte por él, que el su amigo non muera nin resciba daño. E el fijo le dixo que lo faría así, e que trabajaría de ganar amigos quanto él más podiese.

E con el algo quel dava el padre combidava e despendía e dava de lo suyo granadamente, de guisa que non avía ninguno en la cibdat onde él era más acompañado que él. E a cabo de dies años preguntóle el padre quántos amigos avíe ganados, e él le dixo que más de ciento.

—Certas —dixo el padre—, bien despendiste lo que te di, si así es; ca en todos los días de la mi vida non pude ganar más de medio amigo, e si tú cient amigos as ganado, bien aventurado eres.

—Bien creed, padre señor —dixo el fijo—, que non ay ninguno dellos que se non posiese por mí a todos los peligros que me acaesciesen.

E el padre lo oyó e calló e non le dixo más. E después desto contesció al fijo que ovo de pelear e de aver sus palabras muy feas con un mançebo de la cibdat, de mayor logar que él, e aquél fue buscar al fijo del ome bueno por le fazer mal. El padre quando lo sopo, pesóle de coraçón, e mandó a su fijo que fuese para una casa fuerte que era fuera de la cibdat, e que se estudiese quedo allá fasta que apagasen esta pelea. E el fijo fízolo así, e desí el padre sacó luego segurança de la otra parte e apaciguólo muy bien. E otro día fizo matar un puerco e mesólo e cortóle la cabeça e los pies, e guardólos, e metió el puerco en un saco e atólo muy bien e púsole so el lecho, e embió por su fijo que se veniese en la tarde.

E quando fue la tarde llegó el fijo, e acogióle el padre muy bien e díxole de cómmo el otro le avía asegurado, e cenaron. E desque el padre vio la gente de la cibdat que era aquedada, dixo así:

—Fijo, commoquier que yo te dixe luego que veniste que te avía asegurado el tu enemigo, dígote que non es así; ca en la mañana, quando venía de misa, lo fallé aquí en casa dentro, tras la puerta, su espada en la mano, cuidando que eras en la cibdat, para quando quesieses entrar a casa, que te matase. E por la su ventura matélo yo e cortéle la cabeça e los pies e los brazos e las piernas, e echélo en aquel pozo, e el cuerpo metílo en un saco, e téngolo so el mi lecho. E non lo oso aquí soterrar por miedo que nos lo sepan. Por que me semeja que sería bien que lo levases a casa de algunt tu amigo, si lo has, e que lo soterrases en algunt logar encubierto.

—Certas, padre señor —dixo el fijo—, mucho me plaze; e agora veredes qué amigos he ganado.

E tomó el saco acuestas e fuése para casa de un su amigo en quien él más fiava; e quando fue a él maravillóse el otro porque tan grant noche venía, e preguntóle qué era aquello que traía en aquel saco; e él ge lo contó todo, e rogóle que quisiese que lo soterrasen en un trascorral que y avía. E su amigo le respondió que commo feziera él e su padre la locura, que se parasen a ella e que saliese fuera de la casa; que non quería verse en peligro por ellos. E eso mesmo le respondieron todos los otros sus amigos. E tornó para casa de su padre con su saco, e díxole commo ninguno de sus amigos non se quisieron aventurar por él a este peligro.

—Fijo —dixo el ome bueno—, mucho me maravillé quando te oí dezir que cient amigos avías ganados, e seméjame que entre todos los ciento non fallaste un medio; mas, vete para el mi medio amigo, e dile de mi parte esto que nos contesció, e quel ruego que nos lo encubra.

E el fijo se fue e levó el saco e ferió a la puerta del medio amigo de su padre. E salieron a él los hombres e preguntáronle qué quería, e díxoles que quería fablar con el amigo de su padre. E ellos fueron ge lo dezir, e mandó que entrase. E quando le vio venir, e lo falló con su saco acuestas, mandó a los otros que saliesen de la cámara, e fincaron solos. E el ome bueno le preguntó qué era lo que quería, e qué traía en el saco. E él le contó lo quel contesciera a su padre e a él e rogóle de parte de su padre que ge lo encobriese. E él le respondió que aquello e más faría por su padre; e tomó un açadón e fezieron amos a dos una fuesa so el lecho e metieron y el saco con el puerco, e cobriéronle muy bien de tierra. E fuese luego el moço para casa de su padre, e dixole cómmo el su medio amigo le rescebiera muy bien, e que luego quel contó el fecho, e le respondiera que aquello e más faría por él, e que feziera una fuesa so el lecho e que lo soterraran y. Estonces dixo el padre:

—¿Qué te semeja de aquel mi medio amigo?

—Certas —dixo el fijo—, seméjame que este medio amigo vale más que los mis ciento.

—E fijo —dixo el ome bueno—, en las oras de la cuita se proevan los amigos; e por ende non deves mucho fiar en todo ome que se demuestra por amigo fasta que lo proeves en las cosas que te fueren mester. E pues tan bueno fallaste el mi medio amigo, quiero que ante del alva vayas para él e quel digas que faga puestas de aquel que tiene soterrado, e que faga dello cocho e dello asado, e que cras seremos sus huéspedes yo e tú.

—¿Cómmo, padre señor —dixo el fijo— combremos el ome?

—Certas —dixo el padre—, mejor es el enemigo muerto que vivo, e mejor es cocho e asado que crudo; e la mejor vengança que el ome dél puede aver es ésta: comerlo todo, de guisa que non finque dél rastro ninguno; ca do algo finca del enemigo, y finca la mala voluntad.

E otro día en la mañana, el fijo del ome bueno fuese para el medio amigo de su padre e díxole de cómmo le embiava rogar su padre que aquel cuerpo que estava en el saco, que le feziese puestas e que lo guisasen todo, cocho e asado, ca su padre e él vernían comer con él. E el ome bueno quando lo oyó començóse a reír, e entendió que su amigo quiso provar a su fijo, e díxole que ge lo gradescía, e que veniesen temprano a comer, que guisado lo fallarían muy bien, ca la carne del ome era muy tierna e cozía mucho aína. E el moço se fue para su padre e dixo la respuesta de su medio amigo. E al padre plogo mucho por que tan bien le respondiera.

E quando entendieron que era ora de yantar, fuéronse padre e fijo para casa de aquel ome bueno, e fallaron las mesas puestas, con mucho pan e mucho vino. E los omes buenos començaron a comer muy de rezio commo aquellos que sabían qué tenían delante. E el moço recelava lo de comer, commoquier quel parescía bien. E el padre quando vió que dudava de comer, díxole que comiese seguramente, que atal era la carne del enemigo commo la carne del puerco, e que tal sabor avía. E él començó a comer, e sópole bien, e metióse a comer muy de rezio, más que los otros, e dixo así:

—Padre señor, vos e vuestro amigo bien me avedes encarniçado en carnes de enemigo; e cierto cred que pues las carnes del enemigo así saben, non puede escapar el otro mío enemigo que era con éste, quando me dixo la sobervia, quel non mate e quel non coma muy de grado; ca nunca comí carne que tan bien me sopiese commo ésta.

E ellos començaron a pensar sobre esta palabra que el moço dixo, e a fablar entre sí. E tovieron que si este moço durase en esta imaginación, que sería muy crúo e que lo non podrían ende partir, ca las cosas que ome imagina mientra moço es, mayormente aquellas cosas en que toma sabor, tarde o nunca se puede dellas partir. E sobre esto el padre, queriéndole sacar desta imaginación, començóle a dezir:

—Fijo, porque tú me dixiste que tú avías ganado más de ciento amigos, quise probar si era así, e maté ayer este puerco que agora comemos, e cortéle la cabeça e los pies e las manos, e metí el cuerpo en aquel saco que acá troxiste, e quise que provases tus amigos así commo los proveste. E non los falleste atales commo cuidavas, pero que falleste este medio amigo bueno e leal, así commo devía ser; por que deves parar mientes en quáles amigos deves fiar; ca muy fea e muy crúa cosa sería, e contra natura, querer el ome comer carne de ome, nin aun con fanbre.

—Padre señor —dixo el moço—, gradesco mucho a Dios porque atán aína me sacastes desta imaginación en que estava; ca si por los mis pecados el otro enemigo oviese muerto, e dél oviese comido, e así me sopiese commo esta carne que comemos, non me fartaría ome que non codiciase comer. E por aquesto que me agora dixistes, aborresceré más la carne del ome.

—Certas —dixo el padre—, mucho me plaze, e quiero que sepas que el enemigo e los otros que con él se acertaron, que te han perdonado, e yo perdoné a ellos por ti. E de aquí adelante guárdate de pelear, e non te arrufen así malos amigos; ca quando te vieren en la pelea desanpararte-ían, así commo viste en estos que provaste.

* * *

Exemplo 49

De lo que conteșçió al que echaron en la ysla desnuyo quandol tomaron el señorío que tenie.

1. *Barlaam y Josafat,* cap. 14.

Escucha un ejemplo sobre este tema (la vanidad del mundo). Oí decir de una gran ciudad cuyos ciudadanos tenían, desde hacía mucho tiempo, la costumbre de tomar a algún extranjero que nada sabía de sus leyes ni de su tradición y hacerlo su rey con poder absoluto, para que sin obstáculos pudiera hacer su voluntad y placer durante un año. Entonces, de repente, mientras estaba viviendo sin ningún cuidado en orgías y lascivia, sin temor y siempre suponiendo que su reino sólo terminaría con la vida, se levantaban contra él, lo despojaban de sus vestiduras reales, lo conducían en triunfo por toda la ciudad y de allí lo despachaban fuera de su territorio a una gran isla distante. Allí, por falta de alimentos y de vestido, con hambre y desnudez se acababa miserablemente; cambiados inopinadamente en dolor aquel lujo y placer con los cuales, también inopinadamente, lo habían regalado. Siguiendo, pues, la no interrumpida costumbre de estos ciudadanos, cierto hombre fue elevado al trono. Mas su mente era rica en conocimientos y no se dejó arrebatar por este repentino ascenso a la prosperidad. Tampoco imitó el descuido de los reyes que lo precedieron y habían sido miserablemente expulsados. Su alma se sumergió en cuidados y en angustia pensando cómo llevar ordenadamente sus asuntos. Después de larga y cuidadosa búsqueda, oyó a un sabio consejero acerca de la costumbre de los ciudadanos y acerca del lugar de perpetua desaparición; y el sabio le enseñó sin engaño cómo defenderse de este destino. Así, sabiendo que dentro de poco habría de llegar a esa isla y dejar a los extraños este reino casual entre extraños, abrió los tesoros sobre los cuales ahora tenía absoluto e ilimitado poder y sacó gran cantidad de dinero y enormes porciones de oro y de plata y piedras preciosas y los entregó a siervos dignos de confianza y los envió de antemano a la isla a la cual iría. Cuando el dicho año vino a su fin, los ciudadanos se levantaron contra él y lo enviaron desnudo al destierro como a sus predecesores. Mas, mientras los demás reyes locos, reyes sólo por un tiempo, morían de hambre, él, quien con tiempo había depositado su riqueza, pasaba sus días en continua abundancia en medio de regalos, libre de gastos, libre del temor de aquellos malos y rebeldes ciudadanos; y se consideró feliz en su sabia providencia.

Entiende, por lo tanto, que la ciudad es este mundo vano y engañoso; que los ciudadanos son los principados y poderes de los diablos, gobernantes de las tinieblas de este mundo, los cuales nos invitan con el dulce señuelo del placer y nos aconsejan que consideremos lo perecedero como imperecedero, como si el goce que de ellos viene existiera siempre con nosotros que somos inmortales. Así se nos engaña: no pensamos en las cosas que son perdurables y eternas y no atesoramos para la vida del más allá. Cuando se nos venga la muerte, entonces aquellos crueles ciudadanos de las tinieblas, aquellos que nos recibieron, nos expulsarán desnudos de todo bien terreno. Habremos perdido todo nuestro tiempo en su servicio y seremos llevados a una tierra tenebrosa y triste, a una tierra de eternas tinieblas, donde no hay luz y desde la cual no se puede ver la vida de los demás hombres. En cuanto al buen consejero que reveló toda la verdad y enseñó al sagaz y sabio rey el camino de la salvación, entiende que ése soy yo, tu pobre y humilde siervo que he venido aquí para mostrarte el bueno e infalible camino que lleva a las cosas eternas e imperecederas y para aconsejarte que deposites allá todos tus tesoros...

2. *Jacobo de Vitry,* § 9.

El prelado, que por un tiempo es nombrado rey sobre el monte santo de Sión y sobre la Iglesia, debe hacer lo que hizo cierto sabio. Lo hicieron rey en una ciudad en la que había la costumbre de hacer reinar sólo por un año; y durante ese tiempo de reinado obedecían todos bajo juramento y el rey podía hacer lo que quisiera. Mas transcurrido el año se lo enviaba al destierro, del cual no podía volver; y no podía poseer el reino por derecho hereditario. Este hombre, mientras tuvo el poder, envió oro, plata, piedras preciosas, paños de seda y alimentos copiosos con muchos sirvientes a una isla del mar a la cual solían ser enviados sus predecesores. Así convirtió el destierro en lugar ameno. Y nosotros, que después de la muerte no podremos gobernar, enviemos por delante las obras santas de nuestro comportamiento y misericordia.

3. *Vicente de Beauvais (Spec. Morale,* lib. 2, dist. 4, pars. 1).

Barlaam exhortando a esto trae este ejemplo: En cierta ciudad había la costumbre de establecer cada año a un príncipe; y al fin de ese año, cambiarlo y enviarlo al destierro. Cierto sabio y prudente, elegido como príncipe, al oír acerca de la dicha ley, pasó sus bienes al destierro. Cuando llegó a él, terminado el tiempo de su gobierno, encontró lo suficiente para sí y tuvo abundancia de bienes.

4. *Scala Coeli,* § 134 (17).

---

(17) Esta versión del *Scala Coeli* es casi la misma de la *Legenda*

Refiere Barlaam que en cierta ciudad había la costumbre de tomar como rey a un extranjero completamente ignorante de las costumbres de la ciudad, al cual le daban el poder de hacer, sin ningún temor, todo lo que quisiera durante todo un año. Cuando estaba viviendo en deleites y concupiscencia, de repente, completado el año, los ciudadanos de aquella ciudad se arrojaban sobre él y quitándole la vestimenta real, lo paseaban por toda la ciudad y luego lo desterraban desnudo a una isla en la cual, al carecer de alimento y de vestido, moría de aflicción y de miseria. Todo esto lo supo uno que iba a reinar; y preparándose, se proveyó de todo lo necesario para no perecer como los otros en la miserable isla. La ciudad es el mundo; los ciudadanos, los clérigos; el rey, el hombre; la isla, el juicio divino.

5. *Gesta Romanorum,* § 224.

En cierta isla había la costumbre de tener un rey cada año; ese rey, terminado el año, era enviado al destierro totalmente desnudo. Acaeció que vino un extranjero que no conocía aquella costumbre y lo hicieron rey. Vino entonces a él uno que le indicó la costumbre de la tierra y de aquella ciudad y entonces mandó a esa isla mucho oro y plata y edificó casas y construyó allí una gran ciudad porque los ciudadanos durante aquel año nada le negaban. Después del año fue enviado al destierro y encontró allí un lugar más rico que el que había dejado. La isla en la cual cada uno es rey por un año es este mundo, en el cual los malos reinan por un año, i. e. por una hora en relación a la eternidad. Después de esta vida se coloca

---

aurea (cap. 180), la cual sólo difiere en la aplicación: «La ciudad es este mundo; los ciudadanos, los príncipes de las tinieblas que nos regalan con los falsos deleites del mundo y cuando no lo esperamos, se nos viene la muerte y se nos sumerge en el lugar de las tinieblas; el envío de riquezas al lugar eterno se hace por las manos de los pobres.»

al hombre desnudo con sólo un sudario en la tumba; y a no ser que lo hayan precedido algunas buenas obras, allí estará en el destierro, i. e. las penas eternas.

6. *Recull de Eximplis,* § 578.

Eximpli de Barlam de la custuma qui era en les gents de una ciutat qui prenien per lur Rey hom estrayn per que no sabes lurs custumes, segons que recompte Barlam. Providencia in futurum est laudabilis. En una gran ciutat era custuma que prenien per Rey lom estrayn perque no sabes les leys e custumes de la ciutat. E apres quel dit Rey havia regnat un ayn levavense contra ell les gents de la ciutat; e stant segur en grans delits e plers despullavenli les vestedures reals, e menavenlo despullat per tota la ciutat, e apres metienlo en la mar en una barca sens rems vestit de una vestedura de drap de li, e arribava a una ylla on no trabava que menjar ne ques vestis; e axi moria de fam e de fret. Sdevenchse una veguada que aquells de aquella ciutat prengueren per Rey a un hom molt savi, e con sabe la custum de la dita ciutat, sabent que no podia scusar de anar a la dita illa a la fin del ayn, envia tots los tresors que poch haver a la dita illa, a la qual mana fer molt belles cases, e plantar molts bons arbres fruytals. E acabat layn de son regnat arriba a la dita illa, e trobay la provesio, en la qual visque a son pleer. Per aquell regne es entes aquest mon; e lo Rey per aytal manera fet rey es quescun de nosaltres; la ylla es laltre mon; la vestedura de li es la mortalla; la barca es la caxa o taut en ques mes lo cors; la provisio que aquell savi Rey trames a la ylla es que segons les obres que hom fara en aquest mon, axi trobara hom provesio de salvacio en laltre.

7. *El Libro de los Exemplos,* § 366 (310).

Leyese de Barloam *(sic)* que en una çibdat hera costunbre

que cada año tomassen un principe, e en cabo del año tomavanle quanto tenia e desterravanlo. E un sabio vino alli por principe, e oyendo esta costunbre, todos quantos bienes pudo aver inbio a aquella ysla donde solían desterrar a los principes. E acabado el año, quando fue desterrado, fallo habastamiento e viandas e de dinero e de todas las otras cosas. E assi bivio habundossamente.

* * *

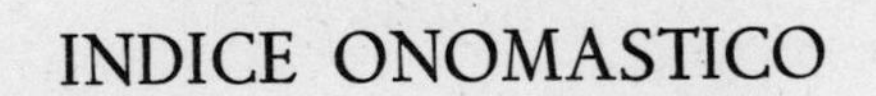
INDICE ONOMASTICO